D1210519

La Femme et le Sacrifice

DU MÊME AUTEUR

La Vocation prophétique de la philosophie, Éditions du Cerf, 1998.

La Sauvagerie maternelle, Calmann-Lévy, 2001.

Une question d'enfant, Bayard, 2002.

Blind date, sexe et philosophie, Calmann-Lévy, 2003.

Anne Dufourmantelle

La Femme et le Sacrifice

D'Antigone à la femme d'à côté

DENOËL

À Chelo, Angel et leurs enfants,
ma famille de cœur.

Introduction

Du sacrifice, il y en a partout, tout le temps.

Les caméras aujourd'hui sont les témoins de sacrifices venus, semble-t-il, d'âges très anciens. On a vu des kamikazes s'engouffrer dans le métro londonien une bombe dissimulée dans un sac à dos. On a vu leurs visages. Reste notre stupeur. Nous n'avons pas de mots pour cet événement, devant la détermination de ces êtres capables de disparaître en souriant avec l'objet de leur haine. Pas de femmes parmi eux, ou si peu... Et pourtant la féminité a partie liée depuis très longtemps avec le sacrifice. On a sacrifié des femmes au nom d'à peu près tout et elles-mêmes à leur tour ont souvent dû choisir le sacrifice pour défier la loi, être libre d'aimer ou tout simplement d'exister. Si la société occidentale a bousculé le modèle patriarcal au risque de plonger les hommes dans un désarroi durable, persistent les viols, la violence conjugale, les vexations, les harcèlements, les interdits, les voiles...

Sacrificielles, les femmes le sont donc encore, en dépit de leur émancipation certaine. Parce que la mère à l'origine est celle qui donne la vie, et par conséquent aussi la possibilité de la mort. Et que la jeune fille « éternelle » doit mourir d'une certaine façon à elle-même quand elle devient mère. La double icône de la jeune fille et de la mère arme tous nos mythes. D'Iseut à Antigone, d'Iphigénie à Jeanne d'Arc, de Cassandre à sainte Thérèse, de la Béatrice de Dante à la Dulcinée des pensées de don Quichotte, l'éternelle dame d'amour est une jeune fille promise à l'idéal. La mère opère, elle, comme l'envahissante présence de notre origine, figure d'un pouvoir sidérant, figure d'une folle sauvagerie ou de l'abnégation absolue. Et entre ces deux figures, une civilisation construit des autels et organise des rituels pour tenter de conjurer et le pouvoir des mères et la beauté mortelle des jeunes filles et permettre qu'une femme œuvre à devenir femme.

La femme sacrificielle n'existe pas seulement dans nos mythes, elle est la figure récurrente des légendes d'amour, des religions et des textes fondateurs de notre culture, mais elle est aussi terriblement banale. On la côtoie, on lui adresse la parole, on la malmène, on la convoque parce qu'elle est logée là, au plus près de nous, dans les soubassements des histoires de famille, du côté de la honte et du secret, de la mort et de la naissance, du côté de la transmission impossible et de la mémoire qui insiste pour ne pas être tue, du côté silencieux du courage et de toutes les formes de refus. Quand un être est convoqué à faire un *pas de côté* par rapport à toute sa lignée, aux ordres qu'on lui donne ou à une fatalité venue avec sa naissance, la dimension du sacrifice est présente.

Pourquoi le sacrifice n'est-il pas réductible à un acte pathologique (fût-il sublime), un acte de déraison, de trahison ou de pure folie ? Qu'est-ce donc qui le constitue en propre ? Pourquoi est-il systématiquement éradiqué — autant qu'il se peut — de nos sociétés, du moins celles dont le modèle dominant, le libéralisme, met en place, de fait, une économie qui s'en nourrit ? En quoi la femme sacrificielle, en tant précisément qu'elle est femme, nous permet-elle de comprendre la nécessité et le ressort intime du sacrifice en Occident ? La femme n'est pas sacrificielle parce qu'elle *est* une femme, mais parce que le destin de la féminité s'y engouffre d'une certaine façon sans retour, sans écho, avec une puissance de refoulement qui me semble emblématique du temps sécuritaire dans lequel nous sommes collectivement entrés.

J'ai voulu, dans ce livre, mêler les voix des héroïnes, réelles ou de fiction, qui ont fait la mémoire et la culture de l'Occident depuis deux mille ans à celles des femmes qui n'ont, pour nous, collectivement, pas de nom. C'est la femme d'à côté, celle qu'on croise sans la voir, la fille de l'Est prostituée sur les grands boulevards, c'est une sœur fratricide ou une sœur en deuil, une jeune fille devenue folle pour guérir sa famille, une mère infanticide, une amante perdue, c'est celle qui souffre et qui se tait. Et parce qu'elles n'ont pas eu les mots pour le dire, elles sont devenues comme intérieures à nous-mêmes ; leur rapport au sacrifice est un peu le nôtre. Il nous atteint et nous provoque. Car le sacrifice n'est pas seulement synonyme d'oppression, il est aussi le signe d'une révolte et d'une ouverture au nouveau qui fait une brèche dans le déroulement de la fatalité.

Les histoires singulières qui traversent ce livre esquissent les contours d'une mythologie quotidienne, pas celle que véhiculent les médias et autres vecteurs de notre imaginaire, mais celle qui s'inscrit précisément du côté silencieux des corps et des filiations, là où les morts côtoient les vivants, là où l'on se tait. Je ne crois pas à une quelconque force impersonnelle qui nous contraindrait de manière magique à sa loi, mais plutôt à un vecteur symbolique, c'est-à-dire à un rapport au langage et au corps qui caractérise une culture pendant un temps plus ou moins long de son histoire, et traverse la corporéité des êtres, l'épaisseur des vies, la fragilité de nos émotions et de leurs altérations par le seul fait que nous sommes des êtres pris dans un continuel devenir. Que le monde nous parle (ou du moins que nous inventions une langue pour imaginer qu'il nous parle) et donner un sens à nos vies fait partie de notre humanité. Pour une femme, la question du sacrifice est celle d'un exil redoublé, hors de sa fonction maternelle, protectrice, hors de sa destinée, qui pourrait la libérer ou libérer quelque chose autour d'elle, pour autant que l'être affecté d'une valeur sacrificielle se perçoit comme n'étant pas entièrement de ce monde. Il se tient entre le monde des vivants et celui des morts, assurant le passage de l'un vers l'autre. Il opère entre le singulier et l'universel dans un espace où tout semble démesuré. Mais penser la féminité sous les auspices du sacrifice, c'est aussi penser le rapport de la femme au trauma singulier ou collectif que par cet événement elle révèle. En ce sens, le sacrifice est un acte de désobéissance, toujours. Engagé contre la morale commune, il est un acte singulier, situé dans un temps et un lieu précis, sans retour en arrière possible.

Aujourd'hui on ne veut plus de sacrifice. Ce n'est ni rentable ni défendable. On voudrait lui substituer le droit, la justice, l'équité. Trop de victimes, de charniers anonymes dans un siècle promis au progrès des sciences et de l'humanisme. Un monde sans sacrifice est un monde perdu, jugeait le philosophe Jan Patočka. Un monde dédié au sacrifice le serait aussi.

I

LA FEMME SACRIFICIELLE

Entre vivants et morts

Le sacrifice ouvre un espace tragique entre les vivants et les morts. Parce qu'il faut trouver des mots pour répondre à la terreur d'être au monde, face à l'innommable, adossé à la mort et à la promesse. La dimension spectaculaire des rituels sacrificiels fut de tout temps destinée à canaliser ce tragique, à y faire entendre de la beauté, de l'humanité possible. Même lorsqu'il ne fait référence à aucun dieu, aucun rituel, même quand il ne relève d'aucune écriture sacrée, le sacrifice appartient à ce lien qui obsède toute communauté humaine dès lors qu'on partage une langue, une même mémoire des morts, une histoire. De ce dialogue de l'âme avec elle-même que les Grecs ont appelé « la pensée » naît en même temps notre besoin de croire que quelqu'un nous entend...

« Sacrifier » vient du latin *sacrificare*, *sacrum facere*, faire un acte sacré. Sacrifier, c'est à l'origine sacrifier aux dieux pour obtenir leur grâce, faire allégeance à leur puissance et maintenir fermée la frontière entre les morts et les vivants de peur qu'ils ne se contaminent mutuellement. Dans un monde où la distinction entre profane et sacré n'a plus de sens, du moins dans la quotidienneté des liens qui régissent la société civile, le sacrifice nous rappelle cette place du divin désertée. Mais pour quelle Providence ? Si le sacrifice s'adresse toujours à cet Autre, inconnu, imaginaire, tout-puissant, c'est parce qu'il nous faut créer un langage face à son silence, et cette invention est en elle-même l'espace symbolique auquel le langage donne accès. Le sacrifice, en tant qu'il est adossé à la terreur, en appelle à l'Autre en le convoquant *malgré tout* à répondre.

Quand le religieux ne représente plus qu'une infime part de la vie des croyants, à quoi sert d'invoquer la clémence divine ? Le sacrifice continue à opérer une séparation entre vie profane et vie sacrée, mais en lieu et place du divin, il n'y a personne. On pouvait imaginer assister à sa disparition prochaine, sa tombée en désuétude définitive... or d'une certaine manière les rituels sacrificiels n'ont jamais été plus agissants, plus réels.

Le sacrifice, de tout temps, est venu signifier la séparation étanche entre les vivants et l'au-delà. Un au-delà qui, sous l'horizon de la mort, ne communique rien. C'est par le sacrifice que l'on a cherché à faire parler ce qui se situe au-delà ou en deçà de la mort, traditionnellement du domaine des dieux, dorénavant celui du néant ou de l'exploration scientifique, au mieux. Mais l'être humain continue d'espérer que quelque chose d'essentiel va se communiquer à lui hors l'horizon de la finitude et lui permettre d'échapper à l'absurdité d'une existence qui s'achève avec la mort, sans valeur transcendante affectée à ses actions ou à sa postérité. Le sacrifice est la forme de cette espérance, c'est pourquoi il s'adresse à l'Autre. Un Autre d'autant plus magnifié qu'il ne nous répond pas. Nous nous imaginons être en dette vis-à-vis de lui, c'est-à-dire lui devoir, littéralement, notre existence. Et c'est cette croyance qui donne corps à l'idée que notre vie ici-bas obéit à un destin que l'on doit accomplir ; idée qui maintient un cosmos, une hiérarchie des valeurs, une morale. Les civilisations ont exprimé cette dette à l'égard des dieux de manières très diverses, mais plus particulièrement lorsque les structures du pouvoir étaient menacées d'effondrement. Quand l'humanité cherche dans l'au-delà les raisons de son infortune, le sacrifice se révèle être l'un des instruments privilégiés du pouvoir car il met en scène le rapport avec les dieux ou toute autre figure de l'outre-tombe.

Aujourd'hui il semble que nous n'ayons plus besoin de telles mises en scène. Les dieux ont déserté le théâtre des passions humaines, certes, mais le monde est-il devenu pour autant aussi étranger au religieux qu'on le dit ? Partout on observe le phénomène contraire, à savoir la résurgence des croyances, l'emprise des hommes de foi et des chefs de guerre religieux selon les coutumes et les pays, le recours aussi à la « croyance soft » d'une religiosité sans dieux qui imprègne la vie quotidienne de beaucoup pour tenter de donner sens au hasard dans ce qu'il peut avoir d'effroyable. Les rituels qui présidaient aux sacrifices tentaient de concilier les êtres humains et les dieux avec la mémoire des morts, c'est-à-dire de faire en sorte que soit reconnu un espace-temps sacré, transcendant tout échange économique.

Nous avons du sacrifice une image héroïque que la guerre, de tout temps, s'est chargée de perpétuer et de sublimer. Et de fait le sacrifice porte au jour un trauma enfoui, il fait émerger une dimension sacrée là où, littéralement, quelque chose auparavant avait été abîmé, profané, là où il faut désormais restaurer de la *différence* — mais aussi de la distance, du sens, du symbole — pour que ce qui a été atteint individuellement ou collectivement ne soit pas recouvert par le silence et l'oubli. Et l'on peut dire que ce qui a été ainsi ravagé ou nié trouve une issue réparatrice, une rédemption, si le mot n'est pas trop fort, dans une célébration sacrificielle.

Pour qu'un acte prenne valeur de sacrifice, il faut

qu'il rencontre une résonance dans l'espace social, que la vie de cet être, là, offert au sacrifice, brusquement devienne lisible comme destin. Mais il existe aussi des vies blanches, dont l'effacement même touche au sacrifice et ne rencontre au-dehors aucun public d'aucune sorte. Ce qui les anime est un chemin vers la dépossession de soi dont les figures ultimes sont celles du mystique ou du renonçant ; leur « blancheur » est le signe d'une vie ayant rompu toute attache avec les conventions urbaines ou mondaines et s'exacerbe comme un point d'absolu en exerçant sur nous une réelle fascination. Cette expérience de la « mort dans la vie » fait de ces êtres, tel Bartleby, des *passeurs* qui atteignent, dans leur étrange et renouvelé refus du monde, une sorte de grâce, de transcendance au plus près du banal.

Dans le sacrifice, tout est affaire de séparation, de limites. Entre le monde des vivants et le monde des morts, entre l'espace sacré du pardon et de la faute et l'espace profane de la compromission et des passions humaines. C'est pourquoi dans les premiers rituels sacrificiels les découpages des chairs étaient si importants. Il fallait ouvrir la bête selon les jointures, car ce qui n'est pas séparé à temps meurt, le risque étant de voir le mort gangrener le vivant, physiquement ou psychiquement. Séparer, c'était d'abord ouvrir le champ de la différence : les morts ne sont pas nous. Puis du deuil : on peut les pleurer, ils nous ont vraiment quittés. Et enfin du possible : on peut survivre sans eux. Séparer, c'était permettre aux vivants de se tenir à l'abri des morts, éloigner d'eux la hantise des revenants et l'horreur (souvenir des carnages, guerres, meurtres), c'était tenir à distance l'innommable le long de cette frontière qui par l'entremise du sacrifice sépare le vivant du mort. En quoi est-ce si absolument actuel ? Parce que nous n'en aurons jamais fini avec ça... en tant qu'êtres de parole, nés et existant dans un temps donné, nous avons affaire aux morts tout le temps, ceux dont on nous parle, ceux dont on vient, inscrits dans la lignée, ceux qui nous environnent dans les guerres, les maladies, et ceux qui logent à l'intérieur des mots, de chaque mot prononcé.

Dans la tradition indienne du *Rig-Veda*, Charles Malamoud montre comment la mesure concrète du corps du sacrifiant devient l'espace étanche à l'intérieur duquel s'accomplit le rite. La mesure de ce corps sépare l'espace sacré de l'espace profane et cette différence rend le monde humain, comme l'espace du cercueil ou de la tombe donne une mesure humaine dans le vide sidéral que crée la disparition d'un être. Malamoud souligne que le corps du sacrifiant lui-même ne disparaît pas avec le sacrifice. Aucun sacrifice ne parvient à tout brûler. Quelque chose *reste*, qu'aucun bûcher, aucune tentative d'en finir une fois pour toutes ne fera disparaître. Ce « reste » est-il le monde même ? C'est ce « reste » qui fait circuler du sens entre les sacrifiants, qui fait le temps et l'espace, qui fait le vide entre les syllabes. Ce reste ne peut être rendu à l'homme ni rendu humain. Il n'est humanisable d'aucune manière. Ce reste, tel que Malamoud l'éclaire, n'est pas l'apanage des sociétés traditionnelles religieuses, il fait son office ici et aujourd'hui, à tout endroit du monde. Même dans une crémation moderne sans cadavre ni mots qui l'accompagnent, sans prières ni convocation, il reste quand même les cendres. Et ce reste-là qui n'est déjà plus humain, mais qui est quand même de ce monde, ne se laisse pas entièrement effacer, oublier, même si on disperse les cendres dans un jardin. Elles pèsent sur les vivants comme un rappel de ce qui n'a pas été nommé, dans ce temps de la mort qui exige la présence et la parole des témoins. Souvent les sacrifices découlent de ces oublis, ces effacements qui, comme pour le trauma, viennent, par la voix intérieure de ceux-là qui survivent, exiger réparation. Le sacrifice, rappelle Derrida, est le paiement d'une dette. Mais comment espérer régler cette dette, puisque *existentiellement* nous n'en serons jamais délivrés ?

Une dette contractée envers les morts par le fait même d'être vivant, une dette pour dire ce reste qu'il ne faut pas cesser de ramener vers l'humain, vers la parole, vers la création. Les créateurs prennent en charge une grande part de cette dette, mais aussi les mères dans les prénoms qu'elles donnent rappellent les morts et leur font signe. C'est ce qui rend les rituels indispensables, parce qu'ils essaient de construire à partir de l'innommable un langage commun. Dette, sacrifice et paiement ne vont de pair que dans une logique où il y a du « substituable ». L'un est substitué à l'autre pour écarter le péril du meurtre pur et simple. Au vivant est substitué de l'inerte, à l'humain de l'animal, au sacré du profane pour que s'accomplisse le périple rédempteur. Ce qui n'est pas délivré de la dette reste redevable d'un tribut dont le sujet ne veut rien savoir. Nous sommes tous des êtres hantés par ce que l'on ignore et qui se rappelle à nous sans relâche. Maisons hantées, répétitions, vies fantomatiques, cercle des enfers distillés avec les techniques modernes. Exister, c'est être séparé et savoir qu'on appartient à des liens qui unissent les vivants et les morts sous serment de fidélité. C'est ne pas trahir la mémoire, ne pas dissimuler l'origine, ne pas laisser un mort sans sépulture, sans nom, etc., sans quoi le retour de violence opère avec autant de fureur aujourd'hui, sous nos latitudes tempérées, qu'au temps des Érinyes (aussi appelées Euménides ou Furies), divinités vengeresses qui font payer leurs fautes aux criminels dans le panthéon grec.

Un acte singulier au destin collectif

Le sacrifice est un événement singulier dont la portée est collective, un acte qui retranche un être de la communauté tout en assurant sa cohésion. Il est un événement qui a valeur de serment ; il restaure de la différence là où les identités ont été brouillées, effacées. Il intervient quand les morts se mettent à hanter la mémoire des vivants sans leur laisser aucune paix, quand il n'y a plus de réalité vivable, et donc, plus de temps. Il introduit la possibilité de la mort comme séparation au cœur de la vie même, au nom d'une valeur d'amour, de vengeance, de fraternité ou bien même de paix, si étrange que cela puisse être quand le résultat ressemble exactement au carnage.

Le sacrifice a souvent été célébré au masculin et dans une échelle de valeurs qui prenait la guerre en exemple. Pour le philosophe tchèque Jan Patočka, le sacrifice de soi pour autrui est le « site absolu de l'homme [1] ». Sa possibilité même rassemble les soldats ennemis des deux côtés de la ligne de front, et fait entrer le sujet dans la « communauté des éprouvés » par-delà le conflit qui les oppose ou dans ce qu'il appelle aussi « la vie dans

1. Jan Patočka, *Essais hérétiques*, Verdier, 1975.

l'amplitude ». C'est tout le rapport à la mort de l'Occident qui est en question ici, en quoi on pourrait mourir au nom d'une valeur plus importante que la vie même.

Il est une manière de substituer à une violence déréglée, dangereuse pour la communauté, un acte qui la prend en charge et lui assigne une valeur. Cette déchirure dans la trame du quotidien ouverte par le sacrifice exige en retour que le tissu social se reconstitue autour de sa commémoration, préfigurant ainsi un nouveau cycle. Dans cet événement, le sujet sacrificiel se trouve tout à la fois exalté et dépossédé de lui-même. Un kamikaze, en ce sens, n'est plus un « être personnel », parce qu'il se voudrait un pur agent de destruction de l'ennemi, il abandonne son identité propre, sa petite histoire, son roman familial pour entrer dans un cercle plus vaste où se trouvent désignés le sens de son acte et sa valeur de rédemption. Quand par son sacrifice, le sujet se détache de la vie et de son propre moi pour accéder à une loi autre que celle qui ordonne les valeurs de la vie, il accepte de n'être qu'un vecteur symbolique par lequel s'accomplit l'événement. Le sujet sacrificiel, en ce sens, renonce à ce qui faisait de lui un vivant parmi les vivants pour entrer dans un espace idéal où ce qu'il perd (sa réputation, sa beauté, sa vie...) ne lui semble rien au regard de ce qu'il gagne : une forme d'éternité et de rappel de la mémoire de tous qui vaut toutes les morts. Sauf lorsqu'il est ordonné en temps de guerre, l'acte sacrificiel est donc presque toujours incompréhensible aux proches et à la communauté. Et plus encore si c'est une femme qui le réalise. Dans tous les cas, il est un événement extrêmement dangereux politiquement puisqu'il soustrait celui ou celle qui se sacrifie au commun des lois humaines et à toute rétorsion possible de l'État (comment faire pression sur un kamikaze si la vie sauve n'est pas un objet de négociation possible ?). C'est d'autant plus intolérable quand une femme — et donc possiblement une mère — renonce à ce pouvoir de donner la vie qui est censé la définir. C'est le propre des femmes d'avoir été héroïsées ou diabolisées à cette place où, pour elles-mêmes, elles n'existaient pas. Le sacrifice n'est pas l'assassinat, même s'il peut être un crime. Celle qui s'y prête perd peut-être sa vie, sa réputation ou sa fortune, mais elle gagne en puissance une place d'élection qui la place au-dessus de tous. Longtemps, ce fut peut-être pour les femmes l'une des seules alternatives pour exister, c'est aussi ce que je voudrais montrer, pour quitter l'anonymat, la servitude, l'oppression, dans un événement qui donnerait enfin sens à leur vie. Quand on dit d'une femme qu'elle est « sacrificielle », on parle d'un sujet mis à la place d'un acte, grammaticalement du moins, puisque dans la langue française l'adjectif signifie : qui appartient au sacrifice. Un sujet venant à la place d'un acte est un sujet qui disparaît comme tel — sujet dont le sacrifice résumerait à lui seul exactement l'existence. C'est du moins sans doute ce vers quoi tend celle qui se sacrifie : s'annuler soi-même dans cet événement et rejoindre, par ce sacrifice, celui/celle auquel cet acte est secrètement dédié.

Même quand il s'abat comme un geste monstrueux et absurde, c'est toujours un appel que le sacrifice exprime — seul change le nom de celui auquel il s'adresse : ciel, divinité, amant, fortune... Cette prière dit la révolte qui anime celle qui se sacrifie contre l'ordre du monde. Elle participe de ce qui fait d'un sacrifice un acte hors la loi, du moins la loi de la cité. Même quand il est fait en toute légalité pour servir les intérêts d'un groupe (Agamemnon sacrifice Iphigénie pour que la guerre de Troie puisse avoir lieu) le sacrifice pervertit la loi humaine, y introduit un axe de monstruosité, un vice caché. Il fait entrer de la démesure dans l'ordre social jusqu'alors mesuré, comme le fait si bien entendre Shakespeare.

Alors quel besoin a-t-on de tels sacrifices, à qui sont-ils destinés ? À la communauté de ceux qui observent, aux témoins. Un sacrifice n'existe pas sans témoins. Qu'ils soient présents ou convoqués *a posteriori* par une lettre, une adresse quelconque, l'Histoire elle-même, les témoins sont ceux qui attestent que le sacrifice a eu lieu. Sa mise en récit, sa valeur mythique permettent au groupe humain concerné de supporter la cruauté de la vie et, du fait de la séparation entre les vivants et les morts qu'il rend possible, que le lien entre les vivants se renoue. Face à cet événement hors la loi, la loi qui régit la communauté est confirmée, maintenue, plus que jamais opérante.

L'ombre du féminin

La constellation du sacrifice est une hydre à plusieurs têtes qui ne se laisse pas saisir si facilement ; chaque tentative pour le cerner, le comprendre laisse un aspect dans l'ombre — comme si les multiples racines qui le reliaient au corps social avaient des ramifications infinies dans la psyché humaine. Il est là partout où la société est malade puisqu'il exhume et révèle en plein jour tout ce qu'elle voudrait cacher (ou médicaliser, rendre purement factuel comme la naissance ou la mort), effacer (la mémoire des guerres, les charniers), n'avoir jamais connu (l'esclavage, la prostitution, la perversion, le mal). Le sacrifice n'est fatal qu'à proportion du silence qu'il recouvre : ce sera le silence génocide d'une guerre dont on aura effacé jusqu'à l'évocation, un même silence qui empoisonnera sur plusieurs générations jusqu'à ce qu'un jour un enfant prenne sur lui, inexplicablement (diront les proches), la totalité de la dette, et décide de payer de sa vie ce silence soustrait à l'Histoire. Le coût de la dimension spirituelle et collective à laquelle ouvre l'acte sacrificiel est toujours exorbitant au regard d'une vie humaine, au-delà même de ce que l'on soupçonne. Mais le sacrifice est aussi l'événement par lequel l'être humain peut mettre en échec une certaine fatalité et l'emprise qu'elle exerce — si longtemps et presque toujours ignorée — sur sa raison de vivre. Il y a une dimension spirituelle qui constitue en propre cet événement. Quand le temps littéralement se retourne et qu'apparaît, dans ce qui était jusqu'alors soumis à la pulsion de mort, la dimension de l'inespéré.

Pourquoi la féminité est-elle presque immanquablement associée au sacrifice ? En rester à une essentielle « différence » entre les sexes ne suffit pas. C'est d'abord en interrogeant ces trois visages du féminin que sont les jeunes filles, les amantes et les mères que l'on peut commencer l'enquête.

La jeune fille est l'image parfaite, emblématique, de la féminité en chrysalide. En attente d'accomplissement, elle est une forme inachevée du rêve, de l'amour, de l'idéal, de la fragilité, de la fulgurance. Elle est le support de tous les fantasmes, l'éclat entraperçu de sa sexualité naissante fait naître le trouble. Mais elle est aussi le visage de la révolte, du front de refus obstiné de « la vie adulte ». La jeune fille sacrificielle choisit souvent la mort contre la vie, pourquoi ? Elle est à cette place, antique, contemporaine, où l'idéal tient en échec le réel. Dans les drames antiques, c'est elle qu'on sacrifie au monstre ou au dieu pour que la cité survive ou que la guerre puisse avoir lieu ; aujourd'hui, elle crache sa haine pour ce monde qui lui tend un miroir faussé où elle ne se reconnaît pas. Qui est-elle ? Brûlée vive, suicidée, anorexiée, kamikaze ou simplement celle qui a tenté de se suicider et qui en appelle à l'Autre, à ce témoin venu en juge la délivrer de l'incompréhension et du devoir d'exister — mais exister pourquoi et pour qui ? Nous ne leur offrons pas de réponses, plutôt des fronts de guerre et des paroles biaisées par la complaisance des médias. Et pourtant, elles nous questionnent, avec leurs mots à elles, leur silence qui hurle, avec les ornements quelquefois barbares dont elles parent leur corps, avec leur sexualité violente ou absente, avec leur vérité. On ignore souvent quels trésors d'invention elles déploient pour créer des passerelles où l'on pourrait s'avancer avec elles quelques pas au-dessus du vide, sans vertige.

Et puis il y a les amantes. Les amantes peuvent être aussi des jeunes filles ou des mères, mais elles sont déterminées avant tout par l'amour. Le sacrifice d'amour a existé de tout temps. Il est peut-être l'essence secrète de tout sacrifice, de tout événement pour lequel un être offre sa vie ou la retire à un autre. Ce cri, cette demande, cette supplique ne cessent de hanter notre imaginaire littéraire, artistique, d'offrir à notre faim l'exemple de leur intransigeance ou de leur accablement. Les amantes sont furieuses, elles ne se laissent pas déposséder de leur maladie d'amour mortelle, elles ne veulent pas d'un monde sans amour et elles ne veulent pas de l'amour tel qu'on le leur donne. Leur refus, leur révolte, leur secret exil laissent partout entendre leur insistance obstinée. Enfin, il y a les mères, avec lesquelles nous n'aurons jamais fini de nous battre. Parce que la mère en tant que telle est monstrueuse, excessive, infiniment touchante et terrorisante. La mère n'est jamais que l'ombre portée de nos terreurs enfantines, celle qui fut au commencement de la vie même confondue avec elle et envers laquelle nous serons toujours en dette, en attente et en révolte. Le sacrifice est essentiellement lié à la mère comme à cette attache originelle qu'il faut bien trancher pour entrer dans le vif de la vie — féminité d'autant plus problématique qu'elle provoque en nous passion et angoisse.

L'ombre portée du féminin, tel qu'il s'inscrit dans l'espace social, le discours, le fantasme, coïncide-t-elle avec l'acte sacrificiel ? Fallait-il de tout temps que l'on accorde à la femme, de par le fait qu'elle puisse être jeune fille amante ou mère — guerrière, créatrice, amoureuse jusqu'au possible anéantissement de soi —, cette place monstrueuse du sacrifice pour que quelque chose, collectivement, puisse émerger ?

Inquiétante féminité

La femme sacrificielle est une femme mise en place d'un acte, d'un événement qui s'organise autour d'un trauma oublié, d'une profanation. Une femme dont la féminité (mais qu'est-ce que cela veut dire ?) vient coïncider avec cet acte : sacrifier. Sacrifier quoi et à qui ? Une femme qui sacrifie sa vie — et je ne parle pas ici du suicide mais de toutes les manières dont on peut en finir avec la vie dans la vie même, une certaine manière d'être morte vivante que de nos jours on appelle notamment « dépression » — est une femme qui a probablement été elle-même auparavant (dans son enfance, sa lignée) sacrifiée.

Qu'il soit fait par honneur, par vengeance ou par pitié, le sacrifice est un pacte qui isole le sujet dans sa prière désespérée à un Autre qui ne répond pas. Il trace un cercle de craie autour de lui, comme le tombeau où Antigone choisit de se murer vivante. À qui une femme adresse-t-elle son sacrifice ? N'y a-t-il pas dans tout sacrifice de femme l'inscription du maternel, le rapport à l'enfant possible ou réel comme un enjeu caché à l'intérieur de l'acte ? On a dit du sacrifice qu'il dépossédait celui qui en était l'acteur, que le sujet sacrificiel était aboli (et grandi) par son acte, qu'il disparaissait en tant que moi/je pour devenir exemplaire, le vecteur d'une valeur qui le dépasserait et s'incarnerait en lui. La féminité porte la maternité comme possible. Cela lui donne un poids considérable, quasi divin. Il y a dans cette maternité un pouvoir effrayant. Que l'homme a tenté par tous les moyens de contrôler, d'envahir, de posséder. Par l'amour, par la science, par l'ignorance ou la brutalité. C'est pourquoi le sacrifice pour une femme a presque souvent à voir avec la dimension maternelle ; ce qui lui sera demandé en gage, c'est de sacrifier ce possible. La jeune femme qui se sacrifie le fait aussi en tant que « future mère » ; elle voudrait n'être que pure féminité, un corps d'héroïne sans matrice où retenir la vie, un corps qui ne serait pas « souillé » par la maternité, qui resterait libre de son acte, de son amour ou de sa foi, accomplissant de la sorte quelque chose d'essentiel et de terrible à la fois. Comment oublier ces femmes vivant à l'ombre d'une mère mélancolique dont l'enfance aura été hantée par cette ritournelle : « j'ai tout sacrifié pour vous » et qui livrent un combat perdu d'avance sans que jamais ne les traverse un vrai désir d'amour ? Et celles pour qui le sacrifice est un lieu de jouissance ? La perversité consiste alors à se dire sacrifiée pour mieux prendre l'autre aux rets de son désir, et l'y soumettre entièrement. Certaines mères ont ainsi assigné leur enfant au règlement d'une dette infinie.

Une femme sacrifiée n'est pas *d'abord* une femme niée, abusée, souffrant seule dans le secret d'un univers familial et qui a décidé d'en finir, elle est une femme qui a convoqué, dans le drame qui se joue, au moins un témoin et dont la communauté, en retour, doit répondre. Il y a dans le sacrifice un processus de mythologisation qui place l'événement hors de l'histoire personnelle, à la jointure de l'espace social et de l'Histoire. Or en ces lieux de frayage de l'individuel et du collectif, une femme sacrificielle est une femme dangereuse. D'abord par cette extrême passivité qu'elle semble garder envers l'acte sacrificiel, comme s'il était le signe de la fatalité elle-même, dicté intentionnellement, sans autre issue possible. Cette passivité est peut-être le retrait par lequel cet acte la traverse comme si c'était une autre, pas parce qu'elle refuserait de l'assumer entièrement, mais plutôt par la nature même de ce qu'est un sacrifice. Une femme sacrificielle met en scène son sacrifice pour qu'enfin sa voix soit entendue, pour ébouler des siècles de silence et tous les coups reçus sans rien dire.

Quand on convoque les femmes à cette place du sacrifice, que fait-on ? Le sacrifice de soi caractérise l'image même de la féminité en Occident, comme s'il venait redoubler en creux le sens même accordé au féminin. La femme sacrificielle vient inquiéter dangereusement, nous l'avons dit, l'espace social où elle est inscrite ; elle vient subvertir les catégories du politique, de l'espace commun et de la famille. Antigone, Médée, dans le monde grec, Judith, Esther dans le monde hébreu, Marie mère du Christ et Marie-Madeleine, Héloïse et Iseut, autant de figures de l'Antiquité et du haut Moyen Âge dont on peut dire qu'elles marquent l'imaginaire occidental du sceau de leur « féminité sacrificielle ». Qu'elle soit sainte ou putain, mère meurtrière ou martyre, la femme sacrificielle se place toujours « à la limite », limite d'un ordre qu'elle récuse, limite du pensable, du supportable, de la morale, limite que fait le corps même face à la mise à mort. Quelle stupeur soudain quand une femme met en scène, littéralement, son sacrifice pour révéler un traumatisme caché ou une profanation qui a eu lieu dans le passé ! En entrant dans une logique sacrificielle, elle se soustrait à la loi commune et, de ce fait, est dessaisie de son « identité » sociale. Tout sera fait alors pour que le sacrifice apparaisse vain, pour marquer son inutilité et, surtout, pour l'empêcher de faire exemple. Et parce qu'il s'agit d'une femme, le scandale est double, car ce qu'elle sacrifie à travers elle, c'est la possibilité de la vie même. Le sacrifice d'ouvrir le cercle de la fatalité pour qu'autre chose un jour puisse advenir. Cette charge est potentiellement explosive puisqu'elle redessine de l'intérieur l'ordre du possible et du réel, la limite du profane et du sacré selon d'autres lois que celles de la famille, de la cité ou de l'État.

La femme sacrificielle est sans visage. Face aux événements qui la désignent, un doute subsiste. Est-elle une victime ou celle qui, en secret, orchestre le meurtre ? La femme, dit-on, préside aux métamorphoses : sorcière, pythie, sage-femme, mère monstrueuse ou jeune fille folle, elle n'a cessé de hanter l'imaginaire chrétien de l'ombre de ses pouvoirs maléfiques ou supposés tels. La menace qu'elle laisse planer, imaginaire ou réelle, est pour la communauté un lieu d'obsession.

Sacrifiante ou sacrifiée ?

La femme sacrificielle est irrémédiablement double : sacrifiée, sacrifiante, selon. Elle est celle qui se soumet, et son corps avec elle, à un acte qui en l'annulant ou en la mutilant lui obtient une autre place, une autre gloire. C'est Antigone, Iphigénie, Hélène, Iseut ou Jeanne d'Arc, c'est la femme d'à côté, la voisine, l'exilée, la jeune fille inaperçue au collège. Mais c'est aussi la femme sacrifiante, celle qui détruit pour que s'effondre un monde dont elle se sait par avance exclue. C'est Médée, c'est la kamikaze palestinienne que rien, en apparence, ne prédestinait à devenir l'auteur d'un massacre, c'est la femme infanticide d'un village en France l'an dernier, c'est encore celle qui se venge pour que justice soit rendue et que la mémoire collective en reste à jamais saisie. Pour qu'il y ait de l'impardonnable, même si aucune stèle n'inscrira ce nom-là sur le registre des morts.

Que peuvent avoir en commun ces destins ? Comment ne pas effacer leur singularité en tentant de lire, sous leurs motivations, un même fil conducteur, une même portée symbolique ? La femme sacrificielle n'existe pas, pas comme on croit. Nos fantasmes nous font l'imaginer altière, inatteignable, faite d'une facture différente de celle des simples vivants, comme si elle appartenait à une autre communauté que la nôtre, dressant autour d'elle un cercle de craie blanche au-delà duquel commence l'espace magique — monstrueux ou sublime. Il n'en reste pas moins qu'entre elle et nous la frontière est étanche et que les pas se perdent à vouloir rejoindre celle qui toujours fascine et provoque en nous l'effroi ou la pitié. On la verra même, par exemple, en héroïne contemporaine, sacrifiant sa vie amoureuse à la gloire d'un absolu qui la désigne en retour, elle, comme unique. On sait qu'elle est en guerre contre tout et tous. On la voudrait presque immortelle, à l'image de ces stars sitôt visibles partout dans la presse et déjà presque disparues, oscillant dans un monde en noir et blanc où leur acte sera mille fois rapporté dans les médias complaisants. On oublie qu'on la rencontre peut-être tous les jours. Au café, dans le métro, dans un jardin public, parmi nos proches ou bien là, marchant devant nous, dans la rue. Seulement elle ignore, cette femme, de quel sacrifice sa vie se soutient. Elle se voit livrée au destin, au hasard... elle pense être le jouet d'une machination absurde, ou tout simplement de l'indifférence, cette fatalité dépourvue de toute grandiloquence, banale, répétitive avec l'angoisse sourde qui accompagne ceux qui ne trouvent pas de sens à leur vie, malgré tous les efforts. Sacrifice dépourvu de toute théâtralité, en trois actes mais sans spectateurs, sans personne pour applaudir sa performance. Et c'est pourtant toujours pour exister aux yeux de quelqu'un que cela se passe. Pour qu'enfin quelque chose *arrive*, un événement qui ouvre à la vie, même si c'est au risque de la mort. Alors le sacrifice permet que de la vie survienne là où il n'y avait que des ombres qui bougent. Pour que survienne l'espoir d'une réponse. Qu'à cette dernière convocation, quelqu'un enfin réponde. On ne dira jamais assez le poids de la solitude, la force qu'il faut pour se tenir seul dans l'existence.

Le sacrifice, il y en a partout, tout le temps. Nous y sommes abreuvés de par notre indéfectible fidélité envers ceux qui ont tressé dans notre vie les premiers liens, mère, père, frères et sœurs de haine et d'amour, mais de fidélité toujours. Nous le voyons à l'œuvre sous nos yeux dans les vies de ces femmes épuisées, harcelées, ignorantes de leur sacrifice voué à un Autre qui n'a même pas de nom. On reconnaîtra leur corps à l'épuisement qui le mine, à la guerre continuelle qu'il soutient ou encore, et si souvent, à cette lassitude qui semble devoir l'emporter. Car le sacrifice n'est pas toujours tragique, héroïque, spectaculaire. Il y a des sacrifices sans écho, des vies absentes d'elles-mêmes jusqu'à l'effacement. On ne les reconnaît pas, ce sont des passantes, des revenantes en somme ; leur silhouette déjà passée reste floue dans l'objectif. Des vies blanches.

Vies blanches

Qui n'a pas au moins une fois croisé l'une de ces femmes marchant dans la ville comme on traverse un champ de mines à ciel ouvert ? Ces apparitions fantomatiques, sans densité ni regard, nous fragilisent comme si nous devions vraiment nous approcher d'elles, les côtoyer, les écouter. Elles nous rappellent notre incapacité native à la consolation. Elles nous convoquent à répondre d'elles, pour elles, avant leur disparition prochaine.

Ces femmes, nous les avons en nous. Elles sont là dans nos villes, nos familles, effacées de toute mémoire. On en a honte. On ne veut rien savoir d'elles, empêchées de vivre de leur vivant par la malédiction posée sur une lignée familiale, par les traumas inconsolés d'une guerre, par le deuil impossible d'un enfant ou la honte portée en secret par un père. Parce que les découvrir si près de nous serait risquer d'être contaminé par cette sorte de mélancolie dont on ne guérit pas. Ensevelies dans une vie qui est déjà une sorte de mort, elles nous accusent sans rien dire. Et nous, nous nous détournons pour ne pas les voir, comme si elles nous étaient infiniment étrangères.

Ces femmes sacrificielles sont des jeunes filles, des

amantes, des mères. Des mères dont la litanie : « j'ai tout sacrifié pour toi » n'est pas parvenue à retenir leur enfant auprès d'elles, mais l'a empoisonné lentement, année après année, le laissant aux prises avec une culpabilité infinie. Des jeunes filles dont les tentatives de suicide présagent d'une vie confisquée, pleine de rancœur et de tristesse contre cette grâce inconnue qui ne les a pas visitées — ce qu'on leur a pris elles ne savent pas ce que c'est, mais cela suffit à leur malheur. Des amantes éperdues dans des bras qui portent avec trop de légèreté leur âme confuse, leur peur native de l'amour. Je pense à Blanche dans *Dialogues des carmélites* quand elle dit à son frère venu la chercher au carmel : « Vous me croyez retenue ici par la peur », et qu'il lui répond : « Ou la peur de la peur. Cette peur n'est pas plus honorable, après tout, qu'une autre peur. Il faut savoir risquer la peur comme on risque la mort, le vrai courage est dans ce risque [1]. »

Ces femmes sacrificielles dont nous reconnaissons la voix mais rarement le visage sont nos sœurs, nos mères, nos filles, nos amies. Elles n'attendent même pas d'être reconnues, elles souffriraient plus encore de l'être et de devoir revenir ensuite à l'indifférence, à l'oubli. Alors, comme Bartleby, elles préfèrent « ne pas ». Ne pas respirer trop fort, ne pas exister pour soi, ne pas être embrassées, ne rien réclamer, ne rien attendre surtout, et vivre quand même. Avec peine, mais vivre. Et c'est leur insistance à vivre qui nous pèse aussi, nous rappelant à cette part de fatalité dont on voudrait croire qu'elle est vraiment fatale — une fatalité dans laquelle elles seraient prises comme à l'intérieur d'une nacelle —, plutôt que d'imaginer que ce n'est la volonté de personne, que personne, non, n'a voulu d'un tel sacrifice. C'est Deleuze qui a remarquablement montré la féminité de Bartleby,

1. Georges Bernanos, *Dialogues des carmélites*, Gallimard, Bibliothèque de la Pléiade, 1962.

sa passivité essentielle. Le féminin, c'est aussi cela, même chez un homme, cette présence occupée à vivre dans une pure passivité mais qui trouve la force de résister quand même... Sublime ou terrible, cette passivité va tout détruire, tout défaire, par sa seule obstination à ne pas se rendre.

Qu'est-ce que la blancheur ? N'a-t-elle pas elle aussi quelque chose d'héroïque ? La blancheur, c'est l'absence à soi-même que révèle le sacrifice. Un sacrifice sans témoin ni adresse, ou alors accidentel. Une vie faite pour disparaître sans traces. Quelquefois, c'est dans le poison d'un héritage qu'on en retrouve en creux le marquage léger, le chuchotement inaudible. Comment hériter de l'absence, de la « non-vie » d'une mère qui vous a donné la vie ? Comment hériter d'un sacrifice dont on n'a pas voulu et qui vous lie à vie, puisque cette « non-vie », cette « moins que vie » d'une sœur, d'une amie, d'une aimée, vous accuse d'être en vie — ce que dit aussi, en français, « l'envie » : je t'envie, je t'envie d'être toi, j'ai envie d'être toi, je t'envie d'être en vie, moi qui ne suis ni vivante ni morte, sans consistance ; certaines jalousies violentes ne disent que cela. Comment assumer le sacrifice de celle dont on ne pourra jamais combler la soif, le désir, parce qu'il est la vie elle-même qui leur est défendue ? Dette suspendue dont chacun devient alors tour à tour l'otage. L'effacement est à ce moment une forme de tyrannie. Et la blancheur, une mémoire qui ne peut plus rien oublier, sans mots pour la soutenir, un destin sans œuvre ni commentaire, laissé à sa solitude, au « rien » qui obsède et qui fait mal. On comprend qu'un désir d'héroïsme puisse tenter de répondre à cette accusation perpétuelle de non-reconnaissance que la vie retranchée de ces femmes fait peser sur leur descendance. La blancheur ne demande que d'être oubliée. Rien de pire que la neige. Tout se voit. Chaque empreinte, même effleurée. Tout y disparaît cependant, pendant un temps. Le temps d'un hiver. Le paysage est recouvert, les moindres aspérités disparaissent, on ne voit plus que des formes rondes, douces, abstraites. Ainsi en est-il de certaines vies. Annulation par la blancheur. Surexposition, en fait. Sur la ligne d'horizon, tout s'égalise. Et c'est contre cette égalisation qui tue, qui lamine, que des femmes, à chaque époque, ont su défier les règles, les coutumes, le regard parfois meurtrier de leurs proches pour exister autrement, trouver la grâce là où on ne leur avait légué que la défaite. La voix des mères, des errantes, des « folles » de Brecht à Beckett, se fait entendre encore. La voix des jeunes filles qui se révoltent. Le suicide comme ultime recours pour ne pas disparaître, comme si l'on pouvait être au moins reconnue après coup, à partir de sa mort. De la mort elle-même.

Et toutes les autres ? Toutes les autres qui y arrivent tant bien que mal... Qui aujourd'hui veulent être des mères attentives, des amantes accomplies, qui chérissent leurs rêves de jeunes filles et ne cèdent pas d'un pouce sur le terrain de la guerre, c'est-à-dire du quotidien. Et elles ? Qui ne sont pas dans la blancheur, honnissent le sacrifice, qui veulent assumer cette vie-là, qu'on dit — si mal — quotidienne... Vivent-elles sans le savoir sous le coup du sacrifice ? Sans doute pas, mais elles en connaissent la lancinante proximité, le toujours possible événement. La brusque dépression qui s'ouvre sous les pas au départ de l'homme ou de la femme aimée, d'un deuil, du rejet incompréhensible d'un proche, de la trahison, de l'abandon, comme agit la peur dans le suspens de sa possible réalisation. Les hommes eux aussi sont guettés par ce vertige d'être brutalement happés hors de la vie par cette fatigue incompréhensible qu'on appelle dépression, et qui vous enlève jusqu'au goût de la lumière. Seulement n'a pas pesé sur eux, depuis des siècles, cette fracture entre la maternité et la jeunesse qui provoque, elle, un tout autre vertige. Cette possibilité de devenir mère marque la femme depuis le commencement de l'humanité d'un destin singulier, que l'on soit féministe ou non. Aucune femme ne peut éviter d'entrer dans le choix d'un destin maternel qui, même si elle le rejette, va orienter sa vie et peser sur elle comme une neige immatérielle efface peu à peu les contours du paysage. On n'en verra que l'effet de blancheur au matin, on n'en connaîtra pas le secret.

Si la blancheur de ces mères, de ces sœurs, de ces amantes nous obsède, c'est parce qu'on n'en a jamais fini avec elles et qu'elles nous appellent, fût-ce silencieusement, à ne pas oublier cela : que du sacrifice a eu lieu. C'est à nous de relever, alors, ce silence, pour les sortir de l'effacement. Dire de ces *vies blanches* qu'elles n'adressent leur sacrifice à personne, puisque personne ne se souviendra d'elles — d'ores et déjà destinées à l'oubli — c'est oublier qu'un sacrifice est toujours une convocation. D'où l'importance de rappeler que ces vies dont aucun acte héroïque ne viendra couronner le destin ne nous sont pas étrangères, elles s'adressent à nous dans un silence proche parce qu'à un certain moment la possibilité de la parole a fait défaut. Et c'est là même où toute parole est désertée, sans preuve qu'il y ait un autre pour entendre et répondre, que la nécessité du sacrifice commence à s'éprouver.

La tentation du renoncement

Le sacrifice n'est pas un renoncement. Le renoncement creuse une ligne de fracture entre soi et soi, là où le sacrifice, lui, construit une désobéissance « sacrée » aux règles de la civilité et du droit, au nom d'un absolu qui ne souffre aucun compromis, souvenons-nous d'Antigone. Le renoncement, c'est d'abord la défaite du désir. D'un désir pas simplement sexuel ni même un désir d'objet, non, un désir de vie et de vivre qui va bien au-delà des limites du « moi ». Là où le sacrifice est une sorte de « sur-désir », de désir au-delà du désir — qui fait d'un sujet un être prêt à tout perdre pour ne pas perdre l'essentiel : honneur, idéal, amant(e), revanche, etc., et gagner, fût-ce *post mortem*, pour soi ou pour les autres, la possibilité d'une vie autre, d'une vie dans l'amplitude.

Par ailleurs, l'hypothèse de l'inconscient me fait dire que l'on ne renonce jamais à quoi que ce soit « pour rien ». Il n'y a pas de pulsion négative en somme, seulement des conflits d'intérêts. Et toujours un bénéfice secondaire quelque part, bien dissimulé. Un tel qui aura une conduite d'échec en retiendra, en réalité, un avantage jalousement gardé dont il préférera consciemment ne rien savoir. Un autre aura renoncé à la danse alors qu'il était premier prix de Conservatoire, un troisième sera maçon alors qu'il possédait un diplôme d'architecte brillamment soutenu... De fait, ce qui se répète dans ces « échecs » révèle une loyauté familiale sans faille (non pas une obéissance stricte au parent, au contraire cela peut passer par une désobéissance de façade) ; en réalité ils protègent un espoir déçu du parent, une impossibilité d'aimer ou de vivre qui les mine à leur tour comme cela aura miné avant eux la vie de leurs parents ou grands-parents. Le renoncement est à mettre au compte de cette impossibilité que nous avons de désobéir à l'ordre parental ou fraternel inscrit dans la lignée, tandis que le sacrifice place hors d'une lignée, trace un espace « hors sujet » qui le dépersonnalise. C'est précisément parce que le sujet ne s'appartient plus qu'il « s'offre » ou qu'il est « offert » en sacrifice. Le sacrifice appartient à un tout autre ordre, il suppose l'espace public d'une communauté unie par des valeurs, un espace de raison, des lois et un minimum de rituels qui donnent sens collectivement aux actes des sujets qui la composent. Le sacrifice est une arme contre la fatalité alors qu'il paraît, à première vue, en être l'acquiescement inconditionnel. Quelque chose s'abat sur les victimes, on les plaint d'être ou de s'être ainsi désignées au sort. Mais cette élection justement fait partie de leur révolte. C'est parce qu'elles se détournent du commun, de la vie commune, que quelque chose advient qui les singularise et les sort hors d'une lignée. Et c'est cette échappée, ce pas au-delà, cette désobéissance qu'elles paient un jour ou l'autre du poids de leur propre faute ou de celle des autres, devenant ainsi un bouc émissaire facilement désigné. On va s'identifier à elles puis les éliminer parce que le groupe a à la fois besoin de héros pour sa cohésion et qu'ils meurent pour sa pacification.

Il est essentiel de comprendre ce qui sépare le renoncement du sacrifice, sans quoi on s'interdit de penser aussi ce qui se passe à la jointure de l'individuel et du collectif, quand l'Histoire fait irruption, en temps de guerre par exemple, dans le cours de nos vies. On ne peut pas analyser de la même manière une personne mélancolique, quand on sait que sa lignée paternelle a été décimée par la guerre de 14 et qu'en elle, mais dans une mémoire à laquelle consciemment elle ne semble pas avoir accès, cette guerre se rejoue sans cesse, creusant une tranchée dans son propre corps [1]. De même renoncement et sacrifice n'ont pas du tout le même sens au regard de l'Histoire. Guerre et paix entrent dans ce travail d'oubli et de reformulation, d'héritage impossible et d'interprétation qui échoit à toute nouvelle génération.

Tout sacrifice est un retournement. On se retourne vers les dieux pour les interroger, demander, ou se révolter. Mais aussi on se retourne contre soi ou contre le sort, on prend les armes, on vit une passion jusqu'à la mort, on s'exile littéralement hors du champ habituel des vies quotidiennes pour aller questionner les dieux. Ce retournement est le mouvement même de la liberté. Le sacrifice, même et surtout par son aspect le plus noir, le plus désespéré, est quand même une tentative de sortir du cercle, de s'ouvrir à l'inespéré, d'imaginer un possible.

Sans ce retournement, sans cette idée que l'homme *peut* se retourner, aucun sacrifice — ni aucune morale si minimale soit-elle — ne se soutient. On est dans un système fermé où les hommes abdiquent devant la puissance des images, devant la douceur du leurre, consenti ou non. Chez Platon, le destin (la prédestination des âmes) s'arrête au seuil de cette prise de risque. Nul ne lève l'illusion qu'au péril de sa vie. L'intervalle minimum qui scande le passage du bien au mal se situe à

1. Voir l'ouvrage remarquable de Jean-Max Gaudillière et Françoise Davoine, *Histoire et trauma : la folie des guerres*, Stock, 2006.

l'intersection du collectif et de l'individuel, comme l'a magistralement exposé Platon dans le mythe de la Caverne, ou plutôt à cet endroit précis où un seul, à l'intérieur du groupe, va douter des images qui défilent, douter qu'il s'agisse de la réalité et va entreprendre (l'insensé !) de se retourner. Le prisonnier dans la caverne cherche la source des images. Qui les projette ? Où commence la vraie lumière ? Qui nous oblige à rester les yeux rivés sur les ombres colorées de nos désirs, flottant au gré de nos perceptions, croyant de toutes nos forces que c'est ça, rien que ça, la vie ?

Le prisonnier du mythe se retourne pour chercher une vérité dont son âme, dit Platon, a le souvenir. Là encore, le sacrifice se différencie absolument du renoncement. Celui qui renonce ne se retourne pas. Jamais. Il est dans l'obéissance, mais il ne le sait pas. La névrose de chacun fonctionne comme un moteur continuel à alibis. Nous nous racontons des histoires. Nous y adhérons avec plus ou moins de passion, de remords, de tristesse. Parce que tel ou tel roman familial permet que coexiste toute une constellation d'attentes, de promesses, de pulsions que nous protégeons, comme si l'on avait soufflé des petites bulles d'encre sur votre page, votre « moi », et que vous vous acharniez à toutes les relier par un tracé harmonieux, évident. Comme s'il était évident que votre vie ait dû prendre ce cours-là et aucun autre, comme si cette évidence reconstituée avec tant d'efforts vous garantissait contre l'échec et la ruine, contre le doute surtout. Ce doute qui donne le vertige quand il vous saisit : et si tout cela n'avait aucun sens ? Renoncer, je le répète, c'est toujours renoncer à son désir (au nom d'un désir qu'on a formulé pour vous, sur vous ou contre vous). Il faudrait écrire Désir majuscule, car ce désir excède tous les désirs. Renoncer, c'est se croire à l'abri quand on a fait de multiples concessions à l'ennemi et imaginer ainsi avoir acheté sa quiétude future, alors qu'on a cédé sur l'essentiel. Manquer à son désir, c'est ne pas pouvoir se retourner pour chercher la source véritable des images : aucune conversion possible, aucune désobéissance réelle, on s'extasie au contraire de ses conquêtes jusqu'à ce qu'un goût de cendres vous envahisse.

La jeune fille qui préfère mourir plutôt que d'obéir à Créon (Antigone) ou celle qui choisit de mourir par obéissance au père (Iphigénie), sont-elles dans le renoncement ou le sacrifice ? Il s'agit de sacrifice car la communauté entière y est convoquée. C'est l'ordre du monde qui en dépend. Il ne peut y avoir d'issue heureuse à l'attente d'Antigone — c'est la tragédie au sens fort du terme —, de même qu'Iphigénie doit être sacrifiée pour que la guerre de Troie ait lieu et que l'ordre du monde se recompose. Le sacrifice n'opère pas dans le secret. Il expose au contraire celui qui le réalise comme celui ou celle qui en est l'objet sacrifié(e), puisque son être, son corps, « vaut » pour la communauté entière. L'événement fait appel à l'Autre, à une altérité qui redonne sens au monde et rend possible la séparation entre les vivants et les morts : elle remet littéralement le monde à l'endroit.

Le renoncement, lui, travaille en secret, pour un seul. C'est l'acharnement de l'anorexique contre son corps, le corps d'une autre, possédé par un *alien*, un monstre mangeur qui va la rendre grosse et la défigurer, en dépit de sa volonté, d'une certaine idée d'elle-même idéale devant laquelle tout le reste doit céder. Une anorexique ne sacrifie rien, pas même elle-même, elle nourrit le monstre sans fil d'Ariane et sans Thésée, le Minotaure sexuel qui arme sa vie, sa colère, son en-vie. Sans quoi elle sera happée par la mort, par le renoncement à vivre faute de combattants. Quand une jeune fille se sacrifie, c'est qu'il y a du sacrifice dans un espace de confusion tel qu'il faut en sacrifier un/une pour que les autres soient sauvés. Cet « un-pour-les-autres » est le propre du sacrifice. Une pour la clairvoyance (Cassandre), une pour la fraternité (Antigone), une pour la fidélité (Cordélia/Lear). Ces femmes sacrificielles sont prises entre deux morts, entre deux langues, entre deux exils. Elles désobéissent à la loi au nom d'une loi plus haute, d'une valeur à laquelle elles s'identifient mais qui les excède aussi. Elles « n'appartiennent » pas au monde, ce que dit aussi la blancheur, une couleur sans couleur. Elles sont un « détournement » vivant de la valeur même de la vie. Et il y a une violence inhérente à de tels détournements. Le détournement est du même ordre que le retournement du prisonnier dans la Caverne. Rien n'obligeait le prisonnier à se détourner des écrans, c'est-à-dire de la paroi (mentale) où défilent les images. Et pourtant il se retourne. Et pourtant Cordélia tient tête à ses sœurs et accompagne son père jusque dans la mort. Antigone se laisse emmurer vivante pour honorer un frère qui est déjà mort, au nom d'une loi plus souveraine que la loi de la cité. Et Cassandre, parce qu'elle a désobéi au dieu Apollon dont elle a refusé les avances, dit la vérité sachant qu'elle ne sera pas entendue.

Si les vies blanches marquées par l'effacement et l'oubli sont des vies sacrificielles, à quoi se reconnaît leur acte de désobéissance ? La blancheur, c'est aussi ne pas exister pour soi, ou dans une mesure dérangeante, trop ou trop peu, mais pas « de la manière normale ». C'est incarner, malgré soi s'il le faut, une question brûlante, une malédiction qui hante le groupe, la famille, le village, et faire acte de révélateur ; c'est tout à la fois disparaître subjectivement et devenir remarquable. Une femme sacrificielle ne renonce pas à la vie même pour obtenir le bénéfice ultérieur d'une reconnaissance future, elle s'offre à exprimer ce que tous autour d'elle ont si longtemps tu, à révéler par son acte la charge de démence, de grandeur, d'horreur qui restait là *en souffrance*. Les vies blanches n'ont d'autre blancheur que leur impossibilité d'emprunter les couleurs normales du quotidien ; sans le vouloir, elles attirent vers elles, en elles, en leur qualité de fantômes, la résonance intime des traumas oubliés et des secrets. C'est ainsi que leur sera donné voix, corps et destin. Si elles avaient renoncé, elles n'auraient fait que participer encore davantage à la masse de ces silences étouffants qui font les générations perdues, massacrées.

Les vies blanches sont entrées dans la blancheur sans le savoir, sans le vouloir, on dira même sans douleur, comme si ce n'était que le vrai visage d'une monotonie envahissante, prégnante, qui — si l'on y pensait trop — vous enlèverait jusqu'à l'envie de vivre. Alors il faut apprivoiser l'existence à petits pas, sans faire trop de bruit, réprimer ses rêves et les ranger au rayon des accessoires inutiles. Quelques vies de stars lues dans le journal suffisent à prouver amplement que la frontière est étanche, là-bas rien n'est comme ici, pas besoin donc d'espérer, ce serait encore trop de souffrance. Et si brusquement un rêve trouvait une brèche pour se réaliser, ça se referme bien vite. La maladie comme refuge, l'accident aussi. Elles répondent « ça va » quand on les interroge. Ou bien « je suis fatiguée », c'est tout, d'une fatigue qu'elles ne s'expliquent pas, qui prend le corps entier et le broie doucement comme de la poussière fine. Leur vie est dédiée à quelqu'un qu'elles ne connaissent pas. Dans l'oubli de ce qu'elles ont un jour espéré, de ce contre quoi elles s'étaient peut-être même révoltées. Prince charmant ou bourreau imaginaire insatiable, elles vivent d'autres vies par les images que renvoient les médias, images d'autres vies qui font miroir à la leur. Puisqu'il faut bien rester là, tenir le coup avec ce qui reste de forces pour continuer. « Je ne fais pas de grands rêves, dit-elle, ce serait encore plus dur après... »

Après quoi ? Quel est ce sacrifice qui n'a pas de nom, pas de rituel, qui instaure seulement une limite infranchissable que le sujet ne transgresse pas entre « la vraie vie », la vie intense et fascinante, inaccessible, et la vie quotidienne, la vie fantomatique, prise dans cette blancheur qui dilue toute couleur et tout relief, une vie retranchée dont on ne peut rien dire, seulement qu'elle a eu lieu, qui s'interdit même le suicide jusqu'à ce que le temps imparti soit écoulé. Un sacrifice en somme qui ne sacrifie rien, qui passe inaperçu. Un sacrifice pourtant, qui produit dans cette séparation entre la vie blanche et la vie « en relief » un vertige, comme si on assistait à l'intériorisation à l'extrême d'un drame antique sans dieu ni autel ni prière, sans dessein ni tragédie, sans combat ni transcendance. Un sacrifice dont il ne resterait plus que le mouvement de faucheuse, le retranchement discret (inconscient ?) hors de la vraie vie. Mais s'il n'y a pas de « vraie vie », que là était l'imposture ? Qu'elles aient pu croire à ce mythe, et se sentir exilées à tout jamais de la possibilité d'une vie pleine, essentielle. Et pourtant, si ces vies sont sacrificielles, c'est bien qu'elles ont à voir avec le sacré — avec cette tentative de donner du sens à l'innommable qui les fait résister et non pas renoncer, pour qu'un autre temps puisse advenir, un temps inespéré.

Des héroïnes comme s'il en pleuvait

La femme sacrificielle est-elle une héroïne ou d'abord et avant tout une victime ? Les héroïnes, on les imagine très loin sur l'autre rive, jamais là où nous sommes. Victime ou monstre, on choisira ; la gloire est à ce prix. Ainsi s'alimentent nos fictions : épopées, films, opéras, tragédies, presse à sensation. Elles sont là pour hurler un « non » autrement inaudible. Un non définitif, un refus sans compromis possible. De Phèdre à Jeanne d'Arc, d'Iseut à Thérèse d'Avila, de Médée aux sœurs Papin, on cherche ce qui dans leur destinée a décidé du sacrifice, les retranchant de la simple communauté humaine, sans comprendre que personne ne décide, à un moment donné, de faire basculer sa vie du côté des saints ou des héros, des assassins ou des traîtres. Ce sont des actes minuscules qui se lient les uns aux autres, depuis l'enfance, pour donner ce qui apparaît plus tard, *après coup*, comme un destin. Ces gestes infimes, ces rendez-vous manqués, ces paroles défendues, évitées, tues, ces toutes petites promesses, ces fragments de vie que l'on maintient en dépit de tout font le héros ou le bourreau, et dans l'instant, souvent, la différence est infime, n'en déplaise aux moralistes. Dans ces actes minuscules qui font nos vies, il y a des gestes retenus, des évitements, des faux-semblants ou une certaine droiture minuscule — conduite qui n'a plus d'autre issue, ensuite, que d'aller vers une annulation plus haute, plus certaine, plus affermie, qu'on appelle ici sacrifice. Bartleby n'a pas construit un autel à son renoncement, c'est même si ténu que ça ne tenait que sur quelques mots, *I prefer not to...*, et ces mots-là changent la littérature, c'est-à-dire notre rapport au monde. À nous-même. À la mort. Le mur contre lequel le petit clerc se tient est encore devant nous.

Sacrificiel n'est pas un mot qui en principe dans la langue française s'attribue à un sujet, mais plutôt à un objet. Et pourtant, par glissements de sens successifs, l'adjectif sacrificiel s'est mis de plus en plus souvent à désigner des personnes, et plutôt les victimes que les bourreaux. Ainsi, est dite « sacrificielle » une femme mise à la place du couteau qui sert à découper l'animal selon le rituel qui ordonne le sacrifice. Si l'on accompagne ce glissement de sens, la femme sacrificielle se trouvera à l'endroit où le couteau opère et sépare sous le regard d'un ou plusieurs témoins. Couper, ce n'est pas nécessairement donner la mort, c'est aussi substituer un animal à une personne, une parole à un être vivant, une prière, un objet de culte pour que le rituel puisse s'accomplir. Une femme sacrificielle évoque donc une personne qui d'une certaine manière choisit de disparaître de son vivant, soit en coïncidant avec une figure héroïque qui la fait devenir « publique » (Jeanne d'Arc/Antigone), soit qu'elle disparaisse comme une ombre, dans cette « blancheur » que nous avons évoquée et sur laquelle nous reviendrons, mais ce peut être aussi une dimension de cruauté comme celle que nécessite l'abandon d'un enfant ou la maltraitance, la vengeance quand se déploie un ordre symbolique qui dépasse de très loin l'histoire personnelle. N'est pas Héloïse ou Médée qui veut. La femme sacrificielle a, avec le drame, des affinités certaines, même si c'est aussi sous le signe de la blancheur, de la vie manquée, effacée, que le sacrifice peut officier avec une efficacité redoutable.

Les temps ont changé. Les femmes ne veulent plus être associées au sacrifice comme à leur ombre portée, en retard, en retrait. Elles veulent « tout ». On dit ça aussi. Enfants, carrière, beauté, et du temps en plus, pour des amants, des voyages, de l'inédit, du partage, pour flâner aussi, pour rien. Certaines y parviennent. On parle d'elles, on les courtise. Elles se sentent seules néanmoins. Avec, souvent, dans cet impalpable tourbillon, l'impression récurrente de n'être finalement nulle part. Présentes partout, sauf à elles-mêmes. D'où le recours au divan du psychanalyste, au yoga, aux conseils des amies et des magazines féminins, au shopping, à l'alcool et autres excitants. Mais ce vide ne se comble pas si facilement. Il est contigu à celui de ces femmes victimisées dont elles finissent elles aussi par croiser la trajectoire. Sans les voir mais les ayant vues pourtant. Trop effrayées de ce que cette vision un instant puisse leur renvoyer, en miroir, leur propre image. C'est le spectre de leur propre abandon qu'elles conjurent à grand fracas, en échafaudant au passage mille choses à faire, à voir, à dire, avec à portée de main des listes toujours reconduites à demain... Quelquefois pourtant surgit l'indésirable, le soudain de l'accident, la maladie, un enfant qui s'enferme dans la folie, un ratage, une histoire d'amour qui tourne mal — alors à nouveau se présente le spectre de la blancheur, cette image floue dans l'objectif d'une femme défendue d'exister.

Nous sommes les unes et les autres. Et le regard tourné vers ces héroïnes rebelles auxquelles souvent l'opéra a donné une voix et le cinéma un regard, on se demande comment elles ont fait. Pour avoir essayé envers et contre tout d'inventer quelque chose, de se faire un destin — une singularité. Pour avoir marché longtemps le long de la frontière, pour s'être épuisées à se battre — contre l'amour et pour l'aimé, contre Dieu et avec lui, contre l'ennui, contre la mort et avec elle, adossées à l'horreur ou à l'oubli, on retiendra d'elles ce moment où le sacrifice fait basculer une vie.

Pourquoi les femmes seraient-elles plus sacrificielles que les hommes ? Impasse de la question. On ne peut plus penser aujourd'hui en termes de division des sexes sans tomber dans le marivaudage ou la lutte d'un genre, comme on dit en Amérique, contre un autre. Mais on peut se demander pourquoi, dans l'imaginaire occidental, la féminité rencontre si souvent un destin sacrificiel.

D'Antigone à Jeanne d'Arc, c'est comme si l'on oscillait sans fin entre ces deux destins, maternel ou virginal, qui s'excluent mutuellement, n'offrant ainsi à cette femme qu'un choix impossible, seule contremarque à la médiocrité. Les amantes, les grandes amoureuses, ne peuvent-elles être, de Madame Bovary à Anna Karenine, de grandes figures héroïques, ni seulement mères ni plus tout à fait des jeunes filles, simplement des femmes ? Peut-être... mais dont la seule issue à craindre est la mort, alors. Même dans *La Promenade au phare*, de Virginia Woolf, quand Mrs Ramsay, après avoir animé de sa présence si radieuse et belle tout un dîner et d'autres vies, d'autres amours, meurt, l'écrivain ne le dit qu'au passé, au début de la seconde partie, voilà : elle est morte ; nous sommes maintenant vingt ans plus tard et la promenade au phare n'aura pas eu lieu. Car ce à quoi on renonce ne revient jamais. Et c'est peut-être dans le destin de la féminité de lutter sans cesse contre cette alternative héroïque, la mère ou la jeune fille éternelle, sans pour autant choisir de mourir, ou plutôt de payer de sa vie le fait d'avoir voulu vivre vraiment.

Le sacrifice, délivrance du trauma ?

Le sacrifice commence avec le *déjà plus*. L'événement suppose qu'il y ait eu de l'irréparable, c'est-à-dire du trauma. L'irréparable d'un crime, d'un amour interdit, d'une maternité saccagée, d'un combat perdu d'avance. En ce sens, il est l'événement qui nous fait croire à une réparation possible : la réconciliation avec le dieu, la promesse de l'amour retrouvé, l'honneur reconquis — au prix de quelque chose d'infiniment précieux pour la communauté et qui doit être cédé (les jeunes gens offerts au Minotaure par exemple). Quand Agamemnon fait semblant d'interroger les augures, Iphigénie, en réalité, est déjà condamnée. La décision n'appartient pas plus aux dieux qu'aux grands prêtres : il a choisi de sacrifier sa fille et il a besoin de croire que ce sont les dieux qui exigent ce tribut de chair. C'est pourquoi le sacrifice interdit le remords, même quand il semble se dresser, comme événement, contre le destin.

Le sacrifice opère au futur antérieur. Tout aurait pu se passer comme si... Tel est le temps fermé dont le sujet essaie de sortir. Le sacrifice est un prophétisme ouvert. Ouvert contre la fatalité qu'il voudrait conjurer dans le temps quotidien. C'est un effet étrange que de voir ce temps brisé en deux — avant et après le sacrifice. Rien ne sera plus comme avant : pourquoi du sacrifice si cela ne fait pas advenir un temps radicalement nouveau, l'espérance d'un jour meilleur ? C'est la force de l'événement sacrificiel (et qui n'est en ce sens échangeable contre aucun autre) que de nous faire croire à la force rédemptrice d'un présent absolu alors qu'il vient révéler un passé enfoui catastrophique, un trauma singulier ou collectif, d'une communauté en proie au désastre et qui n'arrive pas à l'oublier. Le temps sur lequel s'appuie le sacrifice et contre lequel il intervient est un temps hanté, spectral, où les morts ne sont pas séparés des vivants.

Cette hypothèse amène le sacrifice du côté de l'inconscient. Dans la mesure où, par l'effet du refoulement, la pulsion de mort telle qu'elle a été décrite par Freud conduit le moi conscient à répéter sans cesse le même scénario fantasmatique, selon une composition, toujours la même, où des éléments invariants font une ligne mélodique qu'on n'oublie plus une fois reconnue. Je veux dire par là qu'une femme qui se sacrifie pour ses enfants ou qui sacrifie un amour au nom d'une idée, d'une vocation, ne sait pas qu'elle répète sans doute une figure passée, peut-être le destin d'une mère humiliée dans sa lignée. Dans tous les cas ce sacrifice, s'il a vraiment la structure d'un sacrifice, à savoir une valeur d'exemple, un idéal auquel il est promis, quelqu'un à qui il s'adresse, fera « revenir » le trauma oublié sur une scène visible pour permettre aux survivants d'y accéder à nouveau. Quand je parle de prophétisme fermé, c'est que la logique sacrificielle, dans son rapport au temps, à l'espace, a besoin de rituels, de commémorations, pour se perpétuer et faire en sorte donc que « cela ne recommence plus ». Le sacrifice fait, comme le trauma, de l'irréparable, mais pour réamorcer la possibilité d'un espace et d'un temps humain. Une femme se sacrifie pour que quelque chose dans l'horizon du futur s'ouvre, même s'il lui faut le payer de sa vie. Ce vers quoi le sacrifice fait signe est un « temps inédit », pour permettre à la mémoire collective de sortir de l'enfer traumatique et de sa répétition lancinante.

Le sacrifice agit en réordonnant le trauma autour d'un récit exemplaire qui lui-même sert de fabrique à un rituel. Il produit un travail d'archive, d'activation de la mémoire en rappelant la violence originelle qui l'a rendu nécessaire. Il agit comme un traumatisme, mais dans l'espace de ce « comme » il y a l'Histoire, le champ social, les autres, le temps commun. Il a cela en commun avec le trauma d'être dans l'irréparable, le « jamais plus », le « une fois pour toutes ». Mais à la différence du trauma qui ouvre dans l'histoire du sujet une place béante que rien ne peut cicatriser, le sacrifice interprète le trauma sur la scène sociale et publique, il en fait un événement dont la ritualisation recouvrira la souffrance d'une pellicule de gloire. Il en va ainsi des guerres, espace de mille traumas individuels réinterprétés comme sacrifices à la mère patrie. Le trauma lui aussi provoque de l'irréparable, mais de manière invisible, insondable. Il est du côté du réel, c'est-à-dire de l'inconnaissable. Un enfant abusé ne saura pas retrouver l'endroit exact du trauma, là où le moi s'est évanoui sous l'effet de l'intolérable. Ce *fading*, c'est le trauma même. Le sujet s'efface de la scène traumatique précisément parce qu'il ne peut pas désigner clairement le bourreau (surtout quand il est un proche ou un parent) puisque les liens d'amour se mêlent à ceux de l'envie, du désir forcé, de l'angoisse qu'a l'enfant de faire de la peine à celui qui le martyrise, de le décevoir, de rompre par son aveu le pacte qui les lie. Quelquefois même, la victime pactise avec le bourreau pour que le silence demeure, parce qu'on choisit presque toujours d'être loyal à ses parents ou à ses proches contre soi-même, même quand on ne le sait pas. Alors s'il n'y a plus personne pour accuser personne, même lorsque l'affaire arrive (quand elle y arrive...) sur les rangs d'un tribunal, rien ne garantit à l'enfant que c'est vraiment de lui qu'on parle, puisque s'est créée autour du trauma une zone inapprochable, « gelée », sans affects. Le trauma, c'est quand personne n'a eu mal car il n'y avait « personne » pour éprouver le mal. Ce « il n'y avait personne » est l'effet d'un mal si grand qu'on ne peut plus l'éprouver sans risquer de le répéter une seconde fois. La répétition du trauma est la répétition d'une scène *sans sujet*[1].

Comment faire pour que justice soit rendue si personne ne se présente pour faire reconnaître sa peine ? Le trauma se fait entendre quand même. C'est aussi la parenté qu'il entretient avec le sacrifice de faire en sorte que même oublié, refoulé, il revienne. Le trauma est spectral. C'est en sa qualité de revenant qu'il nous obsède, faisant de nous une maison hantée. De même que le sacrifice introduit une césure dans le temps quotidien, le trauma réordonne le temps intérieur du sujet autour d'un point fixe, ignoré par lui. Ce point fixe ne fait pas revenir la scène, mais tourne autour de petits objets qui la composaient : on sera obsédé par telle lumière, telle matière, tel parfum... parce qu'ils étaient logés au creux de la scène traumatique et que celle-ci ne se représentera, émotionnellement, que par le biais de ces détails. On reconnaît la vérité d'un trauma à ce qu'un enfant sera incapable de vous parler de « ce qui s'est passé » mais évoquera volontiers tel détail sur le papier peint de la chambre ou bien s'attardera sur l'arrivée soudaine de la pluie cet après-midi-là, ou sur telle anecdote apparemment sans rapport avec la douleur enkystée dans sa chair. Lacan disait qu'on pouvait retrouver, avec beaucoup de patience et un peu de génie, dans ces petits mots logés dans la langue quotidienne et qui reviennent à tout bout de champ hors contexte quelques-uns des fils de cette trame perdue. C'est par nos traits d'humour spontanés,

1. Sur ce sujet, lire Philippe Réfabert, *De Freud à Kafka*, Calmann-Lévy, 2001.

nos rêves récurrents, les comptines qu'on a en tête, nos obsessions fugitives qu'on peut approcher ces zones traumatiques autour desquelles s'ordonne notre désir.

Et que se passe-t-il quand il n'y a pas eu trauma ? Quand l'enfance s'est déroulée sous des auspices heureux ? Quand ni meurtre, ni viol, ni inceste ou autres ravages ne sont venus stigmatiser nos premières années ? Le trauma fait partie de l'inadéquation structurelle de l'homme dans son rapport au monde, ce que les philosophes ont désigné de beaucoup d'autres noms, entre autres l'angoisse. Il y a trauma dès qu'on ne peut pas assumer un événement, quand on est menacé de disparaître avec et qu'on « s'absente » pour avoir la force de continuer à vivre, aimer, rêver, et ne pas être dévasté. Le trauma, c'est un rendez-vous manqué en somme, qui fait violence dans notre être et se perpétue dans la langue. C'est un espace entouré de pierres blanches où personne n'entrera plus, d'où l'émotion et la pensée sont proscrites. La possibilité du mal — l'abandon, les coups et jusqu'au meurtre même — est parfois une aggravation de ce rendez-vous manqué avec ce courage qui manque pour assumer un acte, un événement, un amour. De lâcheté en lâcheté, on se retrouve à battre un enfant désarmé, à violenter une femme, à humilier ses proches. Et l'on se dira alors que ce n'était pas nous, que ça ne nous ressemble pas. Que c'était le jeu du hasard, ou qu'on aura trop bu, ou on invoquera l'influence maléfique d'un tel. L'histoire d'une possession en somme. Mais non, ce n'est qu'une répétition infaillible, sans rien de remarquable en soi, de ces rendez-vous manqués qui donne voie à ce qu'on appelle le mal puisqu'il faut bien l'appeler par un nom. Et c'est justement cela que le sacrifice, dans sa théâtralité magnifique, voudrait racheter. Reprendre d'un coup, comme on rassemble les dés dans sa main pour tout rejouer en une seule fois, comme si la vie pouvait être rappelée ainsi à son innocence.

Le sacrifice reprend le mauvais scénario fixé par le trauma, mais il l'utilise autrement. Il théâtralise les choses, il brandit le couteau, invoque le destin, revêt les habits de la tragédie. Il rouvre la scène comme on le ferait d'un corps, met à nu les viscères, en détache les ligaments, expose les membres et la peau, détache les articulations. Voilà ce qu'est le vivant, cette chose-là exposée qu'on va sacrifier pour que rien ne se passe plus comme avant. Pour que cet événement renverse l'ordre des choses, transcende le refoulement, l'oubli, permette que de l'inespéré fasse irruption dans le déjà-là.

Le sacrifice révèle le trauma comme on développe le négatif d'une photo. Le sujet « absent » du traumatisme est convoqué par le sacrifice là où quelque chose en lui a été profané. D'un seul coup, par l'effet de ce temps hors du temps qui exige réparation, le sacrifice ramène l'événement en entier sur le devant de la scène. En ce sens, on pourrait dire qu'une femme coupable d'infanticide par exemple, une femme sacrifiante donc, est quand même d'abord une femme sacrifiée. Cette femme qui sacrifie son enfant quand elle se dit je ne veux pas qu'il soit malheureux comme je l'ai été, ou bien sortons ensemble de l'horreur de cette vie, nous mourrons tous les deux et nous ne serons jamais séparés, est une femme qui très certainement a été elle-même déjà sacrifiée. La profanation dont elle a été l'objet exigeait réparation. Dans le sacrifice de son enfant qu'elle veut emmener avec elle dans la mort, l'une des choses qu'elle dénoue, c'est l'acte qui l'a rendue, elle, fantôme d'une scène où elle *n'a pas existé*. Pour ne pas entrer dans la logique terrible du sacrifice, il aurait fallu qu'elle prenne acte de l'insupportable, là où elle avait été niée, elle, déjà. Et qu'elle pardonne et se pardonne. Il aurait fallu qu'elle puisse donner corps à une souffrance qui ravage, mais qui sauve si on peut l'affronter. Mais cela demande un courage inouï, et personne ne peut dire pourquoi certains êtres le possèdent et d'autres non. Donc le sacrifice, réitérant le trauma, permet au sujet (l'absent) de revenir sur cette scène profanée, de l'assumer enfin. Mais en l'assumant avec l'irréversible qu'il comporte. C'est pourquoi il y a toujours un deuil. Le sacrifice est une herse qui coupe le temps en deux. Quelque chose tombe, qui ne sera pas racheté, sauvé. Le sacrifice répare le trauma en faisant revenir le sujet de son absence. Il agit en inversant la puissance de refoulement en nécessité de commémorer, de porter aux regards et à la mémoire ce qu'on ne pourra plus oublier.

Convoquer la femme à la place du sacrifice, n'est-ce pas interpréter la féminité tout entière comme traumatisme ? Mon hypothèse est que le recours au sacrifice est une façon de porter un trauma effacé sur la scène collective. Il est la réparation d'un traumatisme qui n'a jamais pu être nommé et qui est resté dans l'inavouable. En parlant des jeunes filles, des amantes et des mères, je vais tenter d'approcher ce lieu de souffrance, d'héroïsme, d'abandon, de trahison parfois où le trauma enfoui se trouve par le sacrifice porté à la connaissance de tous. Si je m'attache plus explicitement aux femmes, c'est parce qu'elles sont, dans notre culture, supposées occuper cette place sacrificielle qui fait d'elles tour à tour des victimes et des monstres chaque fois qu'un événement traumatique passé, intime ou collectif, dans l'histoire personnelle ou celle des peuples, demande à être révélé pour que s'ouvre le cercle infernal et enchanté des répétitions. C'est au prix de la vie, parfois, que se fait ce passage d'un monde ancien à un monde nouveau et que le trauma effacé, mais aussi le déni de la mémoire des morts, s'apaise. L'événement sacrificiel lui donne sens, violemment, en provoquant ce retournement du temps que le rituel, ensuite, est chargé de commémorer.

II

LES JEUNES FILLES

> « On ne vient pas au monde sans donner prise à la souffrance. »
>
> Euripide,
> *Iphigénie à Aulis*

Iphigénie... ici même, aujourd'hui

Pour qu'il y ait sacrifice, il faut qu'un monde existe auquel nous donnions sens et qui en retour nous garantisse contre la terreur. Qu'est-ce qu'un monde si ce n'est une instance symbolique qui, parce qu'elle est reconnue comme telle, permet de nommer le réel et d'apprivoiser l'innommable, sans quoi nous risquons d'être broyés ? C'est l'expérience que chacun de nous fait avec l'angoisse. Nous sommes adossés à la brutalité du réel sans autre recours, souvent, que d'avoir foi dans la parole de l'autre. Il suffit de voir avec quelle brutalité la plupart des entreprises traitent ceux qui ne leur servent plus à rien, le vernis d'humanité est si mince... si prompt à disparaître sous l'argument de la « mauvaise conjoncture », d'une soi-disant « impossibilité à réduire les coûts, les déficits, etc. », autant de voies offertes à la violence sociale pour s'exprimer sans autre alibi que celle d'une rentabilité ou d'une sécurité mise à mal. Les rituels que nous instaurons le plus souvent à notre insu n'ont d'autre but que de détourner la perception de cette violence et de l'ajourner quelque peu, de réinscrire une douceur répétitive, rassurante, de nous raccrocher à des codes moraux connus et partagés par d'autres. Qu'ils viennent brutalement à céder et les risques de passage à l'acte, de dépression ou de suicide sont alors mis à nu. Si les rituels viennent à perdre leur rôle de bouclier contre l'angoisse, c'est l'univers familier tout entier qui est menacé d'effondrement. Et je parle surtout des rituels qui sont les moins visibles : le même café noir au même bar-tabac du matin, la sempiternelle promenade, la conversation du soir avec le collègue en quittant les lieux de travail, les manies, les petits mots qu'on se répète comme autant de paroles magiques contre l'adversité... ils font office de liens, essayant de recréer, envers et contre tout, la trame d'un monde humain.

C'est parce qu'elles appartiennent toujours à notre quotidien que je voudrais m'interroger sur la pérennité des figures d'Antigone, Iphigénie et Hélène de Troie. Elles sont une incarnation majeure de cette alliance particulière qui existe entre la jeune fille et la mort, mais aussi, très profondément, du rapport charnel qu'il est possible d'entretenir avec l'absolu ou l'idéal. Elles assurent la séparation/communion entre le monde des vivants et celui des morts non pas en tant que mères matricielles mais au contraire comme celles dont l'amour resté non incarné, non consommé, pactise avec le monde d'en bas et le monde d'en haut, des héros et des dieux, pour faire en sorte que la communauté humaine n'oublie ni l'un ni l'autre. Car lorsqu'on offense le sacré, c'est aussi de la dimension archaïque, animale, que l'on se coupe. Que la parole ne soit plus assurée entre les dieux et les puissances infernales, et c'est tout le monde humain qui est en péril.

Que signifie le sacrifice d'Iphigénie ici même, aujourd'hui, dans notre monde profane ? D'abord, il n'y a de profane que la croyance des individus à être étrangers à tout « effet » du religieux, or on voit tous les jours combien d'objets de culte s'offrent à notre besoin de croyance, combien de rituels s'instaurent spontanément pour faire avec la difficulté du quotidien, la maladie, la mort, les blessures d'amour. Il n'y a plus de cheval de

Troie. On n'invoque plus les dieux, du moins ceux de la mythologie, ni les puissances tutélaires qui ordonneraient nos vies, on essaie de retrouver les petits cailloux blancs de l'enfance dans un univers affolé où les médias risquent bien d'être les seules voix d'outre-tombe à s'adresser aux vivants en leur vendant et leur vantant les besoins auxquels tôt ou tard ils devront adhérer. La pérennité des mythes est bien réelle, ce n'est pas seulement dans l'incroyable diversité des œuvres auxquelles ils ont donné lieu (il existe des centaines d'Antigone, elle a inspiré de sublimes pages à l'austère Hegel, à Kierkegaard et à Goethe, et aux plus grands poètes et penseurs) mais dans le quotidien de nos vies mêmes. S'il n'y a plus de puissance divine à convoquer, si la voix des médias remplace celle du chœur dans les tragédies grecques, les choix cruciaux de vie auxquels les individus se trouvent confrontés sont les mêmes.

Iphigénie est la fille d'un roi. Elle est sacrifiée pour que la guerre de Troie puisse avoir lieu, et que l'honneur de la Grèce soit restauré. Elle est sacrifiée parce que l'ordre spirituel (c'est-à-dire la possibilité même de la justice) a été détruit, qui permettait aux vivants et aux morts de trouver refuge dans une même langue, une même terre, un même ciel; le sacrifice fait office de réparation mais il implique aussi un acte d'une rare violence, injuste et injustifiable. Il y a une gratuité apparente dans ce sacrifice qui le rend « scandaleux » au sens le plus immédiat du terme, lui faisant transgresser toutes les règles du droit, de la culpabilité et du devoir. Celle qui est sacrifiée n'a commis d'autre faute que d'être la fille du roi, et à ce titre elle est engagée dans un rapport de pouvoir inégal face aux hommes et aux dieux sans qu'aucune équité puisse être réclamée. Ou du moins l'équité telle que la conçoit la société humaine. C'est bien le propre du sacrifice de mettre en jeu chaque fois un balancier dont l'un des deux bras est faussé puisqu'il s'agit d'un dieu ou des morts, en tout cas d'une réalité à laquelle en appellent les humains lorsque le désarroi est trop grand et que la justice humaine s'est perdue.

La figure mythique d'Iphigénie nous rappelle que nous n'en avons jamais fini avec ce qui n'a pas été donné à temps, ou trop tard, ou jamais. Que ce désir de réparation ne nous quitte jamais et qu'aucune balance équitable ne viendra rectifier les comptes ni rétablir le droit.

La fille adresse à son père une requête (la reconnaître comme étant sa fille et donc ne sera pas à lui), requête qu'il ne peut entendre car lui-même est resté un fils. Car tous autant que nous sommes, nous avons affaire à cette tentation de rester des fils ou des filles d'abord, toute notre vie. Que signifie pour un père d'être resté avant tout un fils ? C'est être celui qui n'a jamais pu renoncer à occuper la place d'une toute-puissance imaginaire donnée par la mère, « son petit roi », ou celui qui répare un père « cassé » mais en prenant sa place auprès de la mère, en se substituant à lui. Cet homme-là lorsqu'il est père à son tour a du mal à supporter que son enfant détrône ce fils royal qu'il a été. Il va entrer en rivalité avec lui. Comme père, sa toute-puissance parodie celle de l'enfant roi auprès de la mère. L'office séparateur que le meilleur des pères peut faire est d'ouvrir l'enfant au désir de la connaissance, loin des limbes matriciels. Il peut lui donner le goût de l'autre, de l'hospitalité à ce qui commence, s'inaugure, s'invente, il peut lui donner le désir du désir, mais là s'arrête sa capacité quand ce père est aussi un fils pris lui-même dans les filets d'une génération accablée.

Le mythe nous dit que rien ne peut trancher ce fil interrompu des souffrances et des doléances liant les générations entre elles hormis le sacrifice, qui ouvre un temps nouveau. Agamemnon, c'est un père qui commet un infanticide. Laïos, Œdipe, Créon, eux, laissent assassiner leurs enfants, car ils ne peuvent supporter qu'aucun d'eux leur survive, jusqu'à ce qu'un coup d'arrêt soit donné à leur « folie ». Et c'est le sacrifice, alors, qui fait office d'arrêt de la malédiction. « Les personnages de la tragédie grecque travaillent à représenter quelque chose qui doit soigner la communauté [1] », écrit Françoise Davoine. La lignée — par exemple les Atrides — ainsi touchée endosse pour les autres et à leur place la restauration d'un ordre humain possible, au prix d'un acte dont la violence ne peut être rachetée ni le pardon jamais acquis.

Aujourd'hui encore cela a lieu, devant nos yeux ou presque. Et rien je crois ne fera que cela cesse car nous ne pouvons pas supporter de toucher à cette loyauté qui à travers les âges nous relie à nos origines. C'est ainsi que l'on devrait dire : « il y a du suicide dans cette famille » plutôt que : « tel adolescent s'est suicidé » car ce qu'il prend sur lui, à ce moment-là, comme Iphigénie, c'est toute la destinée d'un groupe humain où les morts hantent les vivants, où les dettes sont impayées, où la barbarie affleure. Mais il n'y a plus personne aujourd'hui pour désigner « le vent » ou les dieux et le sacrifice sera lui-même ignoré dans sa signification, non pas expiatoire, mais d'ouverture spirituelle. La fille sacrifiée au père l'est en tant que rien dans sa vie propre n'a pu véritablement éclore... tout ce qui est d'elle est une adresse sans réponse, une douleur béante qui ne trouve pas le repos. Le sacrifice vient à cet endroit poser une limite et une fin afin que d'autres puissent vivre. Mais Iphigénie refuse l'ordre insensé de son père qui la livre au sacrifice, et par la voix intime de sa désobéissance, elle révèle l'orgueil démesuré du père.

« Comme un rameau de suppliant, j'entoure tes

1. Jean-Max Gaudillière et Françoise Davoine, *op. cit.*, p. 19.

genoux de ce corps que ma mère pour toi mit au monde. Ne me fais pas mourir avant mon heure. La lumière est si douce à regarder. Ne me force pas de me rendre au pays souterrain ! (...)

— Ce n'est pas Ménélas qui me tient asservi, mon enfant, répond Agamemnon, ce n'est pas à sa volonté que j'obéis, mais à la Grèce à laquelle il faut bien, que je le veuille ou non, que je te sacrifie. Sa force l'emporte sur moi. Elle doit rester libre, ma fille, en ce qui tient à toi et à moi. Il ne faut pas que les Barbares ravissent leur femme à des Grecs [1]. »

Euripide laisse entendre magnifiquement le croisement de ces voix : la jeune fille implore son père et prend à témoin son frère :

« Mon frère, tu es bien petit pour secourir les tiens. Joins cependant tes pleurs aux miens et demande à ton père qu'il épargne la mort à ta sœur [2]. »

Iphigénie est la jeune fille dont la destinée se confond avec celle de la Grèce et qui ne saurait même exister *que là*, parce que c'est sa seule réelle liberté. La guerre de Troie, c'est la fin d'un monde et le début d'un autre, c'est la fin des héros, tels Achille ou Hector, et à travers eux d'une histoire où les hommes par leur excellence pouvaient rivaliser avec les dieux, où leur proximité était tenue pour dite, protégée par des serments. L'éthique dont se réclamaient les héros grecs était le soubassement même du monde. À partir du siège de Troie, d'autres valeurs vont ordonner la cité, ce sera le commencement de la démocratie athénienne : la distance entre les dieux et les hommes est consommée. C'est précisément dans ces moments d'évolution soudaine, de « transvaluation » dirait Nietzsche, que les

1. Euripide, *Iphigénie à Aulis*, dans *Tragédies complètes*, t. II, Gallimard, Folio, trad. Marie Delcourt-Curvers, p. 1344-1345.
2. Ibid., p. 1344.

sacrifices ont lieu, à ce point de rupture entre deux mondes. Les femmes sont des otages devenues elles-mêmes l'objet sacrificiel par lequel la réalité peut être transformée (que les bateaux partent, que la guerre ait lieu). Elles sont le point de passage entre ces deux temps ; le monde ancien veut se maintenir et le monde nouveau est pressé d'en finir.

C'est ainsi que, dans la mémoire collective, certaines figures perdurent et Iphigénie en est une, car ce qui est sacrifié là, ce n'est pas seulement l'absolue innocence, c'est ce que l'on donne à l'Autre — au dieu ou au destin — en échange de ce « rien » dont on croit qu'il est tout : la reconnaissance. C'est l'histoire de Faust, c'est Agamemnon piégé par les mirages de la toute-puissance qui ne veut pas savoir qu'il sacrifie ce qu'il aime le plus, l'être le plus intime à son âme, et son âme elle-même. Iphigénie est sacrifiée pour que les vents favorables poussent les bateaux vers le large et vers Troie, le père ne s'y opposera pas ; le pouvoir vaut tous les sacrifices. Iphigénie implore un père qui reste sourd à sa voix. Il ne veut pas perdre la face devant ses alliés. Il préfère que sa fille meure plutôt que de renoncer par la guerre à racheter l'honneur bafoué par une femme, une seule femme. Et c'est des mains d'une femme, Clytemnestre, qu'il mourra.

Si la femme porte plus singulièrement que l'homme à l'intérieur d'elle-même la nécessité du sacrifice, c'est aussi parce que dans notre culture, c'est elle qui fut vouée aux soins des morts et de l'enfantement. La jeune fille et la vieille femme étaient les deux figures féminines qui se tenaient hors de la vie de couple et de l'engendrement, ouvrant le passage dans les rituels de naissance et de deuil aux côtés des prêtres. La jeune fille se tient sur cette frontière séparatrice entre vie et mort en tant que « ça se passe dans son corps » ou plutôt que ça ne se passe pas dans son corps. Son retrait de la vie amoureuse, ce « pas encore » qui l'y prépare, rend le rapport au sacrifice presque nécessaire. Ce « pas encore » (du sexe) est un effroi, ou un devoir, ou encore un idéal à laquelle la jeune fille va obéir ou désobéir. Mais elle peut choisir aussi de se dérober à cette alternative, d'échapper à la « vie mondaine » et de faire alliance avec la mort. Or, quand la jeune fille fait alliance avec la mort, elle récuse le père et par cet acte fait doublement acte de désobéissance. En se sacrifiant, elle se retire à la vue de tous, mais d'abord à celle du père. Elle met son pouvoir en faillite. Le renoncement à toute sexualité a longtemps tenu la jeune fille dans l'emprise absolue de la loi paternelle. Il faut rappeler que jusqu'à très récemment, le parricide était un crime situé par le code napoléonien au-dessus de tous les autres crimes. Depuis 1980, c'est le crime contre l'humanité qui l'a remplacé dans cet office. C'est donc le parricide qui, jusqu'à très récemment encore, faisait office de pivot à partir duquel, et par analogie, étaient comprises toutes les désobéissances. En ce sens, le père reste le garant du langage (son infaillibilité, c'est-à-dire la possibilité qu'une promesse soit tenue) et de la loi, c'est-à-dire de l'application d'une règle éthique et des conséquences de sa violation.

Si le sacrifice d'Iphigénie s'adresse au père, c'est pour une autre femme qu'elle meurt : pour Hélène. Le nom des femmes ici est échangeable, permutable, et fonctionne en parfaite circularité pour que la guerre puisse avoir lieu et, à travers elles, que s'engouffrent l'Histoire et le désir des hommes. La jeune Iphigénie est renvoyée en miroir à la « féminité » absolue d'Hélène qui avait provoqué la colère de la déesse de l'amour. Iphigénie et Hélène de Troie forment l'envers et l'endroit d'une même figure mythique, celle des filles vouées à l'Autre (au père, à l'amant, à la Grèce elle-même) et qui n'ont d'autres recours pour exister que d'en appeler à une désobéissance sacrée. Hélène, pourtant, n'est pas une jeune fille, elle est une femme et une mère et, surtout, une amante. Elle est même la « plus que femme », femme de plusieurs époux, multiple et éternelle, l'archi-femme dont Goethe avait fait le portrait dans Faust. Méphisto promet à Faust de « voir Hélène en toute femme ». Mais en tant que « femme éternelle » captive d'un mythe qui fait d'elle à tout jamais une femme interdite, elle est comme la jeune fille Iphigénie, vouée au désir de l'autre, d'une manière qui l'exile de toute possibilité d'être réellement une femme hors du miroir.

Une question de voile est posée en tant que rapport intrinsèque au secret. Mais si les voiles d'Hélène transmettent la maladie d'amour, le voile d'Iphigénie est celui du sacrifice qui la dérobe à la vue au moment même où il s'exécute, tandis que le voile d'Antigone est le tombeau où elle s'enfermera, soustraite aux regards des vivants. Le voile, dans la question de la beauté d'Hélène, est l'objet de convoitise des dieux (ou plutôt du courroux de la déesse) parce que celle qui en est la détentrice n'y peut rien, cette beauté transparaît à travers elle. L'enlèvement d'Hélène est une affaire d'État, une affaire d'homme et de combat, précisément car il n'y a rien à faire. De même que le vent est l'alibi du destin d'Iphigénie, la figure obligée (comme le philtre le sera entre Tristan et Iseut) de ce qui donne sens à la vie, de même la beauté d'Hélène sera l'instrument par lequel quelque chose de l'inaltérabilité de l'être (le voile) s'offre comme instrument dans le rapport entre les dieux et les hommes ou les vivants et les morts. Le ravissement d'une femme met en évidence, paradoxalement, ce « voile » que nul ne peut lui arracher. Duras l'a admirablement mis en évidence dans *Le Ravissement de Lol V. Stein.* Le voile, c'est l'impossible rapport à soi dans la transparence de l'être, c'est le don absolu sans cesse reporté sur une scène imaginaire car on n'est pas maître de ce que l'on donne.

Hélène ne s'en sort pas mieux qu'Iphigénie. Celle pour qui toute une cité a péri finit dans les limbes et l'anathème. Elle qui est l'image de la femme libre, puisqu'elle s'enfuit avec son amant à qui son époux avait donné l'hospitalité, transgresse tous les codes moraux mais néanmoins, parce qu'elle a été enlevée se trouve incarner l'honneur de tout un peuple. Je me risque ici à souligner que la descendance d'Hélène se rencontre aussi dans le destin tragique de quelques femmes, actrices ou tragédiennes. C'est l'histoire de l'alliance de la beauté et du politique, et de leur mutuelle fascination. Ego contre ego, image contre image, des vies happées par la puissance du regard de l'autre, tout à la fois ravisseur et victime. On pourrait lire la vie de Marilyn [1] comme une vie captée dans le regard de l'autre et pourtant acharnée à faire exister quand même autre chose, à désobéir pour se tenir en retrait, du côté des *Misfits*, des désaxés. On peut penser que Marilyn a tenté de faire valoir un autre mode d'existence que celui d'un sex-symbol universel couché sur papier glacé. Lorsque l'image artificielle finit par dévorer la femme et qu'il ne lui reste à elle que des miettes, du faux-semblant, au mieux de la douleur qui s'essaie à ne pas devenir trop visible, on peut penser que la part sacrificielle a provoqué comme une substitution de l'idole au profit de l'être même. Ce que le public projetait sur elle n'était pas sans conséquence sur ce que l'actrice pouvait « garder » comme moi intime. Leur histoire secrète se trouvait déchue de toute réalité, de toute vraie densité quand elle n'était plus sous les projecteurs. Être un personnage public, en ce sens, peut devenir une vraie addiction qui connaît rarement de retour en arrière heureux.

1. Marie-Madeleine Lessana, *Portrait d'une apparition*, Bayard, 2005.

Hélène est d'abord captive de sa beauté, Iphigénie, de sa filiation. Toutes deux sont les instruments d'un destin qui les accable et les rend « exceptionnelles » tout à la fois. Iphigénie est celle qu'on sacrifie pour une autre femme, c'est le destin « œdipien » de toute jeune femme en somme qui est ici dramatisé. Dans l'une des versions du mythe d'ailleurs, Iphigénie est la fille qu'Hélène aurait eue de Thésée alors qu'elle était elle-même encore une jeune fille. L'enlèvement d'Hélène par Thésée annonce l'enlèvement de Pâris : là encore l'Histoire se fabrique en miroir. Dans toutes ces filiations, on retrouve le sang des dieux mêlé à celui des hommes, et la démesure qui s'ensuit. Le mythe d'Iphigénie montre que toutes les parentés sont doubles. Car on oublie qu'Hélène et Clytemnestre sont sœurs jumelles et filles de Léda (celle qui fut séduite par Zeus ayant pris la forme d'un cygne) et qu'elles ont épousé des frères, les deux fils d'Atrée, Agamemnon et Ménélas, que l'une tue et l'autre quitte... Et puis il y a les enlèvements en miroir (c'est toujours un prêté pour un rendu) : celui d'Hélène venge très normalement celui d'Hésioné, fille du roi de Troie Laomédon, et je pourrais ainsi poursuivre... Les êtres se font face et se dédoublent dans la tragédie grecque ; chacun fonctionne comme un piège pour l'autre, ainsi on ne saura jamais si c'est Ménélas qui « force » son frère Agamemnon à appeler sa fille auprès de lui en lui promettant un mariage avec le héros Achille (alors qu'en fait sa mort est déjà décidée) ou si c'est Agamemnon qui se sert de l'excuse de son frère pour regrouper autour de lui toute la Grèce. Iphigénie, quoi qu'il en soit, ne s'y trompe pas. Après avoir essayé de faire fléchir son père, elle décide de mourir pour son peuple.

« Dois-je après tout tant tenir à la vie ? C'est pour le bien commun des Grecs, non pour toi seule, que tu m'as mise au monde. Mille soldats couverts de boucliers, mille rameurs, pour venger la patrie outragée, sont pleins d'audace à l'idée de frapper et de mourir pour elle, et moi seule, pour rester en vie, je les empêcherais ? (...) Je donne mon corps à la Grèce. Immolez-le et prenez Troie. Ainsi de moi on gardera mémoire, longtemps. Cela me tiendra lieu d'enfants, d'époux et de renom [1]. »

À Achille qui se propose d'intercéder pour elle et de l'épouser comme la machination politique l'avait prévu, et s'il le faut de mourir pour elle, elle dit :

« Je me décide en toute liberté. Il suffit des combats et des meurtres causés par la beauté d'Hélène. Je ne veux pas que tu meures pour moi, ni que nul meure par ta main. Laisse-moi, si je puis, sauver la Grèce [2]. »

La scène est tragique, car aucune « éthique », fût-elle aussi politique que celle des Grecs, n'exige qu'un père sacrifie sa fille pour une telle cause. On voit ici les effets de la démesure, de cette *hubris* qui résulte du mélange entre le sang des hommes et celui des dieux, et qui rend nécessaire la scène sacrificielle. C'est ce retournement « absurde » (du moins selon les critères de l'absurde contemporain, au sens où l'entend, par exemple, le Kafka du *Procès*) d'Iphigénie qui fait de son assassinat un acte sacrificiel. Et c'est parce qu'elle choisit de se situer à l'endroit du couteau, précisément là où l'enfant disparaît au profit du symbole, que la tragédie commence et qu'un monde s'achève. Iphigénie dit que c'est son corps qu'elle doit à la Grèce, et en dernier lieu c'est toujours au corps qu'on revient. La femme sacrificielle, c'est d'abord un corps de femme, interdit, convoité, un corps territoire qui devient autre qu'un corps, un pur signifiant. Quand une femme est sacrificielle, c'est que son corps ne lui appartient plus ou ne lui a jamais appartenu, qu'il fait signe pour d'autres à sa

1. Euripide, *op. cit.*, p. 1353.
2. *Ibid.*, p. 1354.

place et pourtant... en retrait, en silence, derrière et à l'intérieur de ce corps, il y a une vie.

Combien de jeunes femmes trament cette alliance secrète, abritant en elle, sous le masque d'Hélène, la souffrance d'Iphigénie ? Combien de jeunes filles anorexiques, boulimiques, défoncées, détruites ? Combien de filles sans autre obsession que celle de maigrir ? Sans rédemption, sans dieu à qui s'adresser, sans autel ni aucun rituel, juste des médicaments, au mieux des médecins dévoués, au pire des cellules d'hôpital, des régimes délirants et des « contrats ». Tous voués à l'échec, parce que ce qui est en jeu est bien au-delà du symptôme qui vient dire seulement que ça ne respire plus, que tout le monde étouffe et meurt doucement de ne pouvoir désirer. Le mécanisme qui se met en route alors est le même depuis des millénaires, il faut un sacrifice, un vide soudain pour que puisse revenir du désir et de la faim, de l'envie, du partage, de la mémoire commune.

Devenir femme, Iphigénie ne le peut pas, Hélène ne l'est que trop et Antigone choisit d'être à jamais une sœur pour n'être à personne. Étrange mythe que celui qui montre le sacrifice d'une fille pour que le vent se lève. L'insensé est que personne ne s'en offense, ou presque... La raison d'État prévaut, comme le silence dans les familles infectées d'incestes ou de traumas de guerre. Alors le sacrifice apparaît comme un scandale nécessaire, une vie contre une autre — une de plus. Et autour de ce scandale, de cette mort ou de ce drame, autre chose se raconte, commence et s'achève.

Pourquoi une jeune anorexique nous fait-elle si souvent penser à Iphigénie ? Nous ne sommes pas quittes, au quotidien, de nos mythes. Nous emmenons avec nous dans l'entremêlement de nos vies, dans nos rêves aussi, ces figures complexes. Elles sont les rouages d'un rapport au monde qui est conditionné par l'Histoire et par l'imaginaire dans son acception la plus large, incluant un socle plus vaste que soi, spirituel et psychique. Si on se coupe de la possibilité de faire appel à ces mythes, si on n'entend plus dans la plainte de telle jeune femme le désir d'héroïsme d'Antigone, si on ne devine pas dans tel refus anorexique la sincérité d'Iphigénie ou de Cordélia (*Le Roi Lear*), quelque chose d'essentiel reste méconnu. Dans la souffrance qu'elles « mettent en scène », il y a une adresse qui va au-delà de leur corps, de leur enfance, du rapport même à l'existence. Quand on peut reconnaître la source spirituelle de leur mal (et pas seulement à l'aide d'antidépresseurs !) et entendre dans leur corps souffrant cette « autre voix » en elles qui rappelle, par exemple, l'imploration d'Iphigénie, on peut s'approcher, autrement qui sait..., de leur douleur et de leur appel.

On a beaucoup parlé de la rivalité ou de la mélancolie destructrice des mères envers leurs filles, mais pas assez peut-être de l'importance des pères dans cette histoire d'anorexie. Quelle est cette ombre portée du père sur le corps de la jeune fille ? Ce qu'un père fait quand il sacrifie sa fille, c'est de l'offrir à l'Autre, c'est-à-dire à une instance idéale qui le représente au-dehors, dans un espace clôturé de toutes parts. En l'offrant, il la garde : elle ne sera la femme d'aucun autre, d'aucun homme, sinon de passage et jamais en tant que femme. On voit, par exemple, que la suppression des règles qui résulte de l'anorexie est la véritable visée de ce corps qui se désire toujours plus lisse, toujours plus fin, dans une descente vertigineuse où le regard de l'autre devient une menace perpétuelle qu'il faut sans cesse déjouer, ajourner, amadouer. Pour le père, sa fille ne sera jamais une femme, elle ne l'est déjà que trop en puissance. Fille, elle le restera toujours pour lui, défendue à l'intérieur même d'un corps qui a pris le relais de la parole du père en faisant tourner un linceul autour de ses bras maigres. C'est parfois l'homosexualité bien cachée du père qui fait office de rempart contre « la grosseur » de sa fille devenue pour elle une instance diabolique prête à l'engloutir. Les pères qui ne parviennent à rien transmettre de leur passion (quelle qu'elle soit) entravent le développement intellectuel de leur fille ; au lieu de les ouvrir au monde, ils les laissent littéralement dans une faim accablante, inassouvie, sans issue. Une faim qui ne peut même pas se reconnaître comme faim, une faim laissée en friche avec le mensonge comme seule issue, puisque l'opérateur symbolique par excellence, celui dont la parole a charge d'âme, ne fait pas son office de passeur. La transmission est brisée.

Iphigénie est séparée de sa mère par un mensonge : on lui promet de la marier au plus grand des héros grecs, Achille. Qui peut oublier que la guerre au nom de laquelle elle meurt a pour seul enjeu de reprendre une femme infidèle qui représente, à cet instant, la Grèce. L'*hubris*, cette démesure du désir dont parlent si bien les Grecs, intervient en relation avec les dieux, pour leur voler quelque chose ou bien tenter de se mesurer à eux et d'atteindre leur puissance. Le sacrifice appartient à cette « zone de non-droit » envahie par l'*hubris* où il faut réintroduire un ordre transcendant. Iphigénie, hier et aujourd'hui, est sacrifiée à un père qui veut la guerre et la gloire. Elle se sacrifie parce qu'elle comprend qu'un monde s'achève et qu'un autre commence ; y consentir, c'est troquer sa vie contre l'idéal (la Grèce) dans un marché de dupes où se jouera, pour un instant, sa royauté.

Une jeune fille

C'est à l'entrée du pont, au-dessus du cimetière, une silhouette blanche et droite, presque immobile. Même en fermant les yeux, vous la reconnaîtriez à sa manière de ne pas bouger entre les pas, à ce cercle immobile qui l'isole. Elle tourne la tête, indécise. La femme qui l'accompagne, beaucoup plus âgée qu'elle, lui prend doucement le bras et l'entraîne de ce geste qu'on voit aux mères de grands blessés.

Petite déjà, quand elle jouait aux osselets dans la cour de l'école, les autres la craignaient — « elle est bizarre » — et ne s'approchaient pas. Inlassablement elle recommençait. Pas un ne tombait. Dans chacun des osselets, une part de ténèbres. Elle s'appelle Julia. Elle s'est enfermée dans le silence, comme beaucoup d'autres, mais elle, vous l'avez connue.

Vous n'êtes pas retournée rue G. depuis des années, chaque fois vous faites un détour pour ne pas vous retrouver devant l'étroite porte verte. C'est là qu'un jour un piano demi-queue s'était écrasé, cordes et table d'harmonie brisées. Le père de Julia, ce héros américain arrivé à Paris en 1940, l'avait fait basculer par la fenêtre pendant l'une de ces crises dont il était coutumier. Un jour, il était parti « en voyage » et n'était pas revenu. Depuis, Julia n'avait cessé de mesurer son absence en saignant de petites entailles le plâtre écaillé de sa fenêtre.

L'escalier commence là, à peine plus large qu'un buste. En traversant la cour, vous apercevez la fenêtre éclairée du salon. Il y a une cour pavée, un arbre et puis l'édifice ; une pièce à chaque étage avec l'escalier comme unique lieu pour se croiser. À lui seul il aspirait dans sa volée de bois noir la guerre silencieuse du père, la beauté saccagée de la mère et de la grâce absolument souveraine des enfants, construite à rebours comme pour rejoindre un jour la naissance.

Les mots, depuis l'enfance, Julia les avait enfouis dans sa gorge. Elle avait découvert Dostoïevski, Kafka et Joyce à l'âge où d'autres jouent à la marelle. À treize ans, Julia était sans illusion sur le monde, comme si on lui avait arraché le lisse du regard et la fluidité des caresses, et qu'il ne lui restait que la solitude pour aborder une mort prochaine. Sa lucidité, elle l'avait conquise seule. Longtemps elle s'était tenue droite au milieu de la folie de la mère, des colères du père, tandis que son frère se jetait à corps perdu dans la musique. Sa virtuosité l'avait distingué au Conservatoire. Des auditions avaient suivi, l'encouragement des proches. Mais il fallait à la mère d'autres sacrifices, elle le persuada qu'il ne serait jamais un « grand » et qu'il vaudrait mieux renoncer. Tandis que Julia cherchait dans chaque mot une vérité introuvable en se murant dans l'isolement, Pierre arrachait les partitas de Bach au mutisme d'une sœur qu'on disait mélancolique. Il l'avait accompagnée aussi loin qu'il avait pu, jusque dans les couloirs de l'hôpital. Il voulait convaincre les médecins que Julia guérirait. Chaque soir, il venait jouer sur l'unique piano désaccordé d'une salle qu'on lui ouvrait, espérant qu'elle l'entendait, là-bas, dans la chambre 12 du pavillon Henri-Roussel. Puis il avait cessé. De venir, de jouer.

Un jour, vous avez appris que la demande d'internement rédigée par la mère avait finalement été acceptée. Une dernière fois, vous avez refermé la porte d'entrée et vous avez effacé de votre vie la lumière particulière qui éclairait la cour, ce jour-là. Il neigeait.

Une femme sacrificielle, Julia ? Une Iphigénie moderne ? Une Antigone éperdue d'amour pour son père ? À qui, à quoi a-t-elle obéi ? Son mutisme exprimait l'écrasement de toute possibilité d'être. Comme souvent, c'est un désastre venu de très loin qu'elle avait endossé du fait d'une intelligence trop précoce, d'une sensibilité trop vive pour espérer trouver aucun apaisement. Les osselets étaient-ils les seuls objets à faire revenir la mémoire des charniers, ces champs d'ossuaires dont le père avait été le témoin jusqu'à en fuir l'insupportable rappel loin d'une famille trop belle ? Nuit après nuit, ce père adoré, ce héros de guerre, montrait à sa fille les photos de « sa » guerre. Elle vous l'avait confié un soir, les yeux encore pleins de stupeur. Elle cherchait la beauté disait-elle, et ne la trouvait nulle part. Mais où la trouver quand la guerre en silence fracasse toute réalité ? Les médicaments font des prodiges, a dit la mère après l'internement de sa fille. Dans la vie de Julia, il y a eu un naufrage. Vous en avez été témoin. Vies englouties avant que d'être vraiment nommées. Pour elle, ce furent des années d'internement en demi-sommeil psychiatrique. Une humiliée à qui l'on avait volé jusqu'à son mutisme même. Le seul espace qu'elle s'était gardé pour tenter d'être. Ce mutisme, c'était son sacrifice à elle. L'événement d'un sacrifice qui pouvait la faire naître. Quelquefois il n'y a que le silence pour lever des générations de corps enfouis sous les coups et les cris, pour redonner langue à l'absurdité de la guerre, des charniers, un silence qui résiste à la perte du sens des mots censés dire l'amour, un silence qui la tenait droite au milieu de la folie familiale, mais c'est elle qu'on a crue folle. C'était tellement plus facile... Rien à déchiffrer, rien à se reprocher. On lui a donné ces pilules jaunes et vertes qui embaument les corps avant qu'ils ne soient morts, on lui a trouvé des psychiatres compatissants à qui elle a quand même eu la force de dire : ça suffit, laissez-moi. Et la vie de Julia s'est repliée au-dedans comme le font celles des brûlés qui se meuvent et respirent à peine pour ne pas risquer de réveiller l'ancienne douleur. Ainsi se soldent les vies sacrifiées, dans le silence assourdissant de nos rituels contemporains, sans prêtres ni officiants, sans assistance ni parole consacrée, rien que les salles blanches de l'hôpital et personne pour entendre.

Qui attestera du sacrifice ? Personne, pas même vous. Les plus grandes souffrances ont peu de témoins, soit parce qu'ils sont d'emblée suspectés de complaisance, soit parce qu'ils s'acharneront d'eux-mêmes à limiter la portée de ce qu'ils ont vu pour se protéger eux.

Il y a dans la soi-disant normalité des familles une sorte de barbarie douce qui se distille comme un poison, sur plusieurs générations. L'évitement de la folie (de ce que nous appelons folie, par exemple une adolescente qui ne peut plus parler) est aussi l'empêchement du sacrifice. D'un sacrifice qui aurait pu « couper » dans la folie (réelle celle-là, familiale, qui rôdait affamée autour des enfants) et qui peut-être alors aurait permis que s'inventent les premiers mots d'une langue sauvée. La langue de Julia, sa langue à elle, ses mots à elle, pour se réconcilier avec le monde. Mais personne n'a entendu ce que criait, vociférait ce mutisme. C'est ainsi que nos enfants se suicident, disparaissent, tandis que la société comme un ogre repu sème sa tranquille assurance d'avoir « tout fait pour les sortir de là ».

Parce que nous ne supportons plus le sacrifice, nous enfantons des adolescents sacrificiels. Et les jeunes filles, en particulier, qui portent en elles, de surcroît, le destin d'une maternité angoissante puisqu'elles-mêmes ne sont pas encore, spirituellement, « nées ». Cet évitement du sacrifice, ce « pas de sacrifice », aujourd'hui, est devenu d'une redoutable efficacité. Mais il se fait au prix de vies humaines. En ce sens, on peut dire que tout suicide est un sacrifice manqué. Car le sacrifice, s'il déchire, découpe, fait souffrir, a d'abord remplacé la vie du sacrifié par une vie animale, puis la vie animale par une simple récitation liturgique. Il crée ainsi de l'espace sacré, et même si aucun dieu n'y préside plus, il ouvre pour la vie humaine qui se trouve en position sacrificielle une possible rédemption. Une mort pour une vie. Le mutisme de Julia, s'il avait été accueilli et respecté comme un rapport intime et secret, donc sacré, à ce bruissement de la folie et de la violence qui circulaient dans la famille, aurait-il pu la sauver ? C'était un silence qui, comme presque tous les vrais silences, était une forteresse assiégée, il était sa manière à elle de « faire entendre » la folie du père et la détresse autour, cet espace dévasté.

Iphigénie est là encore chaque jour. Julia n'avait pour père qu'un héros de pacotille dont les mensonges et la fuite n'ont pu couvrir la défaite. Elle s'est offerte au mutisme comme on engage un combat contre les faux-semblants, les excuses, les alibis, tous ces ratages de la langue qui font écho à ceux du cœur. Tous ces rendez-vous manqués qu'un adulte oublie et qu'un enfant se remémore, lui, sans cesse. Julie n'a pas été offerte au dieu du vent, elle s'est murée toute seule dans un monde qui s'arrête là où commence la féminité, un monde de pure pensée sans compromis possible avec les approximations et mensonges des vivants. Un monde en prise avec un idéal aussi radical qu'un sacerdoce, un monde noir et blanc sans ombres ni espaces flous où l'on ne peut pas se dédire de ses promesses puisqu'on ne promet rien : on ne parle pas. L'enfermement psychiatrique, c'est ce que les adultes ont trouvé pour ces jeunes filles-là, c'est absurde et c'est manquer absolument, résolument et souvent pour toujours leur secrète espérance de Belle au bois dormant de quelqu'un qui ferait brèche dans ce repli morbide pour les entraîner à nouveau dans la danse, et supporter l'incertitude et les doutes, et la vie.

Iphigénie est offerte en sacrifice par son père pour que la guerre de Troie puisse avoir lieu. Rien ne résiste à la détermination du père. Quand un enfant n'existe que pour servir l'intérêt d'un père ou d'une mère, quand il est un pion sur l'échiquier et que la folie autour s'en empare, il faudra bien qu'il tombe, qu'il succombe. La jeune fille a d'abord été une toute petite fille amoureuse de son père, parce que c'est ainsi. Elle ne s'en souvient pas la plupart du temps. Plus tard, elle doit réapprivoiser ce presque inconnu qui en retour peut-être la reconnaît, elle, comme son enfant dans sa féminité naissante. Sans la blesser ni la toucher. Mais c'est rare. La jeune fille se prête à n'importe quelle abjection, mélancolie, insignifiance si le regard de son père l'a profanée et elle ne tient pas plus à la vie qu'à l'amour. Iphigénie le savait. Être mise au monde ce n'est pas encore naître. Pour cela, il faut apprendre à quitter le paradis, la terre promise de toutes les retrouvailles, toutes les reconnaissances, tout l'amour en une seule fois. Pour le retrouver autrement, singulièrement, à partir de soi. Mais si le père ou la mère n'ont pas fait de place à l'autre, si l'enfant vient combler toutes les attentes frustrées, s'il est le dépositaire de haines bien plus solides que lui, il vient au monde déjà enseveli. La drogue, l'alcool, la nourriture, la cigarette, un certain rapport au sexe et toutes les dépendances dans lesquelles on peut être pris « à son corps défendant » sont les échos étouffés de cet ensevelissement vivant. Ces jeunes filles nous parlent de notre intolérance à la frustration, de cette impossibilité à faire place au manque parce que c'est trop insupportable : on ne peut être sevré que si l'on a été nourri, si cela a manqué dès le départ, c'est cette sensation du manque que l'on cherchera à retrouver sans cesse dans la faim où vous laisse toute drogue quelle qu'elle soit. En ne laissant pas le champ de la différence s'ouvrir, on revient à l'état originel (en tout cas on essaie) en perdant la sensation bienfaitrice de cet état chaque fois un peu plus — je parle ici des drogues dites dures — et la plupart du temps, on ne sort pas de la « matrice ». Si on ne quitte pas le ventre maternel, et il y a mille manières de ne pas le quitter, l'existence comme espace de la métamorphose est impossible, on est le double d'un autre, une doublure en exil d'un paradis perdu au regard duquel le sacrifice de sa propre vie paraît bien peu de chose.

Antigone, la jeune fille et la mort

> « Nous avons été fascinés par Antigone, par cet incroyable rapport, cette puissante liaison sans désir, cet immense désir impossible qui ne pouvait pas vivre, capable seulement de renverser, paralyser ou excéder un système et une histoire, d'interrompre la vie du concept, de lui couper le souffle ou bien, ce qui revient au même, de le supporter depuis le dehors ou le dessous d'une crypte. »
>
> Jacques Derrida,
> *Glas*

Antigone est le récit d'une fidélité fraternelle mortelle, mais toute fidélité n'est-elle pas amoureuse, c'est-à-dire en dernière instance littéralement vouée à l'amour comme à un serment dont rien ne peut vous délivrer ? De quelle fidélité Antigone atteste-t-elle jusqu'à la sentence même qu'elle réalise, emmurée vivante, ni vivante ni morte donc, ensevelie du poids des générations dont elle se fait le dernier lien, le témoin à charge et la dernière victime ?

Antigone n'a cessé de hanter l'imaginaire occidental : de Kierkegaard à Goethe, de Hegel à Yeats et tant d'autres, ce sont aussi bien les philosophes que les poètes et les romanciers, mais aussi les musiciens et les peintres qui se sont confrontés au destin de cette femme dont le nom est devenu le symbole même de l'insoumission. Antigone existe parce qu'elle combat, là où Iphigénie se tient dans l'obéissance au père. *A priori* tout les oppose : l'une défend son idée de l'amour et de la fidélité contre les lois de la cité, la seconde se plie à la volonté des dieux interprétée par un père tout-puissant qui fait d'elle un objet sacrificiel.

Mais comme pour Iphigénie, là encore tout a commencé avec l'impatience, cette passion humaine que les Grecs appellent *hubris*, la démesure, l'orgueil, la volonté sauvage qui fait sortir « le temps hors de ses gonds » et qui défie les dieux.

Laïos, roi de Thèbes, époux de Jocaste, veut un enfant. Il est dans l'impatience, mais quand arrive enfin la bonne nouvelle, le dieu l'avertit que ce fils sera à l'origine de sa ruine et de celle de Thèbes. Laïos se souvient de l'oracle, éloigne son fils dès qu'il est né, mais sans se résoudre à le tuer. Devenu grand, Œdipe un jour décide de partir vers Thèbes. Il tue son père sans le reconnaître, délivre la cité du Sphinx et épouse sa mère. Naissent deux fils, Étéocle et Polynice, et deux filles, Ismène et Antigone. Bientôt un fléau s'abat sur la ville. Cherchant la cause du désastre, Œdipe découvre alors qui il est et ce qu'il a fait. Il s'arrache les yeux et Jocaste se pend. L'histoire d'Œdipe nous est familière, la suite pas toujours. Pendant longtemps, ses fils le retiennent enfermé dans son palais. Dans la tragédie d'Eschyle *Sept contre Thèbes* le chœur décrit comment un jour ils oublient de proposer à leur père le morceau de choix dû à un roi. Œdipe, devant cet affront, les maudit, leur prédisant qu'ils se disputeront son héritage jusqu'à la mort. Polynice s'enfuit à la cour du roi d'Argos et Étéocle se proclame roi. Polynice réunit une armée pour récupérer le trône. Le chœur essaie en vain d'empêcher que cette guerre fratricide ait lieu, mais chacun sait que la race de Laïos est condamnée à périr. Aucun des deux frères ne survit. Au nom de la cité, Créon défend alors à quiconque d'ensevelir le corps de Polynice.

Antigone est la fille d'un père qui a maudit ses fils de ne pas lui avoir accordé ce qui lui revenait de droit : la meilleure pièce du gibier. C'est pour une broutille — un morceau de viande ! — que le destin s'enraye. Mais cette désinvolture voile une réalité très crue. Ce qui a été profané, c'est le rituel par lequel Œdipe, roi et père, reçoit le meilleur morceau au cours d'un repas ritualisé comme un sacrifice. Ses fils en « l'oubliant » lui signifient la destitution de son rang et de sa royauté. À la profanation répond un sacrifice nécessaire : ce qui a été avili doit être à nouveau purifié, sorti du cercle des malédictions et des envoûtements, pour être sauvé. Pour qu'un temps nouveau puisse apparaître. La folie d'Œdipe (qui montre que son crime parricide et incestueux n'était pas un « accident » du destin, car le crime se répète toujours), c'est de répondre à cet « oubli » par une malédiction proférée sur la vie de ses propres fils. À l'annonce de sa destitution (si l'on prend cet oubli sur le plan symbolique : les fils oubliant de sacrifier le meilleur au père) Œdipe répond par une annonce de mise à mort sur sa propre descendance. On l'oublie trop souvent : c'est Œdipe lui-même qui a maudit ses fils et les a condamnés. Quand nous refusons l'héritage de nos ancêtres, de notre filiation, quand des secrets jalousement gardés font suinter le meurtre, le drame, l'inceste, c'est la génération future, de fait, qui risque d'y passer aussi. En maudissant ses fils, c'est sa fille bien-aimé, Antigone, qu'il conduit au sacrifice.

Comment échapper à ce jeu de massacre ? Où trouver un refuge quand la lignée est à ce point menacée, menaçante, dans la fraternité ? La fidélité d'Antigone envers son frère traite de l'amour entre frères et sœurs mais aussi de la fidélité envers les morts, envers ceux qu'on n'a plus le droit de haïr sans quoi, inapaisés, ils reviennent se venger et hanter la mémoire des vivants. Le sacrifice d'Antigone est indécidable; le génie de Sophocle est de l'avoir rendu tel. Il fait de nous les témoins d'un drame dont le thème le plus évident est celui de l'affrontement entre la loi et l'amour. Mais il touche en réalité toutes les problématiques qui constituent une communauté humaine, depuis l'inceste jusqu'à l'édification du politique comme tel. Et il le fait à travers une jeune fille.

Car Antigone est au commencement de sa vie, et à ce titre, sa désobéissance, qu'elle qualifie elle-même d'acte de sainteté, est une demande de justice que la loi humaine lui refuse; c'est à partir de sa fragilité même qu'elle s'adresse à la communauté des hommes pour les forcer à l'entendre. Sa féminité chaste est scandaleuse. Elle incarne une voix qui n'est pas la même que celle du héros grec. La « passivité » de sa décision, le fait de s'emmurer vivante n'est pas simplement un retour aux limbes matriciels mais d'abord un acte contre lequel toute forme de pouvoir échoue définitivement. Ce tombeau choisi de son vivant nous questionne sur ce qu'un être est capable de faire quand ce pour quoi on lui demande de vivre contredit d'autres valeurs, infiniment plus précieuses à ses yeux. Antigone nous rappelle que l'amour c'est aussi la fidélité à l'amour jusqu'à la mort — et que cela reste un scandale pour toute société, car les lois de la communauté voleraient en éclats si les individus choisissaient un destin si radical. C'est la menace d'un bouleversement total des valeurs qu'elle soutient et qu'elle emporte avec elle dans la tombe.

Antigone meurt d'avoir été jusqu'au bout fidèle à son frère. Pas seulement à son frère : à la mort même, c'est-à-dire au déni de sépulture dont Polynice a été l'objet puisqu'il tombe sous le coup d'une loi l'excluant, même mort, de la cité et du commun des hommes Ce déni de sépulture rappelle, comme en écho, le lieu interdit, non révélé, de la mort d'Œdipe (qui ne révélera qu'à Thésée l'endroit où il va mourir). Hors-la-loi, Polynice est laissé dans ce champ hors la vie hors la mort où rôdent les âmes perdues, non priées, non reconnues. Mais Antigone refuse ce décret et réclame pour son frère le droit d'être enterré. L'outrage au cadavre, chez les Grecs anciens, va avec une certaine idéologie de la mort héroïque et une certaine conception de la valeur. « Dans la conscience héroïque, écrit J.-P. Vernant [1], pour que la vie mérite d'être vécue, il faut se situer sur un autre plan que celui des valeurs mondaines (...). Cet au-delà qui ne s'achète pas, qui est complètement à part, c'est sa propre vie. » Et c'est cette vie qui donne, dans le monde grec, sa dimension héroïque à l'existence, et qui fait préférer la vie brève et la mort au combat à la vie longue sans s'être élevé plus haut que l'ordinaire. Or le cadavre laissé sur le champ de bataille porte en lui le signe de cet héroïsme, de cette valeur transcendante à la vie même qu'il faut vénérer quand on le porte en terre afin de porter cette même valeur chez les vivants. Il n'y a pas d'accommodement, de demi-mesure.

Antigone est une sœur, elle est même « la » sœur par excellence. La fidélité d'Antigone est une fidélité amoureuse, seulement si on donne à l'amour une acception très large comme fidélité à l'autre quel que soit son crime. Antigone ne justifie pas son frère, elle ne cherche pas à réparer sa faute, elle promet seulement de lui donner une sépulture. Mais cette promesse vaut plus que sa propre vie. Dans l'amour du frère et de la sœur, dans leur parfaite intelligence, il y a à la fois Éros et Agapè, mais l'un et l'autre sont fusionnés vers la transcendance absolue de la relation même. « Antigone est celle qui

1. Jean-Pierre Vernant, *Figures, idoles, masques*, Julliard, 1990, p. 20.

possède l'âme la plus sororale [1] » selon Goethe. De la sœur-épouse de Shelley à l'apostrophe baudelairienne « mon enfant ma sœur », de l'amour entre Ulrich et Agathe décrit par Musil à l'anneau du Nibelung de Wagner (la sœur épouse est délivrée par son frère/ce qui les séparait n'est plus que ruines maintenant ;/ le jeune couple se retrouve avec délices ;/l'amour et le printemps sont réunis !/), du point de vue de cet amour sororal, la question de la protection réelle du corps contre la dégradation physique (le cadavre de Polynice qui n'est pas enterré) joue un rôle fondamental. Le frère et la sœur sont du même sang, à la différence du mari et de la femme. Il n'y a pas entre eux d'attirance sexuelle irrésistible ou, si elle existe, elle a été surmontée. Au contraire des parents qui cherchent à perpétuer leur être propre dans leur descendance, la relation entre le frère et la sœur a été vue de tout temps comme figure de l'amour désintéressé mais d'une rare passion. Leurs affinités transcendent le biologique pour devenir électives. La féminité elle-même trouve sa quintessence morale dans la condition de sœur. Les rites funéraires, avec leur processus de réenfermement littéral des morts dans leur lieu de terre et dans la succession fantomatique des générations qui fondent la sphère du familial, reviennent spécifiquement aux femmes. Quand cette tâche échoit à une sœur, quand un homme n'a ni mère ni épouse pour le reconduire chez lui et le remettre à la garde de la terre, les funérailles s'enveloppent de la plus haute sacralité. L'acte d'Antigone est le plus sacré qu'une femme puisse accomplir. Mais c'est aussi un crime. Car il y a des situations dans lesquelles l'État n'est pas prêt à abandonner son autorité sur les morts. Il y a des circonstances (politiques, militaires ou symboliques) dans

1. Goethe, *Hymne à Euphrosyne*, 1799 : « La tragédie d'Euripide tourne autour de la violence nécessaire que le changement sociopolitique impose à l'intériorité de l'être, mais le thème qui permet cette articulation est celui de la "sororité". »

lesquelles les lois de la *polis* étendent au cadavre la validité des honneurs ou des châtiments qui, en temps ordinaire, ne s'appliquent qu'aux vivants. D'où un ultime affrontement entre le monde de l'homme et celui de la femme, de l'universel et du singulier, de la fidélité au bien commun ou à l'amour fraternel : tout cela se condense dans le combat qui oppose Créon à Antigone au-dessus d'un cadavre. L'obéissance exigée n'est pas du même ordre, et c'est entre ces deux fidélités que naît et s'accomplit l'espace de tous les sacrifices, d'hier et d'aujourd'hui.

Antigone aime son frère. À cet amour fou, qu'aujourd'hui on dirait incestueux et que l'on appelle pudiquement fraternité, Créon ne peut qu'opposer la loi de la séparation de la cité et des corps, qui prime sur le lien du sang. En cela, Créon tente aussi de protéger la cité contre l'effet dévastateur de l'amour dans sa dimension de fidélité absolue qui fait alliance jusque dans la mort. Antigone défie le pouvoir outrageusement, puisqu'à la loi elle oppose une loi qui lie vivants et morts au-delà de la peur, de la soumission et du partage raisonné des choses. On ne s'attaque pas à l'origine sans mettre en péril par le même mouvement aussi la descendance. Créon, comme l'a prédit Tirésias, va payer très cher sa « justice », son fils Hémon, amoureux d'Antigone, va se donner la mort quand il verra cette dernière pendue dans le caveau où elle avait été emmurée vivante, et sa femme Eurydice se supprimera quand elle apprendra la mort de son fils Hémon. Dans la pièce, ce qui nous choque, c'est la violence passionnelle qui se pare des valeurs de la raison, ou de la République dirions-nous aujourd'hui. On présente souvent le drame d'Antigone comme la passion face à la raison des lois, mais ce n'est pas le cas. Et même si Créon revient trop tard sur son jugement, il se laisse emporter par la folie du pouvoir, il veut ordonner jusque dans le domaine des morts, atteindre l'autre là où précisément, quel que soit son forfait, il doit le remettre aux dieux et aux puissances souterraines. Il s'avance bien au-delà de la frontière humaine et c'est à cette transgression que répond le refus d'Antigone.

Il est intéressant que la mémoire occidentale ne retienne souvent que la « furie » sacrée et amoureuse d'Antigone et passe celle de Créon sous silence. Pas Goethe, qui dans ses fameuses *Conversations avec Eckermann* [1] balaie l'interprétation naïve de son interlocuteur au sujet de Créon. Comment peut-on accorder quelque crédit à cet homme ? Ce qui motive Créon, affirme-t-il, c'est la haine. L'assaut de Polynice contre Thèbes a reçu, avec sa mort, un châtiment suffisant. Son cadavre, lui, est innocent. Le décret de Créon est donc un « crime politique ». Tous les personnages et toutes les données de la pièce témoignent contre le tyran. Créon s'enfonce la tête la première dans une obstination blasphématoire. Il a perdu son combat, ses valeurs et tous ceux qu'il aimait. C'est un désastre dont émerge comme seule puissance la parole proférée. Le sacrifice d'Antigone arrive ici comme rééquilibre nécessaire entre vivants et morts : quand le monde humain n'est plus viable ni humain, il faut pactiser avec les morts. Cela ne suffit pas à enrayer la tragédie qui, comme chez Shakespeare, continue à faire tomber des vies, bien après que le sacrifice a été accompli ; c'est l'effet domino du suicide, qui entraîne dans son sillage d'autres morts, parfois insoupçonnées. On ne peut oublier que Jocaste s'est pendue. Antigone réitère donc le geste maternel en choisissant d'accepter la sentence de mort, mais elle le fait en otage sacrificiel et non pas comme une abdication. Elle est fidèle à sa mère dans la loyauté qu'elle soutient, de la répétition, comme si là encore la

1. *Conversations de Goethe avec Eckermann*, Gallimard, 1988 (Ire publication 1848).

descendance des Atrides, étant prise dans la confusion de l'inceste, ne pouvait que faire du « même » sans fin; mais elle convoque l'Histoire et les témoins dans ce combat qui l'oppose à Créon.

Antigone veut pratiquer les rites de l'enterrement, non pas pour sauver Polynice ou le justifier aux yeux de la cité, mais pour le réintégrer symboliquement dans le monde humain. Elle dit :

« J'ensevelirai Polynice. Pour une telle cause, la mort me sera douce. Je reposerai auprès de mon frère chéri, pieusement criminelle [littéralement : accomplissant un forfait qui sera un acte de piété]. »

Ismène lui dit, un peu plus loin :

« Pars, puisque tu l'as résolu. C'est une folie, sache-le; mais tu sais aimer ceux que tu aimes [1] », mais : « N'oublie pas que nous sommes femmes et incapables de lutter contre des hommes (...). »

Antigone en appelle, dans sa réponse à Ismène, à la dimension sacrée de sa désobéissance :

« Si personne ne veut m'aider à l'ensevelir, c'est moi qui l'ensevelirai. C'est mon frère; aussi j'affronterai le péril en lui donnant la sépulture et je ne rougirai point de ma désobéissance et de ma rébellion aux ordres de la cité. (...) Ses chairs ne seront pas la pâture des loups aux ventres creux; que personne ne le croie; car je saurai, moi, toute femme que je suis, lui procurer une tombe où l'ensevelir [2]. »

La féminité, ici, fonctionne comme une instance relevant de cette désobéissance sacrée qui lui donne la force de combattre pour d'autres qu'elle-même. De même, lorsqu'une femme battue cesse de ployer sous les coups et se libère, c'est probablement parce qu'une

1. Sophocle, *Antigone*, Garnier Flammarion, trad. Robert Pignarre, 1999, p. 45.
2. Eschyle, *Les Sept contre Thèbes*, Garnier Flammarion, p. 95.

« désobéissance sacrée » lui a fait entrevoir qu'elle n'est pas seulement une chose, un déchet, mais un être qui abrite en soi une dimension spirituelle inaliénable et qu'au nom de ce qui la relie en cela à toutes les femmes, elle ne peut plus accepter d'être réduite à rien. Antigone n'oppose pas son ego à Créon, mais la valeur d'un amour et d'une fidélité auxquels il ne peut rien comprendre.

Antigone est une jeune fille, une vierge. À ce titre, elle a avec la mort un rapport que l'Occident, par la suite, ne démentira pas. La jeune fille et la mort vont ensemble ainsi mêlées, reliées, dans une espèce de fascination amoureuse, de délire, d'enchantement, qui donne à la jeune fille, en retour, aux yeux de tous, et des hommes en particulier, une aura sans égale. Elle est la jeune fille qui, par cette alliance avec la mort, entre comme un guerrier dans le domaine des hommes, parce qu'elle n'a pas peur de mourir. La vie terrestre, « mondaine », ne l'intéresse pas à l'aune de cet absolu qui prescrit son choix et la guide loin du commun des mortels.

Faire alliance avec la mort au nom de l'amour, c'est ne pas être altérée, c'est-à-dire échapper à la condition féminine qui est d'être précisément « envahie » par l'autre jusque dans son corps, pénétrée, échangée, prise, enlevée, etc., tandis que vouloir être en rapport avec l'absolu, c'est s'avancer au bord d'une frontière incandescente où personne ne peut vous rejoindre mais seulement communier avec vous de loin, comme on le fait avec les idoles. Féminine elle l'est, oui, jusque dans la douceur même ; c'est le pacte qui unit la jeune fille et la mort, l'envers de Stavroguine, le criminel dostoïevskien, le nihilisme traversé par la grâce. Aucun pouvoir n'a de prise sur elle. Rien ne saurait la faire fléchir, et pourtant elle est la fragilité même. Féminine oui, mais une femme non, jamais. Elle n'acceptera pas le monde des devoirs et des règles des femmes, elle n'entrera pas dans le monde de la maternité, elle restera chaste, inentamée. Elle, la jeune vierge, évoque une tombe qui serait aussi un ventre maternel où accueillir le mort. Ce n'est pas le choix de la mort que fait Antigone, c'est le non-choix de la vie qu'on a voulue pour elle auquel, au terme d'un absolu et indéfectible serment, elle restera fidèle.

En ce sens, l'identité sororale d'Antigone est sa manière d'échapper au destin des femmes promises aux hommes ou au service des dieux. Polynice est son double masculin et son salut. Car tous ici fonctionnent en miroir : Antigone/Ismène, Étéocle/Polynice, c'est toujours et encore l'un pour l'autre et jamais l'un sans l'autre. Polynice est déclaré traître à sa cité d'origine parce qu'il veut reprendre son dû par un mouvement de réappropriation qui ressemble étrangement à celui de son père, Œdipe, quand il est parti à Thèbes pour affronter le sphinx et son destin. Le droit à l'héritage que Polynice réclame va entraîner non seulement sa perte mais celle de ses proches. De même que dans cette parenté, tous sont dédoublés, de même au sacrifice répond à nouveau ici, en miroir, une profanation passée. C'est à la souillure du cadavre de son frère que répond le sacrifice d'Antigone. Parce que Créon, au lieu d'accepter que la dépouille de son frère ne soit pas identique au corps du guerrier vivant et que dès lors il appartienne aux dieux, au monde séparé des morts que l'on doit honorer, rend par décret ce corps impur : un déchet, rien d'autre. Aux yeux des Grecs anciens, le décret de Créon se justifie politiquement, mais il est une folie sur le plan éthique et spirituel : la profanation d'un guerrier mort au combat, fût-il un ennemi, est extrêmement grave car elle ne permet pas la reconnaissance du pouvoir spirituel des dieux et de toute la cosmogonie qui va avec. Tirésias avait averti Créon :

« (...) plusieurs soleils n'accompliront pas leur course

que tu ne donnes à la mort un enfant de tes entrailles en expiation des victimes dont tu as à répondre : en premier lieu, cette jeune vie que tu as soustraite à la lumière du jour (...), en second lieu, ce mort que tu retiens, lui, en peine à la surface de la terre, loin des dieux d'en bas, privé des honneurs funèbres et des purifications. Tu n'as pas de droits sur eux ; ils ne sont plus du ressort des divinités d'en haut ; donc, tu leur fais violence. »

Il n'y a pas de sacrifice sans profanation antérieure. Et la profanation ainsi réparée par le sacrifice exige des êtres « sans ego » qui se rendront à l'endroit du sacrifice pour que la justice puisse revenir.

Antigone ne peut pas exister pour elle-même et pourtant elle existe plus qu'aucune autre, singulière. L'anglais a un mot extraordinaire pour cela : *selflessness*. Il n'y a pas de « je » suffisamment sensé pour répondre du sacrifice à lui seul car ce « je » est en exil depuis toujours. Son origine même est minée : par l'inceste, l'outrage, l'exil ou la honte. Il est sans racines à défaut d'être sans origine et ne peut s'inscrire qu'en creux dans la succession des filiations. Il y a une dimension de folie dans le sacrifice, quand le réel fait impact sans que l'ego ne s'interpose. Il n'y a pas de différence entre le dedans, la réalité intime vécue par le sujet, et le dehors, son personnage social, ce qu'il représente pour les autres, il y a seulement des catastrophes, c'est-à-dire de brusques brisures dans la trame temporelle d'un destin. L'être sacrificiel, dans ce sens, ne « s'appartient pas ». L'important, c'est le moment où l'intelligence, le courage, font face à la fatalité. Est sacrificiel celui qui s'identifie à un acte, pas à un « je ». Folie et sacrifice, en ce sens, sont la source de nouveaux paradigmes. Il existe beaucoup de sortes de *selflessness*, ce n'est pas un manque de personnalité, mais une brèche par où s'engouffre le monde. La jeune fille sacrificielle n'est pas identifiée à elle-même ; elle a fait alliance avec la mort pour échapper à la vie commune et rejoindre, dans cet acte, un destin exceptionnel qui ouvrira, pour d'autres, la possibilité d'une vie meilleure. Antigone désire une cité où les droits d'un frère mort, fût-il un ennemi, puissent être respectés. Elle ne peut pas adhérer au sens que les événements prennent aux yeux des autres, il y a en elle une non-adhérence au réel inévitable, comme on le voit admirablement chez Sophocle ou Eschyle. Cette *selflessnes*s est apparentée à la blancheur que nous avons évoquée. Le sujet sacrificiel ne peut imaginer ou penser le monde comme les autres puisqu'il n'en est pas séparé, il est lui-même objet de fantasme, sa vie est scandaleuse car elle est une constante convocation du monde, réanimant les lieux désertés et les mémoires enfouies. Et c'est aussi parce qu'il y a eu dans l'histoire individuelle ou collective une profanation que le sacrifice va devenir la seule issue pour « remettre le monde à l'endroit ». C'est ce moment que choisit la jeune fille, dans l'ombre portée d'un père souverain, destitué ou glorieux, quand dans l'événement d'un sacrifice, elle s'offre à devenir symbole.

À qui, à quoi est-on fidèle par-delà sa propre vie ? À nos parents ou à ceux qui en tiennent lieu. Pauvre réponse qui ne semble répondre de rien. Pourtant, c'est une constante du destin des êtres : la manière dont leur a été livré le premier lien — qu'on dit être l'amour — est ce qu'ils cherchent à retrouver, à tout prix. L'adolescence est faite pour trouver le chemin d'une révolte qui brisera quelque peu les chaînes de cette fidélité pour entrer dans sa vie. Mais la plupart des êtres restent en deçà de l'adolescence, ligotés par des serments qu'ils ignorent avoir prononcés, par une fidélité qui leur fait recommencer toujours les premiers liens, mêmes s'ils se révèlent être faits de haine, d'abandon, de trahison. Ils veulent retrouver le goût de ce premier objet d'amour perdu, ce ravissement dans lequel ils ont été pris *avant*. Il faut croire que la liberté est difficile quand elle signifie désobéir ou trahir celui ou celle qui nous a mis au monde. Je veux dire vraiment désobéir, pas se révolter dans la haine mais briser les envoûtements, affronter les spectres du passé et prendre la mesure de sa voix intime, celle qui vous convoque à enfreindre des lois séculaires pour aller à la rencontre, dans une grande solitude, de la dimension de l'inespéré. Or nous sommes des êtres d'obéissance et nous sommes accablés sous le poids de nos devoirs et de nos dettes. Comment ne pas le reconnaître devant la multitude de ces vies brisées, défaites sous le poids de ces deuils impossibles, de ces loyautés tenues jusqu'à la déchéance, de cette impossibilité que nous avons à forcer l'inéluctable pour trouver notre propre voie ?

Qui ne connaît pas d'Antigone, fille d'un inceste caché et d'un père destitué ? Antigone est l'espace résumé de nos plus intimes résolutions. Tel est le génie grec. Sophocle ou Euripide écrivent des tragédies, pas des actes notariés ou des constats de botanique appliqués à l'humain. Ils montrent que cette fidélité qu'on ignore tous, ou à peu près, quand elle est assumée sur une vraie scène tragique ouvre aussi, à l'intérieur même de cette promesse de mort, un espace de vie autre. Parce qu'à l'intérieur de ces cercles de serments, il y a le mouvement indécidable de la vie même. L'obéissance qu'Antigone voue à la mémoire de son frère ne vient peut-être que pour rappeler l'insupportable, du moins pour la vie de Thèbes, à savoir l'histoire du père, Œdipe, qui s'est crevé les yeux pour voir enfin la vérité. Mais tout de même, il s'agit de fraternité. Et là une autre dimension apparaît, celle de l'histoire des frères et des sœurs, de ce qu'ils rendent possible justement. Là commencent d'autres récits, d'autres langues, là se forgent les commencements de création et aussi les premiers meurtres.

Cordélia, la préférée

Le Roi Lear, de Shakespeare, est l'œuvre qui a le mieux décrit, sans doute, la folie et la vanité de l'amour d'un père qui fait de sa fille préférée celle dont il reçoit la trahison. C'est l'histoire d'un aveuglement consenti et d'un dérèglement orchestré par le refus d'un père d'admettre que la fille aimée s'échappe et s'en aille vers sa vie de femme. Lear renonce au pouvoir et ce renoncement va le conduire à tous les égarements, comme si le fait de ne plus assumer sa place, son pouvoir de souverain et de père, était la signature même d'une entrée dans un temps catastrophique dont rien ne pourrait par la suite le protéger des effets dévastateurs. Dès la deuxième scène, on voit Lear demander à ses filles des gages d'amour et en comparer la valeur. À défaut de les posséder, il veut être, par elles, payé de mots — des mots de fidélité et d'obéissance amoureuse pour mesurer ce qui est au-delà de toute mesure. Seule Cordélia s'y refuse, s'en tenant à la stricte vérité : elle l'aime pour rien, sans autre possibilité de métaphoriser cet amour que le seul aveu de cet amour. « Dites-moi mes filles, commence Lear, laquelle d'entre vous dirons-nous la plus aimante afin que nous dispensions nos plus grandes largesses (...) Parlez. » Il attend de Cordélia plus que d'aucune autre les mots magiques qui apaiseront sa demande, et elle dira seulement :

« Rien mon Seigneur.

— Rien ?...

— Rien. »

Et ces trois « rien » vont nouer le tragique au délire, la folie au comique, comme toujours chez Shakespeare, mais dans une atmosphère de déréliction, de fin du monde qu'aucune autre pièce, à mon sens, n'atteint à ce niveau. Je voudrais m'arrêter sur ce portrait de jeune femme remarquable qu'est la plus jeune fille du roi Lear, Cordélia. Elle est celle des trois filles de Lear qui « aime le mieux » son père, et c'est aussi sa préférée à lui. À partir de ce double serment amoureux qui, au-delà de l'inceste crée des liens que seuls la mort va défaire, les événements vont tracer la voie d'une démence furieuse que le roi tout à la fois incarne et à laquelle il succombe.

Face à la stupeur de son père, Cordélia poursuit : « Malheureuse que je suis, je ne sais élever mon cœur jusqu'à ma bouche/j'aime Votre Majesté conformément à mon lien ni plus ni moins. » Lear s'emporte, veut la faire céder ; en vain. Alors il va la renier, et renier aussi à travers elle une vérité qui lui est insupportable : « Que ta vérité soit donc ta dot (...). J'abjure ici toute ma tendresse paternelle/toute parenté, tout lien de sang/Et te tiens pour étrangère à mon cœur et à moi/Dès à présent et à jamais », comme s'il était possible de trancher les liens du cœur sans se détruire aussi soi-même. Au roi de France présent, qui s'émeut du sort terrible de la jeune fille, il la donne en mariage comme on ferait l'aumône. Et Lear trouve encore à se plaindre : « C'est elle que j'aimais le plus et misant tout sur elle, j'espérais confier mon repos/à ses tendres soins. »

Puis il ajoute ces mots terribles : « Mieux vaut pour toi ne pas être née/que n'avoir pas su mieux me plaire. »

Ce sont les paroles les plus meurtrières qu'un parent puisse adresser à un enfant, une parole qui vaut malédiction : tu n'aurais pas dû naître si c'est pour ne pas m'aimer. Tu n'es que moi-même répliqué(e) à l'infini. Tu n'as pas le droit d'être toi, tu n'es qu'un semblant d'autre. Il n'est d'amour que de soi.

Cet amour furieux de Lear l'aveugle littéralement. Et l'aveuglement dont il s'agit parcourt toute la pièce où se succède une multiplication de métaphores d'une rare violence autour de l'œil et de la cécité. Quand Gloucester se présente devant Lear, les orbites sanglantes et vides de la torture qu'il vient de subir, Lear le regarde et dit : « Je me rappelle assez bien tes yeux... aveugle Cupidon. » « Le jeu de mots qu'elles suscitent est d'une insolence si cruelle, provoque un renversement de métaphore si radical qu'aucun bouffon même ne pourrait la prononcer [1] », remarque Jean-Michel Déprats dont nous suivons ici la traduction. Cet aveuglement rappelle celui du couple père-fille Œdipe/Antigone ; c'est l'impossible clairvoyance sur sa propre folie, sur ce qui conduit au désastre à partir du moment où l'on ne veut rien savoir de son désir. C'est le contraire du « connais-toi toi-même » socratique, l'œil ici se heurte à ses propres ténèbres.

Quand un père préfère sa fille, quand elle incarne pour lui la femme, et la mère et l'enfant, quand elle vient à l'endroit exact de son désir réveiller tout ce qui dormait en lui (sa féminité secrète), qu'elle touche le centre de son être, le père démuni, brusqué, malmené au plus profond de lui-même peut devenir fou comme Lear et bannir sa fille loin de lui. C'est l'un des signes à quoi l'on peut reconnaître une relation incestueuse père-fille ; le père sauve sa fille du désir qu'il a d'elle en la rejetant loin de lui, et ces filles qui se sont crues haïes de leur père ne savent pas, quelquefois, ce à quoi elles

1. Shakespeare, *Le Roi Lear*, trad. J.-M. Déprats.

ont échappé, quel espace psychique elles ont pu gagner dans cet abandon. Shakespeare nous montre avec son génie propre en quoi, dans sa folie, Lear va sauver sa fille de sa fureur amoureuse en l'éloignant de lui et en la donnant à un autre (le roi de France). Mais ce stratagème ne suffira pas. Le « rien » auquel Cordélia renvoie son père et auquel il répond par le bannissement est une mise en abyme dans laquelle tout va peu à peu s'effondrer comme un château de cartes. Ce double mouvement de l'amour incestueux qui veut posséder pour soi et en même temps délivrer l'autre de soi (comme s'il y avait une conscience de sa propre folie), ce mouvement si complètement ambivalent, est observable dans les familles les plus « lisses », les moins sauvages en apparence. Et toujours, il provoque du trauma. Car les deux protagonistes se méprennent, et même lorsque l'éloignement est salvateur, il est interprété comme un abandon ou une trahison. Cette jeune fille-là ne peut pas trouver de salut dans la rivalité avec le père, ni dans son identification avec lui, puisqu'il reste la source unique de rayonnement de sa vie.

La pièce de Shakespeare, *Lear*, est la plus folle, la plus « furieuse » qu'il ait jamais écrite. Elle emporte toute raison avec elle, aucun dénouement heureux ne la délivre, elle nous laisse hébétés devant les cadavres de Cordélia et de Lear. Il faut attendre le Beckett de *Fin de partie* pour être confronté à une telle mise à nu des passions humaines : « personne n'est coupable, personne (...) en naissant nous pleurons de paraître/sur ce grand théâtre des fous », c'est un mélange d'ossements et d'âme qui s'entrechoquent ici à même les mots. L'*hubris* n'est plus garante d'aucun dieu, on appelle dans le vide, « des mouches pour enfants espiègles, voilà ce que nous sommes pour les dieux ; ils nous tuent pour se divertir », les collines sont fausses et « c'est le malheur des temps que les fous guident les aveugles ». Quand il retrouve sa fille, peu avant la fin de la pièce, la folie amoureuse de Lear, dans ce qu'elle a de mortifère, se dévoile : « Sur de tels sacrifices, ma Cordélia/les dieux eux-mêmes versent l'encens. T'ai-je bien retrouvée ?/celui qui nous séparera devra prendre au ciel un brandon/et nous enfumer comme des renards. Essuie tes yeux ;/le mal les dévorera, chair et peau,/avant qu'ils nous fassent pleurer : nous les verrons d'abord crever de faim./Viens. » Les puissances archaïques à l'œuvre modifient à la fois l'espace et le temps, nous font entrer dans un lieu mythique où les êtres subissent des préjudices et des injustices sans commune mesure avec leurs fautes, on est dans l'univers du narrateur du *Procès* de Kafka, sans possibilité d'en sortir.

En apparence, Lear ne cherche aucune contrepartie à l'amour de ses filles, sinon « savoir » comment il est aimé d'elles avant de partager sa fortune et son royaume. En réalité dans ce moment où il organise sa destitution, où il semble prêt à se défaire des attributs du pouvoir, il les revendique plus que jamais et s'instaure comme détenteur absolu de leurs attachements. Il se croit gestionnaire du devenir de ses filles, de leur descendance, et ce père fécondateur ne les rendra fertiles qu'en échange d'une légère « prostitution », quelques mots d'amour et de reconnaissance, prostitution à laquelle Cordélia se refuse. Lear va maudire le ventre et la descendance de ses filles plusieurs fois pendant la pièce avec une haine peu commune (quand il se sera rendu compte de la trahison des aînées). Et de fait, toutes les trois vont mourir. À cette malédiction nul ne survivra, ni celui qui l'a proférée ni celles qui l'ont reçue. Cordélia ne garde que la vérité, l'ossuaire de la vérité, qui fera aussi sa tombe. Si la vérité préserve de la folie, elle n'assure pas de pouvoir se maintenir en vie, car rien alors ne suffit. Même l'amour prodigué à Cordélia par le roi de France qui la prend sur-le-champ pour épouse ne peut la protéger des effets dévastateurs de cet amour incestueux auquel elle s'est refusée.

Tout au long de la pièce, on retrouve la tradition carnavalesque du fou qui dit la vérité, du monde à l'envers qui renvoie le reflet du monde corrompu de la cour et des courtisans, comme avec le deuxième *Don Quichotte* où l'on voit se défaire comme dans un miroir déformant, au château de la Duchesse, tous les attributs de la chevalerie. « Le monde à l'envers » du carnaval, des sotties, de l'errance du roi Lear, est celui dans lequel un sujet normal ne peut plus opposer sa parole, sa promesse, son amour à la perversion qui s'est saisie des êtres et du pouvoir. Seule la folie peut s'opposer à la perversion, c'est une issue terrible qui peut être mortelle, mais il n'y en a pas d'autre. Tout autre gage (d'amour, de fidélité, de vérité) est bafoué, ignoré ou manipulé. Quand il n'y a plus d'autre refuge face à la perversion du pouvoir que la démence, il faut se risquer jusqu'aux limites de la raison et tâcher d'en revenir indemne. Le roi Lear l'a tenté, mais il échoue au dernier moment, face à la mort de sa fille Cordélia. Le fou avait prévenu : « Cette nuit glacée va tous nous changer en fous et en déments. » C'est l'intelligibilité du monde qui se trouve mise en échec, le non-sens qui apparaît, qui se découvre, est celui de l'existence même, il n'est pas séparable de la condition humaine — c'est ce qui rend Shakespeare si proche de Pascal, de Kafka, de Beckett. Il n'y a pas d'ordre magique, en dehors du langage, qui pourrait rendre au destin son cours harmonieux, sa nécessité interne. Le chaos des passions et des pulsions humaines, son horreur de la vérité (c'est aussi en ce sens très lacanien) font de l'humanité une engeance en éternel exil, bannie hors du refuge de l'intelligence et de la raison parce que rien ne saurait venir à bout de la passion, *stricto sensu*, c'est-à-dire de ce qui jette hors de soi-même continuellement vers des objets qui ne sont que des ombres. Et c'est dans ce temps-là que le sacrifice arrive, au milieu de la confusion, quand il n'y a plus de carnaval pour vous protéger du retour des morts et de la dette qu'on a contractée envers eux.

Le sacrifice de Cordélia n'est pas le moment de sa mort, qui est en quelque sorte « hors champ » : elle s'est pendue — comme le fou, son double, car eux seuls disent la vérité — dans la cellule de sa prison, d'où l'on allait la délivrer sous peu. C'est encore le poids de l'ensevelissement d'Antigone que l'on surprend ici par réfraction. Il n'est pas d'issue hors de cette cellule, car la vérité n'est pas audible. Et l'amour est impossible s'il est au prix de la vérité. En prise directe avec cet idéal : être vrai, dire vrai, aimer, Cordélia ne trouve aucun lieu, aucun refuge où pouvoir survivre.

Cordélia, cette Antigone anglaise, est un autre visage de la jeune fille ensevelie. Cordélia ne s'est pas enfermée vivante dans la crypte, elle s'est pendue, comme Juliette se poignarde dans le caveau, pour n'avoir pas cru au dénouement heureux auquel pourtant, soi-disant, elle était promise — mais il est vrai que chez Shakespeare les jeunes filles — Ophélie, Juliette et Cordélia — ont la vie brève... Combien d'entre elles, aujourd'hui, sont retrouvées mortes, suicidées, chez elles ou ailleurs, dans un fleuve, sous un pont, abandonnées à leur désarroi et à leur solitude alors qu'il aurait suffi qu'elles y croient un peu plus. « On aurait dû lui dire qu'on l'aimait, disent les parents affolés, mais elle le savait bien pourtant... alors pourquoi ? » Récemment encore, deux jeunes filles se sont défenestrées en convoquant leurs amis à l'événement : depuis des mois elles faisaient état dans leur blog Internet d'un mal de vivre que personne autour d'elles n'avait voulu entendre. Il n'y a pas de pourquoi. Parce que ces jeunes filles-là ne sont ni abusées ni délaissées, ou du moins, ça ne se voit pas ; en apparence, tout est presque trop lisse, on se dit qu'il en aurait fallu de si peu pour... et tout à coup il est trop tard. C'est le propre des jeunes filles de se révéler de redoutables guerrières à l'heure de leur disparition prochaine. Comment faire avec elles ? Avec ce silence, avec ce refus ? Cordélia se soustrait à l'incompréhension de son père mais ne peut que mourir avec lui, près de lui. Elle est sacrificielle en ce sens que le monde qui s'achève à travers elle est un monde déjà perdu. Combien de jeunes filles « préférées » sont-elles ainsi chaque jour sacrifiées ? Sur l'autel de cette préférence, gît la folie paternelle, et entre eux, nul ne peut s'immiscer. Les jeunes filles qui choisissent de mourir le font souvent pour le père, pour rester auprès d'un père qui n'a rien compris à cet amour-là, qui n'a pas su entendre ni traduire en mots, en actes, en moments partagés ce qui restait silencieux, défendu.

Juliette ou le temps révolu

Juliette, comme chacun sait, aime Roméo. Et elle n'a pas le droit de l'aimer. Pas de frère à défendre ni de père aveugle, incestueux, parricide. Juliette, c'est d'abord une amoureuse qui, comme beaucoup de jeunes filles, veut croire à l'amour et qui pour l'amour est prête à tout sacrifier. Elle vient d'une grande famille de Vérone et les jeunes filles dans de telles familles sont des biens de circulation à des fins de commerce sur une grande envergure. Des instruments d'alliance ou de pouvoir. Et à cela, contre toute attente, Juliette se refuse — mais autrement que ne le fait Cordélia. Car elle n'est pas l'objet de la folie amoureuse paternelle, du moins pas explicitement. Une autre sorte de serment la lie à son père. Roméo et Juliette, c'est une histoire de clans. Que l'aimé vienne d'une famille ennemie, mortellement haïe, paraît être du ressort de l'intrigue et dramatise la scène. Mais peut-être pas seulement... Quand on choisit un aimé dans le clan ennemi, on fait d'abord offense au père, voyez *Le Parrain*, toutes les sociétés mafieuses nous l'ont enseigné. Le clan s'appuie sur le refoulé d'une violence qui fait office de trauma à partir duquel se dressent les solidarités familiales. Là encore le sacrifice des enfants va révéler la trahison secrète ou le meurtre caché qui fut au commencement de cette haine des familles. Car le règne et la folie des pères s'entendent dès les premiers vers prononcés par le chœur : « (...) l'inquiet devenir de leur funeste amour/Et l'opiniâtreté de leurs pères/Que rien n'apaisera qu'un couple d'enfants morts/Vont deux heures durant occuper ce théâtre. » Les Capulets et les Montaigus vont s'entretuer par le biais de leurs enfants jusqu'à ce que la mort sacrificielle de Roméo et de Juliette efface toute haine. Voilà l'histoire officielle, celle dont la mémoire et le mythe vont s'emparer, mais à y regarder de plus près, on découvre certaines choses... d'abord que Juliette, oui, est une très jeune fille et non une femme : quatorze ans à peine, ce qui même à l'époque était très jeune pour le mariage... Quant à Roméo, il s'ennuie. Ses passions faciles, sa nature emportée, attestée par ses amis, n'a besoin pour flamber que de savoir que Juliette appartient à une famille rivale, haïe par les siens depuis toujours. Ensuite, pour que le drame survienne, il faudra deux autres morts : celle de l'ami de Roméo, Mercutio, et du cousin de Juliette, Tybalt. Dès ce moment, l'interdiction de cet amour qui jusqu'alors appelait une transgression joyeuse (échapper au pouvoir des pères) devient dramatique : elle ne s'applique plus du dehors, par ordre de fidélité au clan, mais de l'intérieur du sentiment amical et fraternel, c'est-à-dire (comme pour Antigone) du devoir de loyauté qu'on a envers les morts aimés.

L'*hubris*, cette impatience qui emporte le héros hors de toute mesure et justesse, est à nouveau à l'œuvre dans cette tragédie. C'est Roméo qui provoque, par son impatience, un duel à l'issue catastrophique. On apprend au début de la pièce qu'il est épris d'une certaine Rosaline, laquelle ne répond pas à son amour; il ne peut vivre que dans cette tension extrême de l'amour inassouvi. « L'étonnante métamorphose, dit le frère Laurent à Roméo venu lui demander de les marier en secret, Rosaline, que tu aimais si fort, si vite délaissée ? L'amour des jeunes gens n'est-il donc pas au cœur mais dans les yeux [1] ? » L'aveuglement, la cécité, la sauvagerie du « voir » sont toujours au cœur de la passion chez Shakespeare, comme une fatalité qui se dérobe toujours à la connaissance, à la sagesse, à la possibilité d'y faire entrer un peu de vie, de mesure, d'apaisement. Roméo s'écrie en voyant Juliette : « Mon cœur a-t-il aimé avant aujourd'hui ?/Jurez que non, mes yeux, puisque avant ce soir/Vous n'aviez jamais vu la vraie beauté. » Le cœur de Roméo est atteint par la beauté de Juliette mais c'est tout autant son désir d'amour, son « joy » diraient les troubadours, qui s'empare du seul objet d'amour réellement impossible qui lui ait été donné de croiser (car tôt ou tard Rosaline aurait cédé). Rien n'est jamais assez impossible au regard de l'idéal. Car il est question ici d'amour de l'amour plus que d'amour de l'autre. C'est pourquoi la tentative des amants de survivre à la haine catastrophique qui lie leurs deux familles est vouée à l'échec. Le frère Laurent tient lieu ici tout à la fois de confident et de conciliateur (c'est lui qui les marie en secret, au lendemain de leur rencontre) mais plus encore d'oracle — dans la lignée de Tirésias ou de Calchas —, par qui le destin s'annonce. C'est le seul aussi qui puisse dire la vérité aux parents de Juliette, alors qu'ils la croient morte : « Silence, par pudeur ! (...)/ Puisque vous ne pouviez la garder de mourir/Tandis qu'en éternelle vie les puissances du ciel la gardent./Le plus que vous vouliez, c'était son triomphe,/C'était tout votre ciel qu'elle s'élevât,/Et vous pleurez, à l'heure où elle s'élève (...) En l'aimant ainsi, vous l'aimez si mal... [2]. » À nouveau Shakespeare donne à entendre cette réalité de l'amour du parent voué à sa propre

1. Shakespeare, *Roméo et Juliette*, trad. d'Yves Bonnefoy, Gallimard, Folio classique, 2004, p. 85.
2. *Ibid.*. p. 171.

répétition égotique à l'infini : on n'aime l'autre que dans la mesure où il vous reflète. La loi des pères n'est qu'une ritournelle obsessive d'où l'amour inconditionnel est proscrit. Leur aveuglement est aussi celui de cette impossible transmission par excès de « passion de soi », parce qu'on n'en a jamais fini avec soi et que les enfants sont les jouets d'une filiation manquée, manquante et éternellement reportée du côté d'un idéal clownesque, où seul le fou soutient la vérité.

Toute la dramaturgie tourne autour de ces deux noms : Capulets-Montaigus, des signifiants, diraient Lacan, qui fonctionnent tout seuls, se faisant représenter par des générations qui, à tour de rôle, s'y rapportent. « C'est ce nom seul qui est mon ennemi,/Tu es toi, tu n'es pas un Montaigu. (...) Qu'y a-t-il dans un nom ? Ce qu'on appelle une rose/Avec tout autre nom serait aussi suave (...)/Roméo, défais-toi de ton nom, qui n'est rien de ton être/Et en échange, oh, prends-moi tout entière », dit Juliette dans la scène du balcon. Mais c'est la mort qui la prendra puisqu'à son éveil dans le tombeau où elle a été ensevelie vivante, elle trouvera Roméo mort et se poignardera à ses côtés. Vierge et veuve à la fois, puisque mariée et néanmoins intouchée. Dans cette séparation charnelle des corps, il y a la tradition occidentale de la passion comme mise à l'épreuve quasi mystique, jusqu'à complet détachement et fusion des âmes. Et la mort qui solde les comptes obtient en final les cadavres de ces enfants qui voulaient échapper à « la vie normale ». C'est en définitive non pas la belle mort héroïque des Grecs qui attend les protagonistes, mais la mort magnifiée dans un temps qui est toujours chez Shakespeare un contretemps, un temps révolu, un mauvais temps. Car il est toujours trop tôt ou trop tard : « Ô mon unique amour, né de ma seule haine !/Inconnu vu trop tôt, reconnu trop tard !/Dois-je naître à l'amour par si grand prodige/Qu'il faille que je m'offre à mon ennemi [1] ? », dit Juliette quand elle voit Roméo au bal des Capulets. Le mauvais temps est le temps désaxé, celui qui contrarie le désir humain dans sa machinerie implacable. Il est l'opérateur sacrificiel par excellence. Et c'est au prix de la mort qu'il offre la vie intense, la vie belle, la vie hors la vie que cherchait Roméo dans sa traque aveugle de l'amour.

On pressent dès sa première apparition la puissance de la mélancolie qui habite Roméo : « On ne peut rien tirer de lui. (...) Ah, que ne savons-nous d'où lui vient sa souffrance !/Nous aurions le désir d'y porter remède/ Autant que nous l'avons de la deviner [2] », dit Montaigu père. Or, il n'est pas encore question de Juliette et tous savent qu'il est amoureux de Rosaline ; la cause de sa mélancolie est donc ailleurs, inexpugnable et mystérieuse. D'ailleurs, il n'y a pas de *raison* à la mélancolie, c'est bien ce qui la rend *furiosa*. La mélancolie d'un être devient assez vite insupportable aux proches dont la sollicitude se heurte à une plainte qui ne veut pas être comprise — un véritable refus de guérir. Parce que la mélancolie, on ne la guérit pas, on peut écarter les obsessions dont elle se nourrit, on peut soulager les humeurs noires qu'elle sécrète, mais on ne capture pas cet objet sauvage qu'elle retient enfermé sous la garde de l'âme. La mélancolie est un désir de « rien » inconnu du sujet qui le consume peu à peu. Une loyauté familiale le retiendrait du côté des morts dans sa lignée, dans l'interdiction de vivre, lui, entièrement. À mesure que l'ignorance qu'il a de ce désir progresse, les forces de vie du sujet déclinent, et ce parfois jusqu'à la fin.

La mélancolie est-elle vraiment un désir de mourir ? Je ne crois pas que ce soit possible de parler d'un désir de mort (je suis spinoziste sur ce point), c'est au contraire un désir de vivre tellement empêché, interdit au sujet que

1. *Ibid.*, I, V, p. 60.
2. *Ibid.*, I, 1, p. 33.

la mort comme substituée à ce désir lui paraît favorable. En même temps, c'est parce que l'être humain n'est pas étranger à la mélancolie qu'il peut vivre si intensément sa vie. Il sait d'un certain savoir (ne parlons pas d'inconscient) que la mort peut survenir n'importe quand, dans le moment le plus absurde qui soit, il sait que la répétition des gestes, des paroles, des prières est un rituel magique qui ne le protégera pas de mourir. Vivre vraiment, intensément, suppose que l'on renonce à guérir de cette mélancolie de la mort propre à l'humanité pour en faire quelque chose d'extrêmement ténu, un texte, un voyage, une rencontre, mais où la décision d'être entièrement à ce que l'on vit est entièrement assumée. Car on est le plus souvent absent à soi-même comme aux autres, à moitié là, à moitié aimant, à moitié vivant, à moitié dans le souvenir et à moitié dans l'attente. Ce à quoi le sacrifice objecte, c'est à cette demi-vie (il faudrait écrire « vivance » ou état d'être en vie — ce qui n'existe pas en français, c'est le « being » anglais). Il nous brusque, nous débusque, nous fait nous rejoindre tout entier dans un acte où, paradoxalement, comme nous avons essayé de le montrer, le « self », le moi, se perd.

Mais retournons vers la jeune fille sacrificielle, puisque c'est elle qui nous prend à témoin ici de sa douleur. Juliette n'est pas mélancolique, elle attend. Elle ne sait pas vraiment ce qu'elle attend, mais elle attend quelque chose de l'amour. Ce soir-là, son père donne un bal où doit venir le jeune Pâris à qui elle est promise, mais puisqu'elle est si jeune, son père veut savoir si le jeune homme lui plaît. De cette nuit-là entre toutes, Juliette attend donc une révélation. *Pâris !...* Shakespeare a lu les Grecs, il nous dit qu'ici Hélène croise le destin de Juliette d'une étrange façon puisque ce jeune homme va mourir à la fin de la pièce (dans le caveau) pour l'amour de Juliette mais sans jamais avoir obtenu d'elle la moindre pensée d'amour. Ce héros de l'amour troyen n'est ici que l'amoureux en trop, l'amoureux choisi par le père et auquel elle dit « non » en épousant clandestinement un Montaigu, ce « nom » qui cristallise une haine originaire pour laquelle ils vont mourir.

Un autre nom-signifiant agissant dans la pièce, c'est la ville elle-même, Vérone. Vérone n'est pas une entité mythique non reconductible dans le temps, Vérone c'est maintenant, ici, partout. Que des haines séculaires empêchent des êtres de s'aimer n'a pas lieu qu'en Israël-Palestine ou entre une chrétienne et un musulman en Syrie, c'est beaucoup plus insidieusement la question du désir et de jusqu'où il est autorisé à faire irruption sur la scène politique et sociale qui est posée. Je veux dire que dans une société comme la nôtre, enivrée d'elle-même, narcissique au point de croire que son modèle consumériste vaut pour toutes les cultures, il est plus facile de gaver ses enfants et de les rendre obèses, de ce mouvement constant qui consiste à annuler le désir en devançant le manque avant même qu'il ne s'ébauche, que de répondre à leur faim spirituelle qu'aucun objet, aucun jeu vidéo, aucune nourriture ne comblera jamais. Or c'est la faim qui nous rend intelligent, cette sorte de faim, du moins, qui nous rend libre, qui accompagne le désir et la joie, l'angoisse et la liberté, et nous fait tendre vers un accomplissement sans qu'il y ait de fin à ce mouvement parce qu'il est celui de l'âme en quête d'elle-même. L'adhérence est le domaine privilégié de la bêtise. Tout ce qui nous fait agir et réagir sans le moindre espace pour réfléchir un acte, un geste, une volonté, conduit à cette obscénité qui travestit le désir en besoin et le corps en alibi de marchandise désirante. Si le désir est ce qui met en mouvement la pensée, si aimer n'est pas différent d'*intelligere*, on comprend qu'une société de plus en plus policière, sécuritaire, qui voudrait identifier, cerner, cataloguer les caractères et les données médicales et psychiques de tous les individus — enfants compris (nous n'en sommes pas loin) —, ait du mal avec les débordements amoureux, de quelque ordre qu'ils soient.

Juliette espère le grand amour. Les pères, eux, veulent régler leurs dettes sans céder sur rien, et de fait mourront sans descendance. Leur adoration pour leur enfant ne faisait que couvrir soigneusement un monstrueux égoïsme ; ils ne cherchaient qu'à perpétuer un nom de famille sans s'inquiéter du désastre provoqué.

Les jeunes filles sacrificielles connaissent l'égoïsme adulte, elles ne se font pas d'illusion sur l'amour qu'on leur prodigue, et c'est pourquoi il leur faut imaginer un amour plus que parfait de l'amour, un amour qui vaudrait pour tout amour, une fois pour toutes et à jamais. Quand Iphigénie, dans la pièce d'Eschyle, fait volte-face, quand elle comprend qu'il ne sert à rien d'implorer son père, elle se met à célébrer la nécessité de sa propre mort, le nom d'Hélène et la gloire de la Grèce. Le sacrifice, alors, se met en marche. Il va distribuer à tous les cartes falsifiées de l'amour pour n'en retenir qu'une, c'est la prière d'Iphigénie. Son sacrifice, à la différence de celui de Juliette, ne met pas fin à la destruction des Atrides, qui se poursuit jusqu'à la vengeance d'Oreste. Mais il nous fait assister à un événement qui retranche quelque chose ou quelqu'un du monde quotidien, profane, pour le sacrifier et le sacraliser — en faire un mythe vivant. Qu'un seul être échappe au marchandage, à la marchandisation, et le monde est sauvé — telle est la logique implacable du sacrifice, où sont impliqués d'autres agents de destruction, par la loi des séries. Dans une maison où une adolescente se suicide, ses proches, ses amis, ses connaissances vont en être affectés au point, parfois, de vouloir disparaître à leur tour et ce, sur plus d'une génération. On n'en sort pas indemne, car la parole qui n'a pas pu être dite, celle qui aurait conjuré le sacrifice en le portant sur une scène symbolique — une œuvre, un geste, un don —, qui aurait permis que les vivants restent en paix avec la mémoire des morts et que le mal soit pardonné, permis que l'oubli ait lieu et que la mémoire ne soit pas trahie, que les querelles cessent (mais pas au prix de la vérité), cette parole-là a manqué et manquera toujours.

Le génie de Shakespeare est de nous avoir fait entendre le désir d'amour d'une jeune fille et l'égoïsme forcené, clanique, immémorial des pères, et d'avoir posé l'architecture de cette passion dans une langue sublime qui nous parle toujours. Mais aussi à travers ces jeunes filles — nous aurions pu parler d'Ophélie (*Hamlet*) et de bien d'autres encore — ce désir d'absolu qu'elles expriment en tant qu'il nous rappelle l'inhospitalité primitive du monde à l'amour et à la promesse, cette inadéquation fondamentale que la jeune fille, lorsqu'elle fait alliance avec la mort, provoque et délivre dans une communauté qui abandonnera à leur détresse ces filles ni encore femmes et plus tout à fait des enfants à leur désir de réparation, de justice et d'amour, hors la vie.

Penthésilée[1] et les vierges guerrières

La jeune fille sacrificielle a noué un pacte secret avec son père, et l'ignore. Intelligente, guerrière, créatrice souvent, refusant plus ou moins consciemment la possibilité d'être mère, homosexuelle ouvertement ou bisexuelle secrètement, elle est chaste ou bien ouvertement « sexuelle ». C'est la jeune Parque, l'Amazone, la jeune fille au couteau, inentamée, inaltérable, vivant dans la jouissance héroïque de son destin d'élue (nombre de femmes écrivains sont concernées), marquée pourtant de ce sacrifice secret qui la garde pour l'Autre (le père), transposé sur une figure d'absolu. C'est la jeune fille au couteau, avec entre les mains le côté ouvert de la lame, là où ça coupe.

Penthésilée, la pièce de Kleist, raconte l'histoire de la très jeune reine des Amazones, de son amour pour Achille et de sa fin. Les Amazones qui se brûlent un sein pour se battre comme des hommes sont des figures phalliques par excellence, elles ont conçu une société régie selon leurs lois d'où tout homme était banni.

Le décor est familier : c'est la guerre de Troie. La ville est assiégée par les armées grecques — Agamemnon à

1. Nous utiliserons principalement la traduction par Julien Gracq de la pièce de Kleist *Penthésilée*, José Corti, 1954 (rééd. 2002).

leur tête, accompagné d'Ulysse et d'Achille, « le héros des héros ». Avertis de l'arrivée du peuple des Amazones, ils veulent leur barrer la route pour les empêcher de voler au secours des Troyens — et arrivent trop tard. Seulement, contrairement à leur prévision, les Amazones déciment les Troyens et les font prisonniers. Croyant qu'elles se sont rangées de leur côté, les Grecs s'avancent vers elles pour pactiser, et tombent à leur tour sous leurs flèches. La reine des Amazones est fascinée par l'apparition d'Achille : « Tout à coup, elle aperçoit Achille, et la voilà qui rougit jusqu'aux seins, comme si brusquement le monde autour d'elle était en flammes [1]. » Achille et l'armée qu'il conduit parviennent à s'échapper. Penthésilée en conçoit une terrible humiliation. Le mal est fait, l'un et l'autre, désormais, vont se chercher jusqu'à la mort à partir d'un malentendu qui leur sera fatal — comme si aimer ce n'était pas admettre immédiatement la dépendance envers l'aimé, (ce que comprendra, mais trop tard, Achille), c'est-à-dire une fragilité qui n'est pas meurtrière quand elle est consentie. « Poussière — oui — que je sois poussière ! — plutôt qu'une femme qui n'a pas séduit. » Contre cette humiliation que lui inflige son propre cœur amoureux, Penthésilée se révolte : « Quand l'armée grecque en déroute se débande partout devant moi, serait-il autrement possible que sa seule vue m'ébranle ainsi jusqu'au fond de l'être — moi, moi !... désarmée... dominée... vaincue ! Mon sein, je l'ai brûlé — où donc se terre la faiblesse qui m'abat ? (...) Il faut que je sache le vaincre, si je veux vivre [2]. » L'un ou l'autre se cherche et se désire et ne parvient pas, quand l'autre tombe désarmé entre ses mains, à le tuer. La suivante (et amoureuse de Penthésilée), Prothoé, comprend : « C'est lui, son Destin ! Ce qui se passe en elle, elle seule le sait : un cœur qui s'abandonne est un grand mystère. » Mais

1. *Ibid.*, scène I, p. 23.
2. *Ibid.*, scène V, p. 39.

c'est bien ce que refuse la jeune fille sacrificielle, et c'est en quoi elle pactise avec le père — aucun homme ne peut « la gagner » ; elle donnera sa vie à l'idéal ou renoncera plutôt à la vie, mais elle ne pourra pas supporter la charge de son propre amour.

Les deux armées se replient et, le lendemain, repartent en guerre. En réalité, c'est Achille et la reine qui se cherchent. La reine est à nouveau blessée et cette fois prisonnière d'Achille. Alors Prothoé, sa suivante, craignant que la reine ne meure de ses blessures — mais surtout du choc de se réaliser captive —, lui fait croire avec la duplicité d'Achille que son armée est vainqueur et qu'Achille est son prisonnier. Il l'aime, certes, mais c'est lui, le vainqueur. Le croyant enchaîné, à sa merci, elle lui déclare son amour, s'abandonne à lui et parle de l'emmener dans son pays, là où a lieu, une fois par an, la fête des Roses, une cérémonie d'amour et de plaisir destinée à unir les Amazones et les prisonniers qu'elles ont élus. Elle dépose enfin les armes et laisse parler son cœur devant sa servante :

« Oh laisse-moi, Prothoé ! Laisse mon cœur se laver un instant dans ce torrent de joie comme un enfant qui s'est barbouillé dans un torrent de poussière. (...) On dit que le malheur purifie les cœurs. Je ne l'ai pas ressenti, moi, mon aimée. Le malheur m'a faite amère, il m'a révoltée contre les hommes et contre les dieux. Comme il était étrange, sur chaque visage qui blessait mon regard, de sentir une seule faible trace de joie me poignarder le cœur ! Jusqu'à l'enfant qui jouait dans le giron de sa mère qui me paraissait conspirer à mon mal ! Ah ! comme je voudrais maintenant — tout ce qui m'entoure — y répandre la joie à pleines mains. Ô ma chérie — l'homme peut être un héros dans la peine — il n'est divin que dans la joie... [1]. »

Et s'adressant à Achille, elle ajoute : « Comment

1. *Ibid.*, scène XV, p. 75.

t'appeler — quand mon âme se demandera à elle-même : "à qui appartiens-tu ?" » Quand toute la colère qu'un être réserve à la guerre et au combat se retourne, c'est à la joie qu'elle fait place, une joie sans égale, inimaginable pour celle qui s'était construit des digues chaque jour plus hautes pour ne pas risquer de mourir du manque d'amour. Combien d'êtres en colère ignorent qu'ils gardent en eux cette réserve de joie qu'ils ne sauraient risquer par crainte (c'est même une terreur) de ne jamais être aimés à la hauteur de leur amour ? Que ces barrages viennent à se rompre, la déception est trop vive et la mort est alors envisagée.

Achille essaie de raisonner la reine sans lui révéler qu'elle est sa prisonnière, il tente de gagner du temps : qu'elle accepte de le suivre et il l'épousera. Mais brusquement, les événements se précipitent ; là encore, le temps du destin mauvais, le temps du rendez-vous manqué intervient. Car voici qu'arrive Ulysse. Il veut convaincre Achille de rejoindre son armée au plus vite car les Amazones, dit-il, ont repris des forces et les menacent à nouveau. La reine comprend alors qu'Achille était auprès d'elle en vainqueur et s'effondre. Après son départ précipité, elle entre dans une fureur sacrée et jure de le poursuivre coûte que coûte, jusqu'à la mort.

Plus tard, un message parvient à la reine : c'est Achille qui la défie une dernière fois au combat. Elle ne comprend pas qu'en réalité, il désire se rendre. Il veut faire semblant d'être capturé (ménageant ainsi son orgueil), pour la suivre dans son pays des Roses et vivre avec elle cet amour. Puis il reprendrait sa liberté, comme elle le lui avait promis. Mais la reine est dans la haine et ne veut que la mort. S'ensuit une scène hallucinante, où l'on voit Penthésilée abattre Achille d'un trait de flèche puis se jeter sur lui avec sa horde de chiens sauvages et le dépecer. Elle est ramassée, hagarde, et conduite devant la grande prêtresse qui veut la bannir à jamais pour s'être conduite « comme une chienne ». À cause d'elle, les Amazones ont perdu leurs prisonniers et, surtout, leur honneur. La reine, revenant peu à peu de son délire, réalise son crime. Elle se rend à la mort comme une captive à son amant, s'étend sur le corps d'Achille qu'ainsi finalement elle rejoint. « Il n'y a pas place dans les personnages de Kleist pour ce besoin obscur de communion, écrit J. Gracq. Ils sont trop pleins, trop durs, trop brûlants, trop fascinés. Ils n'ont que faire de se préoccuper d'une caution. Le sol calciné où ils s'avancent, il leur est splendidement égal d'avoir à le fouler seuls. Leurs actes comportent une plénitude d'être, une faculté de décharger la totalité de leur énergie dans l'instantané devant laquelle même la compréhension muette paraîtrait encore bavarde. Ils ne répondent pas d'eux-mêmes et ne sentent même pas qu'ils pourraient avoir à en répondre (...) [1]. »

Kleist a opposé deux archétypes : le héros solaire et la déesse femme lunaire. L'amour/haine qui les obsède et les lie l'un à l'autre décompose autour de lui toute tentative de médiation. « Après avoir lu la pièce, il me restait une impression déconcertante, dépaysante, poursuit Gracq : celle d'une très longue, très lyrique scène d'amour, filée avec un sans-gêne vraiment au-delà de toute mesure (...) à l'image de cette guerre sans enjeu, brûlant toute seule sur place de la pure fièvre de la lutte — un beau météore qui traversait dans un sifflement le ciel chauffé à blanc —, un chef-d'œuvre peut-être, mais alors dans le plein sens du mot un chef-d'œuvre étrange — un chef-d'œuvre étranger [2]. » Cette étrangeté radicale, effectivement, s'impose au lecteur aussi du fait de l'éloignement des personnages, de leur non-appartenance, en réalité, malgré eux, à une quelconque communauté, fût-elle celle qui oppose les armées dans une

1. *Ibid.*, p. 11.
2. *Ibid.*

guerre. L'aveuglement dans lequel ils sont précipités par leur passion est un lieu d'exil où sans cesse la mort et l'amour se renvoient l'un à l'autre en tant que figures paroxystiques du dénouement de la passion.

Et enfin, il y a l'intervention constante du destin sous la forme du « malentendu », ce temps à côté, ce temps du trop tard, du presque... qui opère dans tout récit sacrificiel. On l'a vu dans *Roméo et Juliette* et dans *Le Roi Lear*, où le malentendu, le rendez-vous manqué, représentaient aux yeux du spectateur le dernier recours de la fatalité pour imposer la nécessité du sacrifice. Comme s'il ne suffisait pas que les hommes y consentent, l'appellent même, il fallait encore que le temps se brise, que le malentendu précipite l'événement, que la fatalité s'abrite derrière l'absurdité d'un rendez-vous manqué, d'une parole mésinterprétée, d'un messager qui arrive quelques instants trop tard. C'est l'intervention du *kairos*, notion venue du monde grec et que l'on peut traduire par : instant décisif ou moment crucial. Il est à la fois l'instant et la totalité du temps qu'il résume, il est l'événement qui oriente le destin, qui fait événement en marquant cet instant décisif d'une valeur exemplaire. Cet instant-là, *kairos*, est le même que celui du « malentendu » dans les pièces de Shakespeare ou plus largement dans toute tragédie, il renvoie à la juxtaposition de deux temps qui ne peuvent coïncider et ne le pourront jamais. Ça semble être une seconde de décalage, mais en réalité ce sont deux ordres temporels qui n'auraient jamais pu se rencontrer. Le *kairos* vient révéler l'instant humain de l'amour qui arrive toujours trop tard; c'est le philtre chez Tristan et Iseut ou la lettre d'Abélard pour Héloïse subtilisée par un tiers et rendue publique. C'est le temps comme agent de séparation constamment rapporté au désir des hommes de faire un, de fusionner, d'oublier que tout les sépare même quand ils sont amants. Achille appelé par Ulysse à l'instant où la reine s'abandonnait à lui, ou encore le message lu avec trop de précipitation par la reine et qui l'empêche de voir ce qu'il contient de promesse. Le temps est perdu, noué à un désir de sacrifice qui emportera tout. Car ce qui sépare le sacrifice de la mélancolie — et du renoncement — c'est en dernière instance encore et toujours le désir. Le désir de sacrifice n'est pas le renoncement mélancolique à la vie, par désertion en quelque sorte (jusqu'à l'absence psychotique : il n'y a plus personne comme sujet du désir), puisque le sacrifice suppose un autre à qui l'on donne sa vie, un autre pour qui l'on brûle, un autre qui vous comprendra ou vous reconnaîtra. Penthésilée a trouvé dans l'amour pour Achille ce qu'aucun dieu ne lui avait donné : être femme.

Et pourtant, dans la pièce de Kleist, nous ne sommes pas toujours dans la dimension tragique du sacrifice. Il y a toute une mise en scène du « ridicule » du sacrifice (autrement dit de l'attente « voyeuriste » du lecteur amateur de drame et de ce qu'il peut projeter sur les « vampires » amazones) et une utilisation subtile de l'ironie. Ainsi quand l'un des prisonniers pense être emmené avec les autres par cette horde de furies au temple pour y être tué, une Amazone lui répond : « Au sacrifice ?... Au temple de Diane, oui bien ! qu'allez-vous imaginer ? Au plus profond de nos forêts de chênes — pour des plaisirs sans mesure et sans fin [1]. » Cette érotique du sacrifice, dont nous reparlerons davantage en abordant les figures de grandes amoureuses sacrificielles, est souvent présente comme une alternative à la morbidité qui fait cercle autour du sacrifice. On oscille, là encore, entre la dérision et l'exaltation, comme s'il ne pouvait y avoir de demi-mesure ni même possibilité d'aucune douceur. Penthésilée, prête à repartir en guerre, fustige les Amazones qui veulent emmener leurs

1. *Ibid.*, scène VI, p. 48.

prisonniers au temple où sera célébrée la fête des Roses : « Maudite soit-elle, votre hâte de chiennes chaudes ! Maudite votre fringale de mâles à l'heure où le carnage bat son plein [1] ! » Elle leur crie cela alors qu'elle-même voudrait s'élever hors de la contrainte absolue dans laquelle la tient son propre désir. Et elle ne peut pas, elle n'y parviendra pas. Tout sacrifice répond en miroir à une profanation. Et cette profanation touche à l'origine même d'une histoire sacrificielle, elle implique les générations antérieures, les guerres, les exils, désigne un temps quasi mythique que la mémoire ne peut pas retrouver. Cette profanation, on la retrouve aussi à l'endroit du corps. L'Amazone trahit dans son corps une profanation antérieure, dont elle n'a peut-être même pas souvenir et qu'elle retourne en se construisant un corps invincible, un corps bouclier pour entrer dans le corps à corps d'un combat toujours recommencé.

Que signifie un corps profané ? Le viol (par exemple celui de la mère de Penthésilée) est une profanation parce qu'il atteint à la dimension sacrée de l'être, c'est-à-dire non pas seulement à son enveloppe charnelle — on peut encore en guérir, quelle que soit la violence de l'atteinte —, mais à quelque chose qu'à défaut d'autre mot on appelle l'âme. Ce viol de l'âme est irréparable car c'est toute la personne qui est atteinte et pas seulement sa chair, blessée justement là où elle ne peut pas dire ce qui en elle a été atteint, et pour qu'il puisse y avoir pardon, c'est une réconciliation très profonde avec elle-même plus qu'avec son agresseur qui sera nécessaire. Car étrangement on ne se pardonne pas à soi d'avoir été abusée et cette culpabilité ne cesse de creuser l'abîme de la honte et de la tristesse.

À la profanation répond la réparation. Le sacrifice vaudra pour tous les abus antérieurs, les humiliations, la souffrance. Il y a une volonté de puissance à l'œuvre et

1. *Ibid.*, scène VII, p. 58.

une fragilité chez la jeune fille sacrificielle qu'on entend par exemple dans la voix tour à tour suppliante et souveraine, hors d'atteinte, d'Iphigénie. Ce qu'elle va sacrifier, elle ne le sait pas. C'est beaucoup plus que son corps, ou sa vie, et cela n'a de sens que si le coup porte ailleurs, si l'appel est entendu, si sa disparition creuse un cercle autour d'elle semblable à celui que fait le trauma. Parce que le sacrifice isole le sujet et le sacralise en même temps, il le retranche du monde des vivants pour le faire entrer en commerce avec le monde des morts, soit par sa disparition réelle soit par sa faculté dès lors d'être passeur entre deux mondes.

Si nous nous éloignons de Kleist et du romantisme allemand, que reste-t-il de cette fureur qui prend pour théâtre les mythes grecs et pour héroïne une Amazone ? Des Amazones, il y en a par milliers, elles ne se sont pas brûlé un sein, elles ne vivent pas en communauté, mais leur ordre, leur foi et leur combat sont aujourd'hui identiques au leur. On les entend livrer bataille tout le temps et, sous les dehors d'une féminité somptueuse ou désarmante, ne vouloir rien céder de leur sexe à un homme, à moins qu'il ne leur soit livré corps et âme (pour un temps au moins), avec pour adresse secrète un vœu fait à la mère : de ne jamais déroger à cette loi. Une anorexique est une sorte d'Amazone, ses seins aussi durs et minces que ceux d'un jeune homme, son absence de règles, sa chasteté ou son érotisme débridé (la même chose — du moment qu'il n'y a pas d'abandon) en témoignent. C'est le père mythique qu'il s'agit de rejoindre ici, en comparaison duquel tout homme est défaillant. Le sacrifice intervient au moment où tomber amoureuse d'un homme viendrait mettre en pièces ce mythe du père absolu et le vœu fait à la mère de répondre à sa place d'une humiliation passée. Parce qu'en filigrane, si c'est à la mère qu'est adressé le sacrifice de la fille (de sa beauté, de sa féminité, voire de sa vie), c'est quand même avec le père que se joue le pacte secret d'une identification sauvage à son destin et à son regard *à lui*.

Il y a dans le phénomène du piercing quelque chose qui rappelle l'office de ces mutilations du peuple des Amazones. Les jeunes filles percent le cartilage de leur oreille, leur langue, leur nombril, leur sexe même. Elles trouent leur corps pour que personne justement ne le pénètre, pour que jamais il n'apparaisse tel qu'il est, féminin, c'est-à-dire pénétrable et soumis au cycle des règles, là où s'écoule un sang de tout temps décrété impur. Protégées par une armure tactile de cercles et de poinçons, elles s'offrent à leur propre image dans le miroir, sous leurs multiples blessures et ornements gardés pour un amour futur idéalisé à l'extrême. Les Amazones, elles, voulaient défier les hommes au combat, les emmener en prisonniers dans leur ville de plaisir pour en prendre avec eux, et ne jamais être vaincues. Nombre d'adolescentes ont rencontré ce vertige d'être à la fois hors d'atteinte, hors corps et de régner sur les hommes et leurs proches dans un combat qui les amenait à côtoyer la mort. C'est à s'abandonner qu'elles ne consentaient pas, tant est rigide la loi qui les maintient au service de cet Autre — absolu — pour lequel elles se prêtent à tous les sacrifices. Et lui, le père, même s'il n'en veut pas, même s'il est lui-même prisonnier de ce pacte, sera lui aussi désarmé par l'inaltérable volonté de la jeune fille. Ce n'est que peu à peu que se brisent de telles vocations à la guerre et à l'absolu. Dans un monde où il n'y a plus de place pour les rites initiatiques, ces guerrières portent sur leur corps les traces d'un champ de bataille désolé. Elles voudraient être ravies à elles-mêmes, délivrées de la fatigue d'être soi, elles voudraient ne jamais avoir à aimer « raisonnablement », ni à devoir entrer « comme les autres » dans les codes régis par la communauté. Elles font la guerre pour trouver un sens, mais ne veulent rien céder au père de ce qui pourrait les rendre pareilles à d'autres. Elles voudraient être enlevées, ne pas avoir à choisir, et qu'on ne les oublie jamais. Le récit de Penthésilée nous dit cela.

Dans ce phénomène devenu banal, le piercing, que nous révèlent ces corps troués, percés, tatoués, ces corps devenus des messages par lesquels une jeune fille à la fois se singularise et se voit adoptée par un groupe dont elle partage les codes, jusque dans les replis les plus intimes de sa chair, à l'endroit des orifices : nez, oreille, langue, et sexe même ? La douleur qu'il faut subir, et le plaisir ou la fierté d'avoir enduré le piercing ou le tatouage sont-ils à ce point liés que rien ne saurait détourner une adolescente qui a décidé d'en passer par là ? On a dit beaucoup que nos sociétés ayant aboli les rites de passage entre l'adolescence et l'âge adulte, et tous les rituels en général, il s'en était construit d'autres pour que quelque chose à tout prix puisse faire sens — un sens partagé au moins par quelques-uns. Moi je crois surtout qu'il y a une immense réserve de colère dans cet acte. De même qu'un chirurgien est quelqu'un qui a fait basculer la pulsion de mort vers le désir de rendre vie, mais pour cela en passe d'abord par découper la chair, la disjoindre, la séparer, de même le piercing exige qu'il y ait une « accusation » du corps, un état différent par lequel il devra d'abord passer, une métamorphose douloureuse (pour être reconnue, après) qui exige la douleur, ou tout du moins que le corps ait reçu une marque définitive de sa « différence ».

Cette réserve de colère est adossée au désir immense de reconnaissance. Chaque coup de poinçon, chaque « trou » vient tenter d'extirper du corps un peu de cette colère. Pour chaque caresse qui n'a pas été reçue, pour la faim du nourrisson protégé par le bouclier d'un corps de jeune fille apparemment mature, pour ce bébé (en elle — éternellement survivant) qui n'a pas été bercé ni enveloppé de mots d'amour, pour chaque partie de corps non touchée, non tenue dans les bras, une déchirure si ténue soit-elle viendra remplacer ce manque par un petit objet, un signe qui fera fonction de défense. Ce sont des talismans — des armes secrètes contre l'agression — destinés à conjurer cette colère de n'avoir pas été aimé physiquement, psychiquement, entièrement. Les enfants qui s'adonnent au piercing veulent tenir debout tout seuls, se jurent qu'on ne les y reprendra pas à sortir dehors désarmés, que quiconque veut les approcher de près désormais devra d'abord affronter la vue de leurs signes-dragons. Ils désirent aussi « appartenir » mais pas à leur famille, au clan choisi par eux, qui en retour les reconnaît. Affronter cette colère dont je parlais plus haut est infiniment douloureux. En la nommant, en la reconnaissant, en refusant de lui donner toujours plus de chair, toujours plus de corps en gage, ces enfants-là s'affrontent aux « furies » que le corps abrite et qui vont d'un coup refluer vers ce que Kleist appelle l'âme. C'est la personne tout entière alors qui devient la proie de cette haine, mais cette haine n'est elle-même qu'un bouclier fragile contre le désir de mourir (mourir de n'avoir pas été aimé, reconnu, embrassé, touché) et si l'abandon qui est là, tout au fond, est mis à nu, découvert (quand la haine, comme la marée, se retire), la personne se retrouve en danger de mort. Il arrive qu'il faille s'avancer jusque-là, dans une thérapie, dans un moment de la vie, dans un deuil, un amour, pour que renaisse l'envie d'aimer.

Entre aimer et dévorer, il n'y a qu'une fragile trêve que franchit Penthésilée dans sa folie. Penthésilée, avant de mourir, dit : « Désirer... déchirer... cela rime. Qui aime d'amour songe à l'un et fait l'autre. » Les Amazones contemporaines sont cannibales. Le cannibalisme, c'est manger l'autre pour se confondre avec lui, pour s'emparer de lui, de sa force, de son identité. On y perd jusqu'à son propre nom. Penthésilée quand elle fait dépecer Achille par ses chiens est celle qui n'a plus de nom, elle s'est identifiée à la mort même jusqu'à s'incorporer au royaume des ombres. La perte de son nom, c'est-à-dire de l'identité dans ce que le nom porte de sacré, revient à rejoindre le monde de l'inanimé, de la pierre et des morts. Prothoé relate la mise à mort d'Achille avec ces mots : « Vous le savez, celle dont je parle — celle qui n'a plus de nom au monde — marchait à la rencontre du jeune guerrier qu'elle aimait, harnachant, dans le désordre de son âme, son désir brûlant de le posséder de tous les outils de la mort, et des pires armes de l'effroi [1]. » Et Penthésilée elle-même dira devant Achille mort : « Il y a tant de femmes pour se pendre au cou de leur ami et pour lui dire : je t'aime si fort — oh ! si fort ! que je te mangerais. Et à peine ont-elles dit le mot, les folles, qu'elles y songent, et se sentent déjà dégoûtées. Moi, je n'ai pas fait ainsi, bien-aimé ! Quand je me suis pendue à ton cou, c'était pour tenir ma promesse — oui — mot pour mot. Et tu vois — je n'étais pas si folle qu'il a semblé [2]. »

C'est la version extrême de la fusion amoureuse. Quand l'anorexique refuse de s'alimenter, son refus est le miroir de ce cannibalisme primitif : manger n'aurait de sens que pour manger le corps d'amour de l'autre, sinon à quoi bon ? Or l'autre a manqué, un jour, radicalement, n'a pas donné d'amour, ni de présence, ou l'a donné d'une manière qui ne nourrissait que le ventre, pas l'âme. Alors l'âme se venge. Et sur ce manque, la jeune fille construit un bouclier vertigineux, définitif, à l'intérieur de son corps même. Puisque être deux est impossible (trop douloureux : l'autre n'est pas au rendez-vous, ne l'a pas été, ne le sera plus), il faut que le corps redevienne la « forme pure » qu'il n'aurait jamais dû cesser

1. *Ibid.*, scène XVIII, p. 106.
2. *Ibid.*, scène XIX, p. 121.

d'être, ni féminin ni masculin, pure entité autonome non liée par le besoin. Et toutes les ruses seront bonnes pour parvenir à cette fin. Le corps percé par les piercings, exposé au regard, magnifié, exclut l'autre à chacun des trous qu'il se fait. La colère borde cet acte : là tu n'entreras pas, c'est moi qui ouvre ou qui ferme les portes de mon corps, c'est moi qui m'inflige cela, personne ne me l'imposera... Et si la haine est là, si le corps peut à nouveau s'abandonner à l'autre (à cet autre qui n'a pas toujours été là, et ne le sera pas, un autre impuissant à tout réparer), alors, souvent, ces ornements tombent comme autant de boucliers inutiles. Le cannibalisme, ce « manger l'autre par amour », est transcendé dans l'érotisme — et quand il ne peut pas l'être, s'engouffre un vent de panique. Le sujet sacrificiel offre son corps à l'Autre, l'Ogre, le dévorateur (nous le verrons dans le livre de Michel Tournier sur Gilles de Rais et Jeanne la Pucelle) jusqu'à ce qu'il soit rassasié, c'est-à-dire jamais. Ce qui a été profané fait retour sur le sujet, le corps ne sera jamais qu'un objet d'avilissement, sans autre possibilité de sortir du cercle maudit.

La jeune fille sacrificielle refuse de ne pas être le parfait miroir de cette mère-monde vivante et infiniment comblante qui lui a donné naissance et à laquelle elle voudrait qu'il ne manque rien. Parce que le bébé vient chercher sa place dans cette totalité avec laquelle, au commencement, il fait corps. Le temps de la séparation ne coïncide pas, psychiquement, avec la naissance (parfois cette séparation prend toute une vie), il faut du temps, un temps infiniment long pour que du « deux », du toi et moi apparaisse. Ce sont d'abord des morceaux de son propre corps qui se séparent, qui se distinguent et, à mesure que le nouveau-né explore les limites de son propre corps, qui se différencient ainsi des parties du corps de la mère. Le regard, dans ce processus, est primordial, ce « je te regarde » qui fait entrer la distance et la proximité en résonance et qui, s'il n'est pas vraiment animé par la mère (si elle regarde sans voir ou si sa mélancolie happe son regard bien en deçà de la présence réelle de son enfant), fait des psychoses ou des détresses inguérissables chez celui-ci. Dans cette dynamique de séparation d'avec le corps maternel — psychique et symbolique tout autant que réel — le père a d'ailleurs une importance capitale puisqu'il donne le désir d'aller littéralement « voir ailleurs » et transmet le plaisir de jouer avec cette réalité qu'ensemble, avec l'enfant, ils découvrent. La castration impossible de l'Amazone et de beaucoup de jeunes filles, c'est le blocage à un certain endroit de ce processus. La séparation ne peut pas se faire, quelque chose reste sans cesse lié à la toute-puissance du corps-monde maternel sans qu'il y ait de failles, ou sans qu'il y ait suffisamment de « père » pour faire balancier. Tout est cristallisé, fétichisé sur certains morceaux de corps qui tiennent lieu du corps tout entier (pour l'Amazone, c'est le sein) et la rage qui les habite ne peut sortir nulle part, ne peut être symbolisée par rien d'autre que par un combat mené sans fin, ou contre les hommes ou contre le monde, tout pourvu que ce corps-monde originel et matriciel reste intact, qu'il ne soit jamais affecté de faiblesse. La castration impossible dit cela, cette nostalgie en acte d'un monde premier non séparé, un monde de puissance nécessairement magique et de pouvoir qu'il faut défendre à tout prix, au prix même de sa vie. La guerrière peut se vouer à un père symbolique, une cause idéale, un amant, c'est toujours pour sa mère, c'est-à-dire à sa place, qu'elle se bat. Son existence n'est pas envisageable en son nom propre, être « soi » ne suffit pas, puisque « je » n'a aucune valeur. Et le chemin qu'il faut pour admettre qu'elle peut avoir un corps aimé, mais un corps de fille « seulement » et non pas un corps tout à la fois masculin et féminin, sorte d'entité imaginaire suspendue entre tous les désirs, un corps féminin donc qui dès lors n'est plus tout-puissant ni magique, est souvent perçu dans une si vive souffrance, comme une chute, une dégradation si violente de son être, qu'elle ne peut l'envisager sans souhaiter en finir avec la vie ou tout du moins la mettre en danger. Le piercing signifie cela autrement, de manière infiniment moins dangereuse, avec le langage du corps dont il dispose, à coup de poinçons et d'anneaux précieux placés à des endroits du corps précis et leur donnant, de ce fait, une valeur particulière. Le corps devient une carte géographique, un territoire marqué de zones interdites et d'autres, exposées, une écriture aussi, avec les pleins et les déliés qui l'accompagnent mais dont la signification reste secrète, y compris pour celui ou celle qui la trace.

La jeune femme qui n'a jamais coupé avec sa mère va, dans un inceste « sublimé », toute sa vie la protéger et la légitimer même quand extérieurement elle la combat. Loyale, elle le sera jusqu'au bout. Sa quête d'un amour impossible la fera se destiner à des hommes interdits, inaccessibles ou sans importance — aucun d'eux ne pouvant se mesurer à l'idéal que la mère avait projeté pour sa fille, conçue comme une pure projection d'elle-même. Guerrière, Amazone ou jeune fille « blanche », suspecte d'aimer un idéal sans compromis possible avec la vie quotidienne, la jeune fille sacrificielle ne peut souffrir qu'un rapport à Dieu ou rien — et pour Penthésilée Achille est un dieu — sans quoi le monde perd toute consistance, toute valeur. Nous le verrons avec Jeanne d'Arc, cette autre jeune fille vierge et guerrière, héroïne récurrente depuis son apparition, au milieu du XVe siècle, dans l'histoire de France. Leur sacrifice sera une ultime tentative, on le voit bien dans la pièce de Kleist, qui veut donner une valeur au corps des Amazones hors de portée de toute profanation future et élever la cause pour laquelle elles ont engagé le combat, oui, au rang du sublime.

La sainte et l'ogre, Jeanne d'Arc et Gilles de Rais

Ainsi commence le récit : « C'est en cette fin de l'hiver 1429 — le 25 février — au château de Chinon que leurs destins se sont croisés. Gilles de Rais fait partie de ces hobereaux bretons et vendéens qui ont pris fait et cause pour le dauphin Charles, bousculé par l'armée anglaise. Au nom d'Henri VI, roi d'Angleterre — qui n'est encore qu'un enfant — son oncle Jean, duc de Bedford, exerce la régence. Mais il règne aussi à Paris, il occupe la Normandie et assiège Orléans, porte sud de la France [1]. »

Le livre de Michel Tournier *Gilles et Jeanne* [2] construit un face-à-face imaginaire qu'il déploie d'une manière saisissante dans ce court récit. Il y décrit la relation entre deux personnages de l'histoire de France, Jeanne d'Arc et Gilles de Rais, la sainte et le monstre, et nous dit mieux qu'aucun livre d'histoire ce que le désir d'absolu abrite de monstrueux et comment la sainteté côtoie en nous l'abîme où se perd le pervers. De sainte Thérèse de Lisieux à Etty Hillesum ou Simone Weil, les mystiques ont su, depuis toujours, qu'elles étaient au plus près du gouffre, là où s'origine le mal. Tournier a ainsi choisi

1. Michel Tournier, *Gilles et Jeanne*, Gallimard, 1983.
2. *Ibid.*, p. 9.

de mettre en regard Jeanne d'Arc avec une autre figure qui a hanté l'imaginaire populaire : Gilles de Rais, le dévoreur d'enfants, figure de l'ogre (du pédophile, dirait-on aujourd'hui) dont est issue très certainement la légende de Barbe-Bleue. Son récit, basé sur les archives de l'époque, commence en l'an 1429, date à laquelle Jeanne venue de son village de Lorraine apparaît à la cour de Charles VII pour convaincre le roi de reprendre Orléans aux Anglais et de se faire sacrer à Reims. Il s'achève l'hiver 1440, date du procès de Gilles de Rais brûlé lui aussi sur le bûcher avec quarante-neuf chefs d'accusation prononcés contre lui (dont la sodomie, le meurtre et l'enlèvement d'enfants), dix ans après la mort de Jeanne d'Arc.

Rappelons la légende : Jeanne, une jeune fille pauvre née en Lorraine, entend un jour des voix qui lui ordonnent de prendre des habits d'homme, de se couper les cheveux et de lever une armée pour faire couronner le roi de France et jeter les Anglais hors de France. C'est Dieu qui l'envoie, dira-t-elle au roi. On connaît la fin... Elle sera brûlée vive, accusée de sorcellerie. Il est difficile de ne pas mentionner les deux films sublimes, celui de Dreyer et celui de Bresson, qui ont contribué à raviver l'actualité de cette figure mythique de la jeune fille, innocente et stratège, intrépide et folle, mystique et guerrière, autrement dit éternelle.

Dès l'ouverture du récit, Tournier imagine la scène où Jeanne est présentée au futur roi de France devant le jeune seigneur Gilles de Rais. On dit que la jeune fille le reconnaît immédiatement sans l'avoir jamais vu, alors même que le roi, prévenu de sa folle requête, s'était amusé à se dissimuler parmi les nobles. Elle déclare au roi (archives) : « Je te dis de par Dieu que tu es vrai héritier de France et fils de roi, et que je suis envoyée pour te conduire à Reims afin que tu y reçoives ton couronnement et ta consécration. » Charles VII s'en émeut.

« En Jeanne, écrit Tournier, il s'est reconnu lui-même, roi de par Dieu. Mais il s'en faut qu'il la reconnaisse elle-même en retour[1]. » De cette reconnaissance mutuelle va naître le personnage de Jeanne d'Arc, la jeune fille soldat partie sur ordre de Dieu servir la cause du royaume de France. Elle convainc donc le souverain d'entrer en guerre et éblouit Gilles de Rais, ami et proche du roi qui ne voit qu'elle ce soir-là. Il deviendra son compagnon et confident respectueux. « Ne voyez-vous pas la pureté qui rayonne de son visage ? s'écrit Gilles (...) Si Jeanne n'est ni une fille ni un garçon, n'est-ce pas, c'est qu'elle est un ange[2]. » Tournier poursuit : « Il a immédiatement reconnu en elle tout ce qu'il aime, tout ce qu'il attend depuis toujours : un jeune garçon, un compagnon d'armes et de jeu, et en même temps une femme, et de surcroît une sainte nimbée de lumière[3]. » L'innocence de la jeune fille habillée en page opère un ravissement dans le regard de Gilles de Rais. C'est l'innocence qui touche et transforme le regard affamé de l'ogre en protecteur ardent de la jeune élue. Auprès d'elle, comme dans les contes pour enfants, il s'assagit et tente de comprendre les valeurs qui portent son monde. De seigneur cruel et amateur de bonne chair, il devient garde du corps et garde d'âme de la pucelle. Et ce n'est qu'à la vision du supplice de Jeanne qu'il deviendra le « monstre » que l'on sait, la rejoignant (c'est la thèse de Tournier) ainsi, elle, dans la déchéance d'une impossible sainteté. La relation que l'écrivain imagine entre le monstre et la pucelle ressemble à un pacte où l'un existe dans le miroir de l'autre sans pour autant que cet autre prenne sur lui la charge de ce à quoi en lui-même il n'a pas accès. Ce qui est retranché là, en soi, est « maudit » au sens où il n'existe

1. *Ibid.*, p. 12.
2. *Ibid.*, p. 15.
3. *Ibid.*, p. 14.

qu'en négatif, hors parole et hors regard, là où sont enkystés les secrets de famille et les traumas anciens. Cette part d'ombre que tout sujet porte en lui n'a d'autre issue que de se réfléchir en miroir chez l'autre. Mais cette ombre portée a une amplitude plus ou moins grande selon que le sujet est *accordé* à lui-même (comme on le dirait d'un instrument) ou bien étranger à lui-même, en exil. Si, littéralement, on est interdit d'entrer chez soi (c'est bien la septième porte de Barbe-Bleue, interdite sous peine de mort à la dernière épouse), si la mère, le père, les ancêtres, les coutumes, l'histoire sociale rendent impossible à un sujet d'entrer en dialogue avec lui-même et d'apprivoiser la force de son désir et l'expression de ses capacités, il est presque certain qu'il ira chercher cet accès à l'extérieur, chez un(e) autre. Autre aimé(e), amant(e), ami(e), figure paternelle ou politique à qui il demandera d'épancher, de guérir et de couvrir cette ombre en lui dont il ne sait rien. C'est ce miroir que Jeanne et Gilles de Rais, dans le récit qu'en fait Tournier, se tendent. Je parle de retranchement et non de refoulement, parce que ces existences en miroir n'ont aucun accès, même en rêve, à cette autre moitié (monstrueuse pour Jeanne, sainte pour Gilles de Rais) qu'ils sont aussi. C'est l'autre qui doit assumer pour eux cette part inquiétante qu'ils ignorent détenir.

Quel désir anime une jeune fille quand elle cherche à nous faire partager la vérité de ces voix qu'elle « entend » pour entrer elle-même dans une voie d'exception ? « Jeanne, je crois que chacun de nous a ses voix. Des voix mauvaises et des voix bonnes », dit Gilles de Rais à Jeanne. « Les voix que j'ai entendues dans mon enfance et ma jeunesse ont toujours été celles du mal et du péché. Jeanne, tu n'es pas venue pour sauver seulement le dauphin Charles et son royaume. Sauve aussi le jeune seigneur Gilles de Rais ! Fais-lui entendre ta voix. Jeanne, je ne veux plus te quitter. Jeanne, tu es une sainte, fais de moi un saint[1] ! »

Ce que désigne ici Tournier, c'est l'envers caché du mythe de la vierge guerrière (et dont nous avons vu une autre illustration avec Penthésilée), à savoir la monstruosité que cette figure « sublime » abrite en secret. Pas de sacrifice sans sang. Pas de dévotion, de détachement du monde sans que ne les accompagne la mêlée de la guerre, des charniers, des furies ainsi délivrées. Pourquoi ? Qui veut faire l'ange fait la bête, dit la sagesse populaire, ce qui veut dire, en termes plus freudiens, qu'on assiste toujours au retour du refoulé élevé à la puissance dont il a été rejeté par la conscience morale.

Une jeune fille peut-elle mener un combat quasi perdu d'avance pour restaurer une légitimité bafouée sans être acculée, par tous les moyens, à devoir abdiquer ou se perdre ? Aujourd'hui, le combat de Jeanne se situe dans les zones en marge de ce « capitalisme de fiction[2] » que notre société de consommation frénétique construit et détruit tour à tour, et cela passe souvent, plus souvent qu'on ne croit, par l'existence de tous ceux qui résistent, socialement, politiquement, mais aussi de ceux pour qui la vie est un combat incessant contre l'angoisse et qu'on appelle les « maniaco-dépressifs ». Je pense à ceux qui refusent les médicaments et qui plongent debout dans les affres de la dépression, la vraie, à ceux qui tentent de sauver ce qui peut l'être dans ces machines à rentabilité que sont devenus l'hôpital, l'école, la prison. Comment résister sans faire état de voix qui vous enverront directement dans des pavillons d'internement ou, plus efficacement peut-être, sous calmants à vie ? Comment se déguiser en page, alerter le pouvoir en tentant de le débusquer jusque dans ses antichambres secrètes, comment ne pas oublier, rester sur le qui-vive...

1. *Ibid.*, p. 24-25.
2. Vicente Verdu, *Le Style du monde*, Stock, 2005.

Comment résister ? Autant de questions ouvertes que le mythe ne résout pas, loin de là. Mais ce qu'il appréhende, c'est cette figure de jeune fille héroïque qui va combattre pour une Cause recommandée par les voix angéliques qui la guident, une folle en somme mais une folle dont la sainteté et la folie ne nous sont pas étrangères.

Il y a dans la détresse de ces jeunes filles qu'on voit déambuler dans les couloirs d'hôpitaux après une « TS » (tentative de suicide) ratée un désir inouï de vivre une autre vie, une vie pas seulement vitale mais spirituelle, animée intérieurement par d'autres nourritures que celles qui font des calories. Il y a dans le jusqu'auboutisme des récidivistes du suicide qui ne trouvent plus comme raison de vivre que cette ultime adresse à l'autre : lui signifier leur disparition prochaine, de toutes les manières possibles un incroyable défi à tous nos mots, toutes nos paroles vaines, enflées, sûres d'elles-mêmes, un défi immense et périlleux : trouver le mot de passe — un seul — qui donne ne serait-ce qu'*une* raison valable de vivre.

La vie n'est matérielle qu'à proportion de notre ignorance de ces mots de passe qui font un cercle symbolique — le cercle de craie blanche de la marelle — d'où l'on peut « sauter », franchir le gué, entrer dans la danse. On ne nourrit pas, spirituellement, les jeunes filles à hauteur de leur espérance, on les laisse croupir dans la désespérance tiède d'un monde repu gavé de marchandises, celle des corps tout autant que des objets. Sans lieu où adresser leur refus, leur demande, leur désarroi, ailleurs que dans les hôpitaux où elles finissent par aboutir, les plus récalcitrantes définitivement endormies, sous calmants.

Qu'un ogre et une pucelle soient l'envers et l'endroit d'un même monde dit le renversement toujours possible de l'innocence vers le mal, dit l'inévitable coappartenance de l'innocence et du mal, dit la fragilité extrême de l'innocence quand elle s'avance à la rencontre du monde, dit la fragilité du bien quand d'un geste il entre dans l'épaisseur sans nom du mal, de l'offense, de la trahison, dit sûrement ce que le bourreau doit à l'innocence qui, parce qu'il ne peut supporter cette ouverture sans attente de l'innocent ou de la sainte, prend sur lui tout le poids de la faute.

Ce qui fait, entre autres, la force de ce court récit, qui finalement s'attarde très peu sur le déroulement des dix-huit mois écoulés entre l'apparition de Jeanne devant le roi et sa mort au bûcher, c'est cette mise en miroir de deux destins qu'*a priori* tout sépare. Et le thème de la salvation, du sacrifice pour la patrie est rapporté au questionnement de ce qui lie le destin singulier à l'Histoire, mais aussi à la relation entre sainteté et monstruosité, entre virginité et débauche (un classique) comme à la question délicate de la confusion homme-femme dans l'adolescence, confusion que tous les livres de Tournier explorent. Pourquoi faut-il que cette vierge et guerrière ait l'air d'un garçon, que tout en elle signifie l'androgynie, la non-séparation du masculin et du féminin ? Plus tard, ce sera contre des jeunes garçons que va se déchaîner la violence de Gilles de Rais et de ses rabatteurs.

L'économie érotique du récit est faite de cette étrangeté des sujets à leur propre nature. Dans l'érotisme des jeunes filles sacrificielles, des guerrières tout du moins, l'énergie dépensée pour faire la guerre est évidemment sexuelle, c'est-à-dire passionnée, embrasée, enflammée... tous les mots qu'on pourra trouver pour signifier cette flamme (dans laquelle Jeanne finit consumée) font signe vers le bûcher de sa mort. Rien qui ne puisse laisser soupçonner que cette ardeur est tant soit peu terrestre, et ainsi que la jeune fille pourrait succomber à un homme (réel) qui l'aimerait, puisque c'est au père (idéal) qu'elle est dédiée. Elle brûle de colère et de passion à sa place, elle le sauve et le justifie dans toutes ses actions. Le roi pour la pucelle est à cette place d'élection d'absolu et de père.

On disait à l'époque que la France serait perdue par une femme (Isabeau de Bavière, mère indigne du dauphin Charles) et sauvée par une vierge. L'histoire de Jeanne s'achève le mercredi 30 mai 1431 sur un bûcher, à Rouen. Voici les seize chefs d'accusation retenus contre elle : « Jeanne qui s'est fait nommer la Pucelle, menteuse, pernicieuse, trompeuse du peuple, devineresse, superstitieuse, blasphématrice de Dieu, présomptueuse, mécréante en la foi, fanfaronne, idolâtre, cruelle, dissolue, invocatrice des diables, apostate, schismatique, hérétique. » Pour une future canonisée, c'est impressionnant...

Choisir d'entrer dans le mythe de Jeanne d'Arc par le biais de ce récit, c'est interroger ce qui fait d'un personnage historique un mythe persistant, autrement dit un « opérateur » du collectif. On peut penser que s'il continue d'occuper une certaine place dans les consciences subjectivement et politiquement, c'est parce que son renouvellement continue d'opérer, et que les acteurs de ce mythe, les modalités d'actions, la suite d'événements qu'il rassemble, ne sont pas encore fossilisés dans un passé historique. Jeanne d'Arc est une jeune fille qui se sacrifie « pour Dieu et la patrie ». Cette guerrière adolescente transgresse, comme Antigone, toutes les lois tacites qui soutiennent l'ordre moral : elle combat comme un homme et défie la condition féminine, elle quitte sa province et ne se laisse pas contraindre, sauf sur un bûcher, elle se fait l'intermédiaire entre Dieu et le roi, elle n'obéit pas au pouvoir temporel, en bref, on dirait aujourd'hui qu'elle est psychotique; c'est probablement internée et sous neuroleptiques que Jeanne entendrait des voix. Mais qu'importe, puisque c'est précisément le pouvoir de transgression du mythe qui nous intéresse — sa résistance au temps, aux coutumes, aux idées reçues. C'est sa manière aussi d'être récupérée, mais d'échapper quand même aux leçons qu'on veut lui faire donner... Jeanne est notre contemporaine, même si rien n'est plus étranger à notre société que les valeurs de la royauté ou de la religion qu'elle invoque. Il y a dans la folie qui porte Jeanne à défier sa condition, à brouiller les genres féminin-masculin, à invoquer un ordre non temporel, non consommable, quelque chose qui persiste à se faire entendre de nous. Il y a enfin dans le sacrifice de Jeanne d'Arc cette sorte d'héroïsme qui fait les livres d'histoire, mais aussi, comme en suspens dans cette même histoire, une part pour la folie, pour l'extrême jeunesse de Jeanne, pour la lâcheté du roi, pour la trahison de ceux qui la condamnent, et dans ce suspens une question demeure, à nous adressée, en secret, irrésolue.

Une seule femme

Parce que « la femme » est une icône de notre imaginaire, un signifiant sous lequel depuis des siècles viennent se coaguler des images, des visages, des récits, la femme sacrificielle serait en quelque sorte sa quintessence. Car c'est toujours de « la femme » dont on parle, comme si elle ne pouvait être qu'unique — à la fois divine et abjecte, sublime autant que méconnue, mais toujours idéale. Comme si d'être « une » la préservait de la réalité trop crue, à savoir des abus répétés, de la violence exercée, des injustices, des désaveux, comme si d'être « une » valait une fois pour toutes, pour qu'elle réalise qu'une fois devenue le lieu même de tous les fantasmes, elle pouvait disparaître.

Après avoir parlé des jeunes filles saintes et guerrières, sacrificielles et sauvages, je voudrais m'arrêter sur des figures de femmes et d'amantes qui, face à l'empêchement d'aimer, face à l'intolérable, représentent aussi le refus du renoncement. Ces femmes sacrificielles viennent à la place exacte de la dévotion et de la révolte, parce que l'on peut rencontrer ensemble, dans une même vie, le plus extrême abandon de soi et l'esprit guerrier de l'insoumission, l'exceptionnel et le banal noués dans la singularité d'un destin. Ce sont des femmes qui sacrifient ou se sacrifient par amour, des femmes créatrices ou mystiques, rebelles à l'arbitraire de la loi et qui font de leur féminité même un enjeu, refusant de se plier aux normes du pouvoir masculin, au dictat du regard des autres ou à la morale exercée comme une censure. Celle qui (se) sacrifie fait entrer à l'intérieur du monde commun un espace autre, qu'on ne sait pas nommer autrement que sacré, c'est-à-dire séparé. Et cet espace réservé à l'intérieur de l'espace intime, quotidien, commun, crée un mystère. Mais ce mystère ne se conquiert, pour une femme, qu'au prix d'une perte incalculable (sa beauté, sa parole, son enfant, sa liberté, sa vie... ?). Et quand cette perte est assumée librement, le sacrifice prend sur lui une certaine charge d'horreur. Pourquoi ? Parce que la femme, en tant qu'elle est identifiée à la maternité, est inscrite dans la perpétuation, la conservation ; qu'on le veuille ou non c'est là, au plus profond de nos gènes, cette survie de l'espèce à quoi l'instinct nous affilie. Elle rend possible la filiation, elle offre au père la possibilité de reconnaître son enfant par le nom quand elle le fait naître par la chair. Or dans la dimension du sacrifice, elle se soustrait brutalement à cet office du passage, de la transmission, ou plutôt, elle le déplace sur une scène autrement plus dangereuse. Elle se soustrait à l'ordre maternel pour signifier d'autres valeurs, auxquelles elle pourra sacrifier la vie. Et pas simplement sa propre vie mais la possibilité de la vie future. C'est une révolte au sens étymologique du mot révolution. Un retournement à 180 degrés qui lui fait renoncer à ce qui la destinait à la maternité et donner à sa vie un autre sens. En ce sens « la » femme en tant qu'elle est sacrificielle est toujours matricide. Parce qu'elle porte atteinte à cette loi matricielle de filiation et de perpétuation, elle coupe cette transmission entre les générations pour lui substituer la verticalité d'un rapport immédiat, sacral, à l'Autre à qui est dédié le sacrifice. Son ventre n'est plus une matrice, elle ne donne plus lieu d'hospitalité à la naissance mais au contraire à la mort. La mort en tant qu'elle peut permettre ensuite à la vie de renaître, peut-être, mais c'est la mort quand même.

Ce sont ainsi toutes les identités qu'on se forge (sœur, frère, amant, mère) qui se trouvent « soufflées » d'un coup dans l'acte sacrificiel, aspirées comme par une bouche d'incendie. Cela ne signifie pas pour autant que la réalité disparaît : telle femme est et reste bien sœur, mère, amante, etc., mais les identifications qui en soutiennent le sens sont, elles, balayées. Ou plutôt, elles ne « tiennent » plus, elles font comme une légère dépression, en creux. Antigone, nous en avons parlé, au moment de se faire enterrer vive n'est plus sœur de ses frères morts sans sépultures, fille d'Œdipe et de Jocaste, ou belle-fille de Créon — ces liens ne sont plus des marqueurs en creux comme le contour souligné à la craie d'un corps abattu, ces liens du sang au rappel sanglant sont déplacés sur une autre scène.

Le sacrifice fait sortir le sujet de reconnaissance de ses proches, il l'isole et le singularise à ce point qu'il n'y a plus de retour possible vers la communauté, vers l'artifice de la mondanité, l'hypocrisie sociale, la quotidienneté. Il théâtralise le temps et l'espace, en faisant de cet événement l'acte par lequel un instant unique rompt avec le temps quotidien — rupture qui se fait aussi à même le corps. Quand c'est le corps d'une femme, il peut devenir une sorte d'icône, sublimé ou rendu haïssable — corps qui par le sacrifice est rendu à l'Autre à qui cette femme le destine. Figure de l'absolu ou du père pour la jeune fille, de l'amant pour l'amoureuse, cet autre qu'elle rejoint par le sacrifice devient celui à qui elle lègue son être et son âme. Et ce qui la porte, elle, de manière emblématique, à le rejoindre s'inscrit parfois dans la nécessité d'en passer par la mort. Il n'y a pas de sacrifice sans une certaine mort (il faudrait dire « mourance » pour en accentuer la dynamique), puisque c'est de cette entame même du vivant que naissent le sens et la portée de cet acte. La mort est vue ici comme un commencement, la seule issue possible pour que quelque chose enfin s'inaugure. Mais elle n'est pas sans reste. Ce reste est en quelque sorte la face noire du sacrifice : c'est l'immonde, l'irrécupérable — ce qui reste d'offense et de douleur. Ce qui ne peut être racheté ni sauvé. Le sacrifice laisse au bord, en marge de son accomplissement, un étrange silence, à l'image d'une ville morte après le passage d'un typhon, la vie « comme avant » le sacrifice n'est plus possible. Quelque chose a fait coupure, provoquant un blanc, *a gap*. Quelque chose qui ne sera pas comblé, même avec le récit, les mythologies tenaces autour, les rumeurs, l'oubli. On n'y arrive pas, alors on laisse ça là, ce reste, ce peu de nuit qui donne au drame sa densité humaine, son chagrin. Et la femme qui s'y prête, s'étant par cet acte désormais rendue étrangère aux lois de la cité, ne pourra manifester dans sa vie même ce en quoi cet acte l'a broyée, laissée elle aussi avec ce reste d'immonde dans la peau, cette incapacité d'oubli, cette boiterie.

La jeune fille est en chrysalide une amante. Mais qui ne le sait pas. Et c'est contre sa mère à elle, c'est-à-dire contre la femme bafouée, la femme trahie qui cache dans ses replis son histoire, sa généalogie, la marque de traumas anciens, que la jeune fille se bat ou succombe (Penthésilée). Elle veut trouver dans l'absolu l'occasion d'une rédemption possible. Pour que vive l'amante dans un monde où l'amour ne serait qu'éperdu, pour que seule subsiste la possibilité de l'amour fou ou rien (Juliette), pour que le respect des morts s'accomplisse (Antigone). Si la vie n'est que matérielle et la réalité compromise, que vaut la vie ? C'est la question que nous posent ces jeunes filles pas encore femmes mais tellement femmes déjà.

Je parlerai donc des amantes. Des amantes et de l'amour aussi, des images qu'on porte en nous associées au corps, au féminin et à l'érotisme de la femme. Longtemps, on a associé le féminin aux versants nocturnes de la parole et de la connaissance. Ce que le féminin vient accomplir se fait dans un temps beaucoup plus lent, plus primitif (si l'on entend par là ce qui vient dans les commencements) que celui du masculin qui appartient au jour, à la clarté et au discursif. La femme c'est la fluidité des temps, c'est la nuit, l'obscur, le yin, le caché, le secret, ce qui est lové et qu'il faut déplier très doucement sans en trahir le mouvement, c'est la furie aussi mais liquide, océanique, d'une sauvagerie silencieuse et vaste comme un archipel. Ces images archétypales du féminin se sont forgées à partir de mythes feuilletés les uns sur les autres, de symboles collectifs (emblèmes guerriers d'une nation ou d'un peuple), d'histoires et de légendes de tous ordres. Elles créent une réserve d'images et de mythes sur lesquelles se greffent à leur insu, par exemple, certaines stars qui dès lors servent à leur tour de fixateur à ces représentations du féminin rapportées à notre imaginaire. Elles trouvent une place dans nos romans familiaux, réapparaissent dans les rêves, imprègnent les romans. Mais sous la diversité des apparences, l'image de « la » femme reste à peu près identique à celle qu'elle était il y a plusieurs siècles ! Des divinités ont été chargées au cours des siècles d'incarner ces figures du féminin, et elles l'ont fait avec plus ou moins de génie, ce dont l'art et la littérature témoignent aisément. Aujourd'hui nous sommes livrés à une culture qui multiplie les moyens donnés pour faciliter l'identification immédiate (par la télé, les médias, les photos sublimées de femmes, un peu partout) mais sans donner aucun sens à leur apparition ou à leur disparition. Les divinités féminines ou matriarcales des civilisations dites primitives étaient affectées d'une fonction déterminante au quotidien. Le cadre de nos identifications (à telle actrice, telle personnalité, tel destin) demeure donc, mais tout le dispositif qui lui donnait sens est caduc. Fondamentalement, les images n'ont pas beaucoup varié, elles sont en général accouplées : la sorcière-la fée, la vierge-la putain, la mère-l'amante, la jeune fille perverse-la consolatrice, la marâtre-la jeune épousée, l'amazone castratrice-la mère réparatrice, Déméter-Proserpine, etc., comme si la puissance terrorisante de la première devait être immédiatement tempérée par une puissance « maternante » et réparatrice de puissance égale : il y a Iseut et Iseut aux blanches mains, il y a Antigone et sa sœur Ismène, et beaucoup d'autres « entités duelles » qui ainsi traversent en miroir l'espace symbolique où « la » femme, dans sa dimension sacrificielle, apparaît. Ces couples fonctionnent en miroir comme si l'élévation de l'une devait se traduire par la déchéance de l'autre ou le sublime de la première devoir rendre des comptes à la férocité infernale de la seconde. C'est l'exagération du désir qui répondrait ainsi à l'élévation de l'amour calquée sur une figure maternelle sanctifiée. Comment désirer une femme si l'on ne peut pas atteindre au mythe, à l'idéal, et en faire aussi l'objet « animal » de son désir ? Comment peuvent se partager dans un même corps de femme ce qui sert à la fixation symbolique maternelle (forcément idéale, même quand elle est haïe) et ce qui attise le feu d'un désir forcément partiel, où chaque morceau du corps, chaque point d'impact de la chair de l'autre irradie loin de toute idéalité, dans un langage où la sensualité fait du corps son théâtre ?

L'érotisme du sacrifice n'est pas étranger à cette dualité des figures féminines qui, en miroir, exercent tout à la fois une fonction de terreur et de réparation. Terreur quant à ce dont une femme est capable si l'amour à quoi elle confond sa vie même est en péril, réparation, parce que le sacrifice de soi est une autre figure de la dévotion dans sa dimension maternelle et infiniment compréhensive, jusqu'aux abîmes de la déchéance ou de l'anéantissement pour l'autre. Entre toutes ces figures du possible de l'amour, de l'abnégation et de la révolte, se découvre une érotique d'autant plus forte, inexplorée, qu'elle est si bien cachée. Et ce qui la dissimule à nos yeux, c'est encore le sublime dont s'entoure, en particulier, le sacrifice. Ces diverses versions de l'exception ne nous permettent pas de voir la licence accordée au corps, l'extrême crudité des rapports, la provocation érotique revendiquée comme telle dans sa possibilité de jouissance et de partage. Et c'est peut-être l'un des ressorts les plus intimes de cet accord secret passé entre la féminité et le sacrifice, à savoir payer cette jouissance au prix fort et dissimuler cet érotisme et cet extrême déploiement du désir sous la nécessité du sacrifice.

Parler de la femme sacrificielle, c'est une manière de parler du rapport entre l'homme et la femme, d'une érotique en somme. Grammaticalement, si j'ose dire, l'amante est à la place du couteau. Elle est la victime ou le bourreau, c'est-à-dire dans tous les cas l'instrument du sacrifice. Le couteau sépare. Il sépare le profane du sacré, il sépare ce qui est entremêlé, confondu, il sépare quand il y a inceste, il sépare quand le vivant n'est plus différend du mort, quand tout risque d'être contaminé par le « même », quand il n'y a plus d'autre. Il sépare, mais ce faisant il relie. Le couteau (symboliquement), c'est le corps. Le corps de la femme quand elle (se) sacrifie. Il transgresse dans l'instant même la loi qu'il instaure, puisqu'il est seul à pouvoir relier deux ordres séparés, deux temps, deux espaces. Cette *différance* (au sens où l'entend Derrida, de ce qui instaure un processus infini de différenciation antérieur à toute différence concrète) mise en mouvement par le sacrifice suppose la présence d'un corps. C'est son corps à elle, de femme, qui s'offre au sacrifice et à notre regard puisqu'il fait de nous tous un témoin. Un corps qui littéralement se mesure, s'affronte, se persécute jusqu'aux figures les plus extrêmes du désir et de l'abandon.

III

LES AMANTES

« La loi humaine est la loi du jour parce qu'elle est connue, publique, universelle : elle règle non pas la famille mais la cité, le gouvernement, la guerre ; et elle est faite par l'homme. La loi humaine est la loi de l'homme. La loi divine est la loi de la femme, elle se cache, ne s'offre pas dans cette ouverture de manifestation qui produit l'homme. Elle est nocturne... »

Jacques Derrida,
Glas

Une érotique du sacrifice

L'amante a rendez-vous avec le sacrifice. On le sait, les histoires d'amour finissent mal, en général. Amour de l'amant, d'une cause, d'un idéal, d'un visage perdu, c'est toujours de l'amour impossible — l'amour en tant qu'il se tient dans la stricte séparation du désir, lui intimant même cette disjonction — qu'il s'agit. La séparation entre les amants, l'amour impossible ou interdit, bref toutes les figures de l'exil, de la séparation, de la rupture, forment la trame du sacrifice par amour, qui signe du côté du féminin sa valeur essentiellement tragique. Parfois, il est imperceptible. Alors, très loin de Phèdre et d'Antigone, cela se passe sans rien des fastes du théâtre classique, sans la grandeur épique que l'on trouve en Grèce ancienne ou dans les dits d'amour du Moyen Âge ; c'est le sacrifice des vies blanches. Du côté de l'effacement, de la blancheur, tout au bord du renoncement et de la dépression, même si, à y regarder de plus près, on peut y voir de la révolte et un appel à l'autre désespéré, mais un appel qui a renoncé à construire un autel et à convoquer des témoins. C'est là qu'on trouve aussi le désir d'anéantissement de soi pour l'amour de l'autre.

Jusqu'où faut-il aller pour sauver l'autre ? ou se

racheter soi-même... Comme s'il fallait à tout prix qu'il y ait une déchéance pour que quelqu'un soit sauvé. Car à « la » femme nécessairement sublime répond la putain, la chienne, celle qu'on peut d'autant plus s'acharner à détruire, posséder, soumettre que l'idéal féminin recule vers les fronts célestes d'une maternité virginale ou se réfugie sous les traits d'héroïnes à peine nubiles sans corps et sans désirs.

« La femme » qui sacrifie l'amour à l'impossible de l'amour, c'est l'éternelle héroïne du roman d'amour depuis Iseut jusqu'à Anna Karenine. On la découvre aussi bien à travers la figure mythique d'Héloïse qu'à travers celles de Bérénice (*Aurélien*, Louis Aragon) ou de Cathy (*Les Hauts de Hurlevent*, Emily Brontë). Ces figures littéraires tissent avec le sacrifice un lien unique et secret d'une force absolument singulière. Mais face à ce visage tantôt dévasté tantôt exalté — mais toujours sublimé — de l'aimée, de l'unique, il y a toutes ces femmes qui se sacrifient par amour et dont le sacrifice disparaît en silence. Elles ne seront jamais connues ni leur destin raconté, racheté. Elles légueront à leurs enfants des questions en souffrance, sans réponse, des pourquoi sans écho à la douleur venue du fond des âges insister jusqu'à maintenant. Parmi ces femmes qui se sacrifient par amour, certaines vont jusqu'à la déchéance. Pour qui ? Pour quoi ? À qui adressent-elles leur sacrifice ? Il suffit de voir l'image insoutenable du film de Lars von Trier *Breaking the Waves* où une femme se dirige vers un bateau rempli d'hommes qui vont la violer et la dégrader comme on se dirige vers un sacrifice consenti, pour sauver son amour, parce qu'elle croit que c'est à ce prix que son homme survivra, pour comprendre ce que « se sacrifier par amour » peut dire, veut dire. Une jeune femme aime un homme qui part travailler sur des chantiers de construction navals. Il est accidenté. Elle le sauvera. Dans le film de Lars von

Trier, cette femme-là se dirige sur une petite barque vers un bateau amarré plus loin dans le port ; elle sait, le spectateur aussi qui la voit de dos s'éloigner, qu'elle va consentante au supplice. Viol collectif, torture. Elle leur avait échappé justement, elle y retourne maintenant. Image insoutenable, non d'être violente, sanguinolente, puisqu'on y voit une femme debout de dos, puis l'étrave d'un bateau, la nuit — rien de tragique. Insoutenable pourtant parce que nous ne sommes pas dupes ; il ne s'agit ni de prostitution ni de perversité, encore moins d'un accident, non c'est un acte médité, réfléchi. Et qui place chacun de nous devant cette question ouverte du rapport entre le mal et le sacrifice, entre le rapport sexuel, la faute, la folie et la rédemption. C'est dans la sexualité que l'humiliation prend son caractère le plus terrible, dans ce silence-là des corps bafoués, utilisés, manipulés, que le sacrifice installe son assise. Combien de femmes ont été ainsi avilies, oubliées, battues, violées, humiliées, sans que personne ne s'en aperçoive ? Le plus terrible toujours, c'est le silence à l'endroit du sexe. Ce n'est pas le déploiement de la pornographie dans chaque interstice de l'espace social qui est choquante, elle est inévitable puisque liée à une technologie de plus en plus envahissante, c'est ce silence persistant malgré les efforts, les discours, les prises de conscience, là où l'individu est traité comme un déchet, une pure chose sexuelle. Ce sacrifice-là n'est pas un événement qui réintroduit du sacré, il désigne seulement l'impuissance à respecter la dimension sacrée de tout être, ce qui fonde son secret et son intimité, sa sacralité qui est son humanité même. Cela qui est bafoué, tout le temps en tout lieu, est l'espace du corps en tant qu'il n'est pas que du corps.

Entre la folie de la femme amoureuse et le renoncement à soi de la femme humiliée, abusée, la frontière est ténue. Car la femme battue réduite à n'être que déchet garde dans cette humiliation la certitude secrète — mais à quel prix ! — d'être l'unique objet de haine et d'attachement de l'autre. On pourrait croire que le sacrifice est adressé primitivement au parent qui a abusé de l'enfant en lui faisait croire qu'aimer-haïr-violer, c'était cela, « compter vraiment pour lui ». Ce comptage pervers n'a pas d'autre fin que la mort. La femme battue est dans le renoncement terrible de sa propre féminité au profit d'un autre qu'elle croit « sauver » en se taisant. La complicité souvent soulignée entre la victime et son bourreau, dans le cas de ces femmes, est réelle, seulement il faut s'interdire de l'interpréter en termes de volonté ou de conscience morale. Celle qui reçoit des coups les encaisse parce qu'une part d'elle-même donne raison à l'autre, et même davantage, elle s'incarne en lui en se coupant d'elle-même. Pour en arriver à être battue, défigurée ou jetée dehors, il faut d'abord s'être désertée soi-même. Et pour se punir, abriter en soi-même un autre sadique qui vous poursuivra de sa haine jusqu'à faire de vous un déchet à vos propres yeux. Fuir, se trahir, c'est ne rien vouloir savoir de soi. L'alcoolisme accompagne souvent ces états de déchéance parce qu'être ivre c'est une manière radicale d'essayer d'oublier qu'on est soi, et personne d'autre. La dimension sacrificielle est matricielle : cette femme n'a pas été séparée de sa mère, elle n'a pas eu d'existence propre aux yeux de celle-ci, elle a d'abord été son objet, son fétiche, sa petite chose promise. Le compagnon qui lève la main sur elle, ensuite, n'est qu'une pâle doublure, éternel figurant d'un drame qui s'est joué bien avant, ailleurs, sur une autre scène. Une scène parentale, quelquefois même une scène ancestrale, hors mémoire et pourtant inscrite là, à même le corps. Ce qui, bien entendu, n'excuse en rien le bourreau. Mais on ne peut porter de coups contre une personne qui « tient debout », et dont l'estime de soi témoigne qu'elle a été aimée et qu'elle ne peut être humiliée sans répondre. Le corps d'une femme battue est le corps d'une femme qui cherche à consoler son bourreau, aussi paradoxal que cela puisse paraître.

Personne n'est à l'abri, toute vie peut s'effondrer subitement, tomber sous l'emprise de quelqu'un. Par amour — c'est ce qu'on dit, alors, par amour —, on peut en venir à l'abjection, au scandale. Mais une vie peut s'effondrer aussi quand il n'y a pas eu de sacrifice possible. Aucun espace pour le vide, aucun temps pour l'oubli, aucun répit pour le deuil. Ni célébration, ni coupure, ni fête, ni engendrement. Le temps ne s'écoule pas, il se répète. Il y a l'uniformité des jours blancs, synonymes. Ces vies n'ont pas eu le droit au sacrifice. Elles l'ont frôlé comme elles auraient un instant emprunté un autre chemin pour parcourir le même espace, afin d'y faire naître de la vie, au prix d'un cri si douloureux que cela les aurait emportées, mais non, le cri a été ravalé, les pleurs aussi, la vie s'est refermée comme une boucle lisse, sans aspérité. Il ne s'est rien passé. Bien sûr, comme dans toute existence, il y aurait plein de détails, d'objets, d'endroits secrets, tous figés sous cellophane comme pour un inventaire toujours à venir. Le sacrifice par amour est une hydre aux multiples têtes, indéfiniment resurgies. Bouches d'ogre à qui aucune nourriture ne suffit jamais, qui font le drame des vies humaines et les pages « faits divers » des quotidiens. Entre « la » femme en qui se dépose l'idéal de l'amour et la haine du féminin dont on voit les effets à l'œuvre dans le corps social, dans les injustices quotidiennes, dans les peurs suscitées — et pas seulement chez les islamistes ! — se livre un combat sans merci. Dans presque chaque situation où entre en jeu du pouvoir, il y a une coupure radicale entre « la » femme (une et éternelle) et la condition des femmes, et cette opposition n'est pas étrangère à l'insistance du sacrifice auprès du féminin.

On se soupçonne même à penser que cette figure de la femme une et sublime rend possibles toutes les dégradations dont les femmes sont l'objet. Le sacrifice d'amour serait alors la seule issue possible, qui a fonctionné de tout temps comme une échappée belle, un bras d'honneur en somme aux codes moraux masculins, à la loi paternelle en tant qu'elle se devait de protéger les femmes d'elles-mêmes, de leur folie, de leur capacité d'abnégation, d'amour fou, bref, de tout ce qui de tout temps a défié le pouvoir quel qu'il soit.

Si la femme est sacrificielle, de l'autre côté, il y a nécessairement un Autre. Père, amant, amante, fils, fille, il est signifié comme l'autre du sacrifice. L'érotique du sacrifice est un ordre exclusif, si l'on peut dire. C'est « ou bien ou bien », quel que soit le rapport entre deux êtres, la lame qui les sépare, comme l'épée que pose le roi Marc entre Iseut et son amant, construit un espace où l'impossible fait loi et reconnaît au désir son caractère absolu. Dans cet espace, le sacrifice est l'acte qui sépare et relie tout à la fois, un acte qui empêche que les deux sujets en présence se rencontrent à partir d'une égalité de rapport. C'est une balance à tout jamais faussée qu'on nous propose ici. Pas une inégalité sexuelle, ou sexiste, une inégalité au sens où l'entend Lacan quand il dit « il n'y a pas de rapport sexuel », autrement dit il n'y a pas de rapport sexuel entre « l'homme » et « la femme », entre toi et moi, oui, mais entre le genre homme et le genre femme non. La lame qui les sépare, qui fausse le rapport d'égalité, et qui place une inconnue « x » à l'endroit où ils se rencontrent, est ce point précis que désigne le terme sacrificiel. Cette inégalité, donc, est conçue à partir de la place du féminin. Il y a la femme sacrificielle et de l'autre côté du couteau qu'elle tient, contre elle ou par-devers elle, celui ou celle à qui elle adresse le sacrifice. Elle le dédie, cet acte, à cet autre corps qu'elle désire et qu'elle hait et qu'elle ne peut détruire. Et entre ces deux corps se met en place une « érotique » qui définit le rapport au désir comme valeur absolue, exclusive de toute autre réalité. Dans le sacrifice d'Iphigénie, l'autre corps, celui que désigne le couteau, c'est le père. Agamemnon sacrifie sa fille, aveugle à sa fidélité de père, au nom de l'honneur. Un père qui sur l'autel de la gloire sacrifie sa fille pour sauver un monde déjà perdu. Entre le père et la fille, l'érotique du sacrifice livre le secret d'un amour incestueux où le même tourne en boucle et se livre au crime comme seule issue au désir (Clytemnestre tuera Agamemnon pour venger sa fille et Électre tuera sa mère Clytemnestre pour venger son père).

L'acte sacrificiel suppose une impossible égalité entre les êtres, puisqu'il est d'abord la mise en abyme du sujet lui-même. Et dans ce mouvement, il y a le don du corps propre comme ultime refuge contre l'oppression. Créon ne peut rien devant le désir d'Antigone d'être enterrée vivante, il ne peut pas la sauver (ni son corps) contre sa propre volonté. Si le sujet sacrificiel est un sujet mis en place d'un acte, c'est donc un sujet qu'en psychanalyse nous dirions instrumentalisé ; qu'il soit sacrifice de soi ou sacrifice de l'autre, l'événement va affecter à tout jamais son corps et son désir. Si le sacrifice est directement lié à la castration (sujet barré par l'Autre, la loi), celle-ci en éclaire seulement l'une des faces, la plus exposée peut-être, qui a trait au désir. La femme sacrificielle va, dans son corps même, son désir et son acte, instaurer de l'irréversible.

C'est une érotique sans rapport pourrait-on soutenir, avec en creux la place de l'absolu assignant au désir son impossible réalisation. Mais le sacrifice ouvre aussi, par la liberté qu'il met en jeu, un espace où le désir et l'amour sont inséparables, ce qui en fait une puissance de transgression dangereuse. Dire que le sacrifice déploie nécessairement une érotique des rapports entre homme et femme, c'est reconnaître au désir une puissance inégalée de renversement des valeurs établies, des ordres sociaux quels qu'ils soient, une puissance antagoniste au pouvoir et qui de tout temps l'a défié. L'érotique du sacrifice est une balance faussée, car l'autre auquel elle s'adresse est absent, manquant, déplacé sur une scène imaginaire ou symbolique qui le rend étranger à l'amante. La femme qui (se) sacrifie par amour déclare cet amour impossible jusqu'en ces frontières lointaines où l'on ne l'atteindra plus. Mais elle décide elle-même de sa fin, et c'est là qu'elle met en échec toute forme de pouvoir. Ce que dit son corps c'est qu'il est inaliénable, qu'il échappera *in fine* à toute récupération, fût-elle posthume, que la scène ouverte où se joue le drame n'est en définitive qu'une coulisse dont elle garde secrètes les issues. Le sacrifice d'amour est aussi un acte politique en ce sens, comme tout acte sacrificiel. Et l'érotique qu'il met en jeu une surexposition du désir dans sa dimension d'extrême vérité, c'est-à-dire non réductible à d'autres valeurs, y compris la vie elle-même.

Iseut

Tristan et Iseut sont les figurants d'un drame qui étend son ombre sur notre imaginaire de l'amour depuis près de huit cents ans. Pourquoi donner à Iseut une place privilégiée ? Autour de cet héritage et en Occident, il y a aussi Abélard et Héloïse, Dante et Béatrice, le rituel de l'amour courtois et l'invention du romantisme. Iseut est une héroïne d'amour qu'un philtre dépossède de sa faute adultère. À partir du moment où elle a bu le philtre, elle ne peut qu'aimer Tristan, même si sa loyauté lui ordonne fidélité au roi à qui elle est promise. Ce philtre opère comme tous les enchantements : ce qu'il permet est caché dans l'objet qui fait office d'instrument de la fatalité.

Dans l'enchantement, il y a la métamorphose musicale (souvenez-vous de Papageno, dans *La Flûte enchantée*). Il y a de « l'autre » pour vous dire que vous êtes sur une scène, que le spectacle commence, que le philtre est donné pour être bu, que cet amour-là, vous y succomberez. La mort n'est pas escamotée, elle est le moment du passage. Il y a de l'autre qui vient délier le continuum du temps pour vous ravir un instant à vous-même, sans que jamais quiconque puisse orchestrer le passage. Il y a une mise en scène dans l'enchantement, mais on ne sait pas si elle va opérer. Elle risque toujours de tomber dans le vide. Et c'est ce risque qui en constitue le miracle. C'est l'écart entre ce qui peut arriver et ce qui arrive, c'est dans le défait des signes que quelque chose comme l'amour, dans sa dimension érotique et profondément transgressive, advient.

Car s'il y a passage de la pesanteur à l'enchantement, c'est le corps entier qui se fait voix, légèreté, tandis qu'envoûté il est mis au tombeau. L'envoûtement est une manipulation de la disposition à l'enchantement ; il utilise cette faiblesse qui vous met en proie à l'autre pour exercer un pouvoir. Un pouvoir qui dès lors, à se donner pour spirituel, encage le corps dans une crypte d'où il ne peut plus s'extraire. Ce que fait notre époque avec le virtuel, le média, le réel même imaginairement mis à la disposition de tous, c'est mystifier, enlever au regard le dispositif théâtral, escamoter la scène et les coulisses. On fait comme si... Et le tour de passe-passe est joué. Le virtuel est la mort du possible et de l'imaginaire là où l'on croit qu'il le promeut, il en est l'adversaire, il aplatit le possible en le « virtualisant », en explorant toutes ses figures possibles, par avance, et avant même qu'elles ne soient formulées. Or l'enchantement ne s'organise pas. Il est ce qui ne peut jamais devenir objet de pouvoir. Il semble une chose si légère, presque frivole, et pourtant, il touche aux problèmes fondamentaux de l'existence humaine, à savoir la vérité, la mort et l'amour. L'enchantement suspend la mort. Il est peut-être l'un des rapports les plus primitifs à la mort, ou plutôt à l'oubli de la mort : c'est Schéhérazade qui survit en retenant l'amour par sa voix, au fil d'un enchantement de nuit en nuit recommencé. C'est le ravissement hors de soi qui annule, dans l'instant, l'imminence de la mort. Si on interroge l'étymologie, l'enchantement tourne autour d'une ou de multiples scènes. En bas latin, il signifie tout simplement la mise en chant d'un récit, l'incantation. Le mot appartient aux forains, au théâtre ambulant, au monde des chimères et des sortilèges, de la scène qui escamote le réel. Il nous éloigne de la finitude et du temps. L'enchantement tient en suspens le monde autant de temps que dure l'incantation, comme Pénélope tissant sa toile en attendant Ulysse, d'infinies variations pour que la mort ne vienne plus hanter les vivants et les rappeler à la précarité de leur condition. L'enchantement est lié aux sens, aux pouvoirs de la sensualité et aux distorsions de ces sens qui dans l'amour viennent brouiller de leurs sortilèges la saisie d'une vérité une. Il ne peut faire sans le corps, et pourtant il le transcende, il l'arrache à sa pesanteur pour l'inscrire dans un autre espace où, comme Iseut, il serait ravi par « l'Autre ». C'est cet autre de l'amour ou de la mystique qui est tout à la fois donné et annihilé par l'enchantement.

L'enchantement demande de faire corps avec le monde, avec le désir. S'enchanter, c'est être sidéré, captif d'une croyance, d'un lien un peu sorcier qui évoque le philtre d'Iseut, la béatitude esthétique ou l'*encantamiento* des mystiques. L'enchantement serait à entendre comme un mouvement de l'âme qui, peut-être, accepte de donner prise à la déception pour laisser ouvert le lieu du surgissement de l'imprévisible. L'altérité inaltérée, inespérée, du prochain (Levinas). Ce qui, de l'enfance, garde la sérénité fragile d'un pas de côté vers l'invisible. Il me semble que c'est vers ce mouvement qui traverse l'illusion pour réenchanter le monde *malgré tout* qu'Iseut tourne notre regard. En acceptant le philtre, elle fait de l'amour et du plaisir ce contre quoi aucun pouvoir ne peut s'élever, pas même le pacte de loyauté envers la royauté.

Qu'est-ce qui sépare Iseut de Tristan quand ils dorment côte à côte dans la forêt ? Une épée. L'épée est comme le philtre des enchantements, elle désigne l'impossibilité de l'amour des amants de même qu'elle désigne aussi l'inéluctable incarnation de l'amour. On a parlé de ce qui dans l'acte sacrificiel plaçait l'homme et la femme de part et d'autre d'une lame. Or cette lame, comme le philtre dont elle est l'exact corrélat d'un point de vue symbolique, n'est rien. Elle n'est rien par elle-même, elle fait office de séparation d'un ordre à l'autre, elle est, si l'on veut, l'indice de transcendance ce qui empêche l'irréparable : la trahison de Tristan à l'égard de son roi. Iseut est promise au roi, mais c'est à Tristan que le philtre la voue, la fatalité prenant ici la figure de ce philtre de magicienne — assujettissement du sujet à ce qui le déborde de toute part. Que sacrifie Iseut ou bien à quoi se sacrifie-t-elle ? À la passion ? À la royauté ? À la transgression d'une loi sacralisée ? Iseut a été décrite par la légende comme la femme promise au roi et amoureuse d'un autre — triade qui fera le « lit » de l'amour courtois et, plus tard encore, du conflit entre la loyauté et l'amour, entre le devoir de fidélité envers le souverain et le devoir de désobéissance qu'exige le grand amour ; conflits auxquels Corneille, Shakespeare ou Racine vont donner sens dans une langue somptueuse. Ici le sacrifice est exigé par le grand amour, par la démesure de l'amour même. Aimer devient alors le défilé par lequel l'âme humaine abdique toute prétention à se saisir d'un objet quel qu'il soit (connaissance, lieu, espace, temps) pour se mesurer à l'Autre en tant qu'il excède toute demande, toute certitude, toute filiation.

Le grand amour exige sacrifice parce qu'il ne peut être vécu, ou disons plutôt qu'il peut être vécu, et donc partagé, en contractant une dette exorbitante, non pas envers les dieux dont il s'attire les foudres comme dans la tragédie grecque, mais envers « les autres », autrement dit la communauté humaine. Les autres ne peuvent accepter d'être les témoins de cet amour, car il met en danger le lien politique, c'est-à-dire la raison d'un pacte qui garantit la Loi. Le grand amour défie la Loi pas seulement parce qu'il voudrait la transgresser, mais parce qu'il met en question notre besoin d'être protégé, d'être affilié, d'être identifié. Nous sommes en plein cliché, pourrait-on objecter : l'amour impossible, le devoir contre la passion, etc. C'est ignorer la dimension nécessairement érotique et politique de toute passion, dans la mesure où elle crée un espace qui ne reconnaît pas d'autre urgence, pas d'autre valeur que sa nécessité propre, qu'elle est fondamentalement transgressive puisque « hors monde » et en cela se trouve apparentée dès le départ avec le sacrifice. Il y a dans ce mythe de Tristan et Iseut et dans ses épigones ultérieurs une radicalité du propos qui deviendra plus rare ensuite et qui même se perdra. Le sacrifice dont il est question, l'événement sacrificiel, ce n'est pas le renoncement à l'amour ni la mort des amants, c'est un défi beaucoup plus grand qu'il propose, une lutte « au couteau » justement et sans échappatoire possible. Cette lutte implique que l'amour se soutienne jusqu'au bout. Qu'il se risque à visage découvert malgré les interdits, les invraisemblances et tout le théâtre des esquives sociales mais qu'en même temps — tel est le paradoxe qu'il faut envisager — il renonce à se vivre, autrement dit que tout en s'affirmant comme tel, absolu, il se déplace en faisant signe vers une transcendance. Renonçant à être vécu sur un plan mondain, il se satellise dans un ciel plus grand que lui, il se dissout à la dimension de l'univers. On pourrait dire qu'il se spiritualise, si ce mot n'était pas aussi galvaudé qu'on lui prête à peu près toutes les significations qu'on veut. Mais c'est quand même de cela qu'il s'agit. Et la place du féminin est alors exceptionnelle. Car c'est la femme qui donne à l'homme la démesure possible de l'amour, qui va le faire passer du plan humain au plan transcendantal. Elle est sacrificielle au sens où c'est à travers elle que se manifeste la nécessité de cet abandon, de ce passage à un autre ordre, non plus passionnel mais universel. En se donnant complètement, en assumant jusqu'au bout cet amour avec toutes les conséquences que cela implique (mort, torture, bannissement, infamie, etc. [1]), elle opère la modification, c'est-à-dire l'actualisation du sacrifice dans son corps même. Les autres, les témoins, ne vont pas supporter cette double transgression. C'est un acte qui les met bien trop en danger dans leur choix quotidien de la tempérance et de la soumission aux normes du collectif. Il y a dans l'apparition du grand amour une réalité à proprement parler « catastrophique » pour tout le monde, une sorte de blessure narcissique collective infligée sans le vouloir par ceux-là mêmes, amants, qui n'en ont rien à faire du groupe, ni d'une socialisation d'aucune sorte. Et tout se fera, s'accomplira en dehors d'eux, même si ensuite la parole, l'épopée, le récit, viendront mythologiser la figure des amants pour la rapporter vers la communauté et constituer la nourriture essentielle dont elle se nourrira. Ainsi se cannibalisent les grandes passions. Pour qu'ensuite les autres se fortifient d'avoir ingéré les cadavres de ceux qu'ils auront d'abord reniés, méconnus et trahis et dont la mémoire servira d'aliments au laboratoire des coutumes à venir, comme si cet amour-là pouvait éloigner la tentation de faire « comme eux ». Mais les chiens reviendront de nuit déterrer ce qui fut trop vite enterré ; ce qu'ils dépèceront s'éparpillera à tout vent et viendra alourdir les rêves des enfants.

La grande passion a trait au mythe car elle semble trop large, trop extraordinaire pour nos vies. Elle trouve dans l'impossible son pays d'origine et sa terre d'élection, rien ne lui est plus étranger que le banal, le quotidien, la répétition. Nous avons besoin de nous nourrir

1. Voir également *La Lettre écarlate* de Nathaniel Hawthorne.

de ces images, de croiser le destin d'êtres gigantesques auxquels la littérature ou le cinéma prêtent leur voix pour un tour de scène afin de comprendre que c'est au plus près de nous, tous les jours, que cela se rejoue. Iseut fait partie de ces trésors gardés depuis le Moyen Âge comme figure de la passion sublime qui fait acte de désobéissance, prête à trahir la loyauté, l'amitié, la royauté par amour.

L'acte de désobéissance du sacrifice est une leçon de résistance, de révolte et de cheminement vers l'autre. Et quand un grand amour s'en empare, rien de ce qui reste aux vivants ne suffit pour l'effacer.

De la chasteté et du grand amour

Le Moyen Âge possède au moins une autre figure d'amants terribles qui va hanter l'imaginaire occidental, d'autant plus fortement que leur correspondance nous est parvenue presque intacte [1] : Héloïse et Abélard. Qui est Héloïse ? L'aimée d'Abélard, la jeune fille séduite et abandonnée, la religieuse éprouvée, remarquable d'érudition, correspondant avec les plus grands esprits de l'époque, la mère d'un enfant caché, laissé à sa belle-sœur, ou juste une amante dont le nom reste gravé dans notre imaginaire comme celle qui causa la grandeur et la chute d'un des grands philosophes du XIIe siècle ?

Abélard se destinait à la prêtrise et à l'enseignement — à l'époque il n'y avait pas encore d'université mais des lieux où les étudiants venus de toute l'Europe se regroupaient pour suivre les plus grands maîtres. C'était un très grand lettré persécuté dont l'audace de la pensée attisait déjà les foudres du pouvoir et la jalousie de tous. Des centaines d'étudiants, venus l'écouter de partout, le suivaient. Au moment où l'histoire a commencé, il était à Paris et Fulbert, un chanoine, lui demanda de s'occuper personnellement de l'enseignement de sa

1. Abélard et Héloïse, *Correspondance*, préf. d'Étienne Gilson, Gallimard, Folio classique, 2000.

jeune nièce à qui il désirait donner une éducation religieuse et philosophique, ce qui était plutôt rare à l'époque. À un ami, Abélard écrit : « Je fus stupéfait de sa naïveté : confier ainsi une brebis à un loup affamé ! Me la donner non seulement à instruire mais à châtier sévèrement, était-ce autre chose que d'offrir toute licence à mes désirs (...) mais deux choses écartaient de l'esprit de Fulbert tout soupçon d'infamie : la tendresse filiale de sa nièce et ma réputation de continence [1]. » Très vite, la passion s'enflamma d'un amour charnel dont toute la correspondance est saturée bien plus que du rapport à Dieu. « Nous fûmes d'abord réunis par le même toit, puis par le cœur », poursuit Abélard, dans cette lettre où il tente d'expliquer à un ami comment les événements se sont enchaînés jusqu'à sa disgrâce. « Sous prétexte d'étudier, nous étions donc tout entiers à l'amour (...) mes mains revenaient plus souvent à ses seins qu'à nos livres; nos yeux se cherchaient, réfléchissant l'amour, plus souvent qu'ils ne se portaient sur les textes. Pour mieux éloigner les soupçons, j'allais parfois jusqu'à la frapper, coups donnés par l'amour, non par l'exaspération, par la tendresse, non par la haine, et ces coups dépassaient en douceur tous les baumes. » La folie de cette passion finit par être découverte par Fulbert, l'oncle d'Héloïse. Les amants furent séparés, mais continuèrent à se voir en secret. Abélard poursuit sa missive : « Une fois la honte passée, la passion nous ôta toute pudeur, le sentiment de la honte nous devenait d'autant plus indifférent que la jouissance de la possession était plus douce. (...) Peu après la jeune fille sentit qu'elle était mère et me l'écrivit aussitôt avec des transports d'allégresse, me consultant sur ce qu'elle devait faire. Une nuit, pendant l'absence de son oncle, je l'enlevai et je la fis immédiatement passer en Bretagne, où elle resta chez ma sœur jusqu'au jour où elle donna

1. *Ibid.*, p. 67.

naissance à un fils qu'elle nomma Astrolabe [1]. » Épisode assez peu connu par ailleurs, comme sous l'effet d'une censure posthume du récit... car les enfants des grandes héroïnes d'amour comme Anna Karenine ou Emma Bovary sont « out of place » et ne doivent pas figurer ou entraver ledit « amour », sous peine d'être abandonnés et menacés eux-mêmes. La découverte de la fuite des amants rendit Fulbert furieux. Il promit la mort à Abélard si celui-ci n'épousait pas la jeune fille. Abélard se rendit en Bretagne demander sa main à Héloïse et la ramener à Paris. Seulement — les lettres d'Héloïse l'attestent —, c'est elle qui refusa (autre point censuré de l'histoire officielle). Elle dit dans ses lettres que ce serait pour elle un grand malheur si cet homme dont elle avait vénéré l'audace, la liberté, s'enchaînait par les lois du mariage et ne pouvait continuer à enseigner. Car il tomberait lui-même en disgrâce et serait humilié en public. Comme il persistait, elle lui demanda de tenir ce mariage secret et tous deux entrèrent dans les ordres. Fulbert, se croyant doublement trahi (Abélard a déshonoré sa nièce, ne l'a pas épousée et l'a mise au couvent pour s'en débarrasser), fit châtrer Abélard. Les épreuves de celui-ci ne s'arrêtèrent pas là, évidemment. Partout où il passait c'était l'émeute, l'enthousiasme et aussi la révolte. Il était trop révolté dirait-on aujourd'hui, trop libre, trop en avance sur son temps. Mais c'était un homme de Dieu. Il construisit un monastère au milieu de rien et l'appela : Paraclet, autre scandale. Ensuite, il en fit don à Héloïse devenue fondatrice de son ordre et mère supérieure. Ils échangeront une longue correspondance. Héloïse, qui sera respectée et admirée par tous les grands hommes d'Église et d'esprit de son époque, y parle moins de Dieu que de son amour et de sa fidélité à Abélard, et de sa révolte contre son châtiment. « C'est pendant que nous menions cette vie aussi sainte que

1. *Ibid.*

chaste que tu as payé seul dans ton corps un péché qui nous était commun. Nous avions été deux pour la faute, tu as été seul pour la peine : tu étais le moins coupable, c'est toi qui as tout expié [1]. » Il est étonnant de voir restituée par ces lettres une voix de femme d'une telle contemporanéité. Cette femme, Héloïse, est devenue une héroïne de l'amour et de l'abnégation, une femme sacrificielle s'il en est. Mais ce qui nous surprend c'est l'immuabilité du sentiment amoureux, je veux dire que ce sont presque les mêmes mots, les mêmes affects, les mêmes émotions, les mêmes doutes qui nous traversent. « Tu sais, mon bien-aimé, et nul n'ignore tout ce que j'ai perdu en toi ; tu sais par quel déplorable coup l'indigne et publique trahison dont tu as été victime m'a retranchée du monde en même temps que toi-même, et que ce qui cause incomparablement ma plus grande douleur, c'est moins la manière dont je t'ai perdu que de t'avoir perdu. (...) Il n'est que toi qui puisses me rendre la joie ou m'apporter du soulagement. Tu es le seul pour qui ce soit un pressant devoir : car toutes tes volontés, je les ai aveuglément accomplies, à ce point que, ne pouvant me décider à t'opposer la moindre résistance, j'ai eu le courage, sur un mot de toi, de me perdre moi-même. » Sacrificielle, Héloïse a choisi de l'être puisqu'à chaque fois qu'elle pouvait, non pas rentrer dans les ordres mais rentrer dans l'ordre, rejoindre le rang des femmes, elle s'est rebellée, a inventé un autre chemin, a trouvé une autre réponse. On peut dire qu'Héloïse, sans la rencontre avec Abélard, se serait probablement de toute façon distinguée d'une manière ou d'une autre, que son audace, sa témérité intellectuelle, n'ont fait que s'épanouir au contact du « grand homme » mais qu'elle était déjà, elle, une intellectuelle avant la lettre, une femme d'esprit.

Je voudrais m'arrêter un instant sur cet aspect du

1. *Ibid.*, p. 135.

sacrifice qui touche, précisément, les femmes d'esprit. Qu'est-il arrivé aux pionnières, chercheuses, intellectuelles, scientifiques, aventurières, chaque fois qu'elles se sont risquées dans ces domaines du pouvoir et de la pensée longtemps réservés aux hommes ? La vraie liberté de pensée est aussi une entrée pour le sacrifice, parce que c'est un refus de se soumettre qui en appelle à une instance plus haute.

Ce sont les femmes de l'époque victorienne qui ont sans doute le plus marqué leur époque en arrachant de manière spectaculaire leurs prérogatives aux hommes — mais les révolutions ne commencent-elles pas souvent en Angleterre ? La femme d'esprit a presque toujours une revanche à prendre, sur ses parents, son histoire, sa propre timidité maladive, une revanche sous la forme du style, ce qui lui fait alterner bien souvent des phases dépressives ou des moments d'exaltation intense dans un esprit de conquête qui côtoie de très près l'abattement et le désespoir. Nombre d'écrivains sont dans ce cas, mais aussi d'artistes, de voyageuses. Elles ont renoncé à avoir des enfants, ne pouvant imaginer cette liberté sous contrainte de mariage ou de maternage. La liberté d'esprit, ou l'utilisation de l'esprit, tout simplement, se complique quand on est une femme, et ce n'est pas être « féministe » que de l'affirmer, c'est un état de fait. Il faut comme un *laisser-passer* pour pouvoir entrer dans ce domaine réservé ou les hommes préfèrent parler « entre eux » parce que c'est terrorisant probablement d'avoir à répondre à une femme en plus de la séduire ou de la garder, et parce que c'est à la mère de cet homme que cette femme fait implicitement un reproche vivant (n'avoir pas su se libérer ou tout simplement exister). Aujourd'hui, cela nous ferait hausser les épaules, les femmes « de tête » sont présentes jusqu'au plus haut niveau des fonctions politiques et économiques, elles auraient même tendance, dit-on, à en vouloir trop et à réduire les hommes ou les pères à des portions congrues. C'est du moins un reproche qu'on entend aujourd'hui fréquemment et ce n'est, en tous les cas, que très superficiellement vrai. Même quand les femmes sont à des postes de pouvoir, on leur en demande beaucoup plus qu'aux hommes, car il leur faut défendre (ou renoncer tout de suite, ce que font certaines) l'apanage de la féminité et aussi quelquefois leur rôle de mère dans un monde qui ne fait place qu'à la valeur de l'efficacité (*efficiency*). Dès qu'elles sont au pouvoir, tout le reste est de trop : on ne leur pardonnera rien, aucun faux pas, aucune mise déplacée, aucun horaire incertain ; si elles veulent occuper toutes les places, soit, alors ce sera sans faillir et à leurs dépens. Leur capacité — éprouvée quand même pendant des millénaires — à subir, à comprendre surtout, et à pardonner, c'est-à-dire à donner par-delà, encore plus, les fragilise à des places où l'autorité ne se soutient que d'elle-même, sans pourquoi. Les cabinets d'analystes sont remplis de ces *wonder women* qui craquent, s'épuisent et que la maladie emporte, que le divorce fait douter et qui sont de véritables petits soldats au front. On a envie, souvent, de leur arracher de force leurs armes, de faire taire leur conscience, d'endormir leur vigilance, en vain. Et pourtant, la petite fille qui dort en elles voudrait bien que ce rythme effréné cesse et qu'on la laisse jouer encore un peu... Alors quand passe un séducteur qui fait entendre à cette petite fille qu'il serait si amusant d'aller faire un tour avec lui, en un instant tout le reste est emporté. Les femmes d'esprit ont inventé d'autres formes de conquête qui ne sont pas des guerres et qu'on ne règle pas par des mises au couvent.

Que ne ferait-on par amour ? Ce à quoi est prête une femme ou ce à quoi elle se prête, tout simplement, n'a pas d'autre limite donnée *a priori*, et qu'on pourrait définir ou cerner une fois pour toutes. Si la femme n'est qu'artificiellement séparée de la jeune fille qu'elle a été, de la mère qu'elle est ou sera peut-être comme de la vieille dame de sa vieillesse, ce qui l'isole dans sa féminité, c'est sa capacité à un certain moment de sa vie d'exister d'abord et avant tout comme *femme*, c'est-à-dire dans une certaine méconnaissance de ce qui la rend de fait si puissante, créatrice, rayonnante. Il y a un retrait des femmes qui vient de très loin, une certaine honte de leur puissance, quelque chose qu'elles aliènent d'elles-mêmes, sans même qu'on l'exige d'elles, qu'elles sacrifient avec des conséquences plus ou moins dramatiques. Dans leur créativité, leur puissance financière ou leur beauté, leur maternité, il est souvent question du « trop »; il faut bien qu'elles entrent dans un retrait, un certain voile leur est nécessaire pour troquer leur place ici-bas. Cette puissance voilée va avec la capacité de tout donner, de se « perdre » littéralement pour un homme, d'être ravies, enlevées, même chez les personnalités les plus fortes. À ce titre les lettres d'Héloïse sont éloquentes, mais aussi avec elles les figures romanesques qui nous ont guidées et qui la plupart du temps sont nées sous la plume d'écrivains hommes.

De l'intérieur du sien, de couvent, Héloïse a inventé des règles nouvelles, a soumis aux autorités des questions de droit et de théologie qui ont été débattues, a fait entendre sa passion sans vouloir être enfermée dans le mariage ni dans son rôle de mère. « Il n'est pas jusqu'à la solennité de la messe, là où la prière doit être très pure, pendant laquelle les représentations obscènes de ces voluptés ne s'emparent si bien de mon âme misérable que je suis plus occupée de leurs turpitudes que de la prière. Je devrais gémir des fautes que j'ai commises, et je soupire après celles que j'ai perdues. (...) On vante ma chasteté : c'est qu'on ne connaît pas mon hypocrisie. On porte au compte de la vertu la pureté de la chair; mais la vertu, c'est l'affaire de l'âme, non du corps. (...)

Dans tous les états de ma vie, Dieu le sait, jusqu'ici j'ai toujours eu plus de peur de t'offenser que de l'offenser lui-même ; et c'est à toi bien plus qu'à lui-même que j'ai le désir de plaire : c'est un mot de toi qui m'a fait prendre l'habit monastique et non la vocation divine [1]. »

Aujourd'hui les frontières entre les sexes sont plus incertaines, la biologie fera reculer chaque année leurs limites dévolues, on parle d'utérus artificiel et ce n'est qu'une étape dont on ne peut, évidemment, prévoir la fin. Les couples se réorganisent autour de ce flou, en inventant d'autres langages, d'autres formes d'engagement, d'autres sortes d'unions, de façon d'être parents, et ça ne sert à rien d'en avoir peur parce que c'est notre éternelle peur du nouveau, de ce qui s'annonce sans avoir été au préalablement répertorié, inventorié et passé au tamis des préjugés, qui nous accable. Dans nos cultures qui ne cessent de réclamer toujours plus de sécurité, le nouveau s'immiscera toujours là où on ne l'attend pas, là où les publicitaires ne l'auront pas prévu, où les oracles du politique ne l'auront pas vu, où les scientifiques eux-mêmes seront désarmés. Et rien ne sert de s'arc-bouter sur des valeurs perdues : perdues pour qui et pour quoi ? L'ancien monde était-il vraiment meilleur ? plus aimant ? plus pacifique ? Évidemment non. Avoir de l'esprit restera, je crois, subversif. Parce que le monde social s'acclimate de plus en plus mal de la liberté des êtres qui ne veulent pas être enfermés dans cet impératif sécuritaire et pouvoir avancer sans qu'on leur dise où et comment. Les sujets — libres — qui se risquent le long de cette ligne de fracture se le verront toujours d'abord reprocher, avant d'être à leur tour, une fois la voie « sécurisée », imités, suivis, admirés. Quand ce sont des femmes, on leur en demande plus, c'est tout. C'est-à-dire d'être aussi là pour leurs enfants, leurs amants, leurs amies, de

1. *Ibid.*, p. 139-140.

ne rien oublier ni personne; leur égoïsme paraîtra monstrueux (celui d'un homme, plutôt normal) et leur vocation ingérable. C'est parce qu'il y a de telles femmes que le monde, peut-être, conserve une certaine douceur. Héloïse était de celles-là.

Aujourd'hui, on parle à nouveau beaucoup de chasteté. Aux États-Unis, il y a même des clubs dont les membres revendiquent cette *chastity* comme un emblème et une raison de vivre. Ce n'est certainement pas une valeur nouvelle, mais elle occupe aujourd'hui une place différente du simple fait qu'elle n'est plus reliée à un vœu religieux ou même, ni de près ni de loin, à l'Église. La chasteté, aujourd'hui, est perçue comme une valeur refuge contre une certaine « obligation de se réaliser dans et par la sexualité », contre ce qui est perçu comme une « pornographisation du monde », bref, comme une sorte d'initiation et de choix fait pour préserver une qualité d'être (ou de relation) et qui n'a d'autre alternative que cette radicale « chasteté » pour être reconnue. La question ici n'est pas de discuter de la justesse ou de l'absurdité de cette revendication, mais de comprendre pourquoi elle est une sorte de valeur émergente, un phénomène de société à l'image de ces jeunes filles anorexiques refusant d'être gavées de n'importe quoi, qui exprime aussi la tentation d'un : je préfère ne rien consommer du corps (de l'autre) que de consommer mal, sans amour, ou d'être réduite à une marchandise. De fait, je pense que cela touche des individus fragiles et mal dans leur peau qui trouvent ainsi une sortie honorable à ce mal-être. De fait, notre société leur offre aujourd'hui un relais, un moyen d'exprimer ce choix, assez nouveau. Certains font ce choix après avoir mené une vie débridée, ayant épuisé tous les plaisirs possibles et lassés de ce que la société de consommation des corps peut offrir, mais le plus souvent c'est au contraire d'une peur adolescente qu'il s'agit, comme si entrer dans le commerce de la chair, c'était se perdre. Il y a aussi l'idée que la sexualité ne serait pas un plaisir, en tout cas un plaisir « émotionnel », donc une réalité dont il vaut mieux à tout prendre se passer puisqu'elle est foncièrement décevante. À ceux qui prônent cette version des choses, on pourrait répliquer que c'est précisément la peur de l'implication émotionnelle qui vient déferler sur le sujet quand l'amour et la sexualité se rejoignent qui oriente (inconsciemment) le sujet vers cette anorexie sexuelle dont il sort seul maître en la demeure. Ainsi ne sera-t-il jamais débordé, jamais en danger d'être perdu et éperdu d'amour puisqu'il ne reconnaît pas à son corps ni à celui de l'autre d'être source non seulement de jouissance, mais de faim, d'anxiété à attendre le signe de l'autre qui ne vient pas, d'abandon, bref de souffrance tout autant que de plaisir.

La chasteté est une grève de la faim, faim du désir, du plaisir et jeûne appliqué à tout ce qui concerne le corps sexué, sexuel. Comme toute faim consentie, voulue même, elle anticipe sur la déception du plaisir ou la souffrance qui en découlera, sur la dégradation que l'assouvissement de cette faim, ou ce désir, rencontrera nécessairement. Qu'en dire alors ? Que le remède peut s'avérer pire que la révolte, car comme tout remède érigé en loi, il devient tyrannique pour le sujet qui s'y applique. Revendiquez la chasteté ou le jeûne, et vous en serez bientôt l'esclave. Esclave d'une autre manière que celle dont on l'est du plaisir ou de la satiété, mais esclave toujours. D'une ligne de conduite qui n'admet pas de faille et dans laquelle l'ego du sujet s'est précipité pour sauver sa propre image ou l'image de son corps. Comme l'Amazone, la femme chaste est victime de sa propre intransigeance, dont elle n'admettra pas souffrir puisqu'elle l'a construite. Que faire d'une tour dont on est prisonnière mais dont on a soi-même jeté la clé ? Il n'est pire geôlier que soi-même, c'est bien connu. Le sacrifice se loge là, à l'endroit exact où l'ego commence à construire son propre autel. La puissance qu'il y gagne — la certitude d'exister enfin pour quelque chose ou pour quelqu'un — est l'envers d'un gage donné par une puissance tutélaire intérieure érigée au rang divin et qui se nommera tour à tour : tu ne mangeras pas, tu n'auras jamais faim, tu ne donneras pas ton corps, tout plaisir est vain, etc. Ce gardien, à qui vous avez donné la clé de votre « for intérieur », écrirait Héloïse, ne vous lâchera pas de sitôt. Sauf à ce que vous abdiquiez et acceptiez d'être considéré par lui (c'est-à-dire par vous-même) comme un lâche, un moins que rien. Les multiples états de la liberté n'arrivent jamais à occulter le fait qu'elle se paie très cher. Et la chasteté, pour quelques femmes, est l'un de ces états.

Comment et jusqu'où être chaste ? La question aujourd'hui ne se pose plus. La sexualité n'est plus un interdit donc elle n'est plus transgressive. On est bien au-delà, on est perdu d'ailleurs, tant la prolifération d'images pornographiques excède toute imagination possible, même la plus éprouvée en la matière. Depuis Internet, chacun le sait. On peut surfer sur la planète des sens et découvrir d'un simple déclic sur son portable tout ce que la terre offre aux affamés du sexe. Tout y est exposé, répertorié, indexé. Tous les goûts, les sexes, les couleurs, les positions, les mots, tout ce que vous avez imaginé et bien au-delà. Les déviations, les aberrations n'en sont plus, car désormais partagées par d'autres ; celui qui s'y adonnait avec la honte d'être seul au monde se voit maintenant entouré de frères en fantasmes. La pornographie a reculé toutes les limites que le droit lui avait assignées. Et maintenant ? Qu'est-ce qui a vraiment changé ? Au risque de choquer, je dirais : pas grand-chose. Presque rien. Les pratiques entre personnes ont bien peu varié depuis deux siècles. Un peu plus d'échangisme dit-on, des conversations plus averties, plus salées dans les cours d'école des petits...

La misère sexuelle de la plupart des gens est la même qu'il y a quarante ou deux cents ans. Bien sûr il y a une connaissance des « choses du sexe » infiniment plus grande, une plus grande liberté des femmes. Et ce n'est pas rien. Mais quand on parle de chasteté, on se heurte immédiatement à la défiance, au rejet et/ou à la fascination. Le déferlement des images, les moyens mis à la disposition des individus qui veulent entrer dans le monde des pulsions débridées n'est pas en passe de changer l'humanité. Les mêmes verrous persistent, les mêmes peurs, les mêmes angoisses, les mêmes refus. Peut-être parce que « voir » ne résout rien en soi, ni pour la libération de la pulsion ni dans l'univers intime de celui qui s'y livre.

Quand le mot d'ordre d'une société devient « jouissez » ou (c'est une manière plus soft de le dire) : réalisez-vous, soyez bien dans votre peau, faites-vous plaisir..., c'est le surmoi qui prend en charge l'impératif de jouissance qui, dès lors, ne peut plus être une conquête personnelle, une transgression voulue, exprimée, mais un devoir rendu, un service auquel il faut se plier pour être acceptable. Car ainsi fonctionnent les impératifs sociaux, ils tendent à éliminer de la scène sociale les individus qui leur résistent. Le danger de cet impératif de jouissance est de servir une guerre contre le désir (le vrai, si l'on peut dire...) et d'autre part de favoriser l'éclosion de la chasteté (ou du voile, autre possibilité dans une autre culture) pour faire obstacle à ce surmoi tyrannique et chercher refuge dans un corps sanctuarisé. Car le surmoi de la jouissance tel que notre société l'encourage aujourd'hui est établi en réalité à des fins commerciales et non pas de bien-être ; c'est tout simplement le meilleur moyen de consommer et d'être consommable rapidement et avec le moins d'affects possible. Le sacrifice a partie liée avec le sexe dans la mesure où il est un événement qui n'arrive pas sans un corps et qui ne s'effectue que là où il y a, où il y avait du moins un corps. De la chair envisagée. Le sacrifice provoque le corps à disparaître ou à souffrir, ou à se rendre, ou encore à exulter. Le corps est partout présent, dans la passion, dans l'horreur, dans la disparition, dans l'incarnation, bref, dans tous les états du sacrifice. Si le sacrifice est la réparation d'une profanation antérieure, s'il vient séparer, couper, déchirer, pour éviter la hantise des vivants par les morts, s'il célèbre la passion sans autre issue que la mort, s'il est le contraire de la renonciation mais qu'il trouve, avec la blancheur, des vies entières à effacer, il nous dit bien que la dimension du sexuel y est présente dès l'origine.

La figure d'Héloïse, à ce titre, est vraiment contemporaine. Car dans cette histoire d'amour, il y a bien eu du plaisir. « (...) j'ai fait plus encore : étrange chose ! mon amour s'est transformé en délire, ce qui était l'unique objet de ses ardeurs, il l'a sacrifié sans espérance de le recouvrir jamais ; par ton ordre, j'ai pris avec un autre habit un autre cœur, afin de te montrer que tu étais le maître unique de mon cœur aussi bien que de mon corps [1]. » Plaisir, transgression, apprentissage, initiation. Entre le corps et l'esprit, une émulation de tous les excès, de toutes les tentations. Ce qui sans doute représentait la transgression suprême. À Abélard, Héloïse répond : « Jamais, Dieu m'en est témoin, je n'ai cherché en toi que toi-même ; c'est toi seul, non tes biens, que j'aimais. Je n'ai songé ni aux liens du mariage, ni à mes jouissances et à mes volontés personnelles. (...) Bien que le nom d'épouse paraisse plus sacré et plus fort, j'aurais mieux aimé pour moi celui d'amie ou même, sans vouloir te choquer, celui de concubine ou de putain... [2]. »

1. *Ibid.*, p. 116.
2. *Ibid.*, p. 117.

Après qu'il a été châtré, tous deux ont eu une vie monacale intense, de fait, car l'époque était périlleuse et remplie d'échanges intellectuels au plus haut niveau. Singulière, Héloïse continua de l'être tout au long de sa vie, et pas seulement comme figure de la jeune fille transgressant les ordres de son oncle et raptée par un amant féroce. Elle est l'une des premières figures du féminisme, si l'on entend par féminisme cette revendication à pouvoir créer, penser, éprouver du plaisir, bref, disposer de son corps et de son esprit librement. La tutelle de l'Église qu'Héloïse a choisie, ou à laquelle elle a consenti (en sacrifiant ainsi sa vie de jeune épousée, puisqu'elle a refusé de rendre public ce mariage pour qu'Abélard puisse continuer sa carrière d'enseignant), était la seule à lui offrir en réalité, à cette époque, la liberté de penser et de gouverner sa vie.

Le sacrifice comme hantise de l'amour

Que signifie mourir d'amour ? La coïncidence, l'accolement de ces mots mort/amour reste, en Occident, du ressort intime de la tragédie : théâtre, roman, peinture, tout l'imaginaire semble s'y précipiter, s'y fracasser. Pourquoi l'amour conduirait-il à la mort ? Qu'est-ce qui rend inévitable cette collision ?... Comme si penser l'essence de l'amour c'était atteindre un état limite qu'on ne saurait envisager autrement que dans sa destination fatale. Le sacrifice de soi est pensé presque toujours sous la loi de l'amour, de la dépossession de soi pour un autre sublimé : enfant, amant, patrie. Sans doute parce que les affects y sont violents, pesants, parce que l'intensité paraît ouvrir une vie plus vraie qui vaudrait que l'on renonçât brutalement pour avoir vécu. L'amante résout le sacrifice de son corps même, elle l'abolit pour s'y rendre. Devant l'impasse, elle n'accepte pas. La limite est insupportable. C'est une figure de la révolte même si elle s'offre à être pensée comme soumission.

Une femme amoureuse n'est pas étrangère à la mort. Car dans l'amour fou, dans l'amour éperdu, il y a ce risque de la mort, de l'abandon et de la perte. Une femme promise à la mort par amour est déjà une « revenante », sa présence est spectrale, elle est parmi les vivants comme une déjà presque disparue. Cette femme, c'est Catherine dans ce chef-d'œuvre : *Les Hauts de Hurlevent*, titre intraduisible s'il en est, qui signifie à la fois « les hauteurs où ça murmure » et quelque chose qui, dans la sonorité même de ces deux termes, évoque le vent s'amplifiant en tourmente.

La construction du roman, très contemporaine, est divisée en deux moments narratifs presque étrangers l'un à l'autre : dans la première un amour fou est raconté, je dirais presque cité, par une servante à un voyageur. Ce voyageur est le narrateur, il ne rencontrera les protagonistes de cet amour-là que sous une forme fantomatique. Il en sera, comme nous, à tout jamais hanté. La hantise comme figure ultime de l'amour est le fil conducteur de cette œuvre magnifique. Tous les personnages, à l'image des lieux eux-mêmes, sont hantés. Tout à la fois disparus et revenants. La seconde partie du roman met en scène la vie des enfants de Cathy et Heathcliff et le déroulement implacable de sa vengeance à lui. Le personnage de Cathy vient donc se redoubler en celui de sa fille elle aussi appelée Catherine, comme si rien — pas même un prénom — ne pouvait échapper à cet effet de hantise venu accabler les vivants du destin de leurs aînés. Hantise dont se font écho les autres personnages, jusqu'au lecteur lui-même, témoin involontaire d'une passion qui a eu lieu avant que le récit ne commence et dont les effets ne cessent d'imprégner tous les acteurs du drame sur plusieurs générations.

L'histoire se passe dans un endroit particulièrement austère des landes irlandaises, dans une ferme isolée où le vent souffle sans discontinuer, loin du premier village et de toute côte. Le père, veuf (sa femme est morte en couches), part faire un jour des achats à la ville, ayant promis à son fils un violon et à sa fille une poupée. Il ne tiendra pas sa promesse — c'est un élément très important du récit, pas du tout anodin comme il semble ; toutes les tragédies ne commencent-elles pas par des promesses non tenues ? Il ramène avec lui un enfant des rues qu'il a décidé d'adopter. « (...) telle fut l'entrée de Heathcliff dans la famille » : intrusive, violente et déjà menaçante. Le récit est fait par la servante au voyageur égaré à qui on a donné l'hospitalité de mauvais gré à *Wuthering Heights.* Ladite servante, à l'époque de l'enfance des enfants, avait le même âge qu'eux. « J'appris, poursuit-elle, qu'on l'avait baptisé "Heathcliff" : c'était le nom d'un fils mort en bas âge, nom qui dès lors lui servit ensemble de nom de baptême et de nom de famille. Miss Cathy et lui faisaient maintenant fort bon ménage ; mais Hindley le détestait et, pour dire la vérité, j'éprouvais le même sentiment. Nous le tourmentions et nous le traitions d'une manière indigne ; car je n'étais pas assez raisonnable pour comprendre mon manque d'équité. (...) Ainsi dès le début Heathcliff fut la cause de dissentiments dans la maison [1]. » La scène dramatique est posée d'emblée : ce nom, Heathcliff, était celui de l'enfant mort (le premier-né du père) que cet orphelin « indigne et va-nu-pieds » doit remplacer, le désignant ainsi d'emblée comme l'élu et, à ce titre, haï par son fils. Cette élection paternelle d'un jeune vagabond va coûter très cher à tous les personnages du roman, précipités dans la vengeance, la trahison, la mort.

Dès le commencement, le récit de la jeunesse et de l'adolescence de Heathcliff et Cathy est suspendu, on ne l'apprendra que par le visiteur revenu des années plus tard à *Wuthering Heights* une nuit de tempête y chercher refuge. Il trouvera dans cette maison Heathcliff vieilli devenu le maître des lieux, mais aussi Catherine, fille de Cathy, et Hindley, fils du frère de Cathy, asservi et rendu abruti par l'ancien garçon de ferme. Le narra-

1. Emily Brontë, *Les Hauts de Hurlevent*, *op. cit.*, p. 65.

teur comprendra grâce au récit de la servante que le fantôme venu le tourmenter alors qu'il dormait dans la chambre de la défunte Cathy était Heathcliff. L'amour fou qui était né entre la fille du maître et l'enfant vagabond avait été d'emblée confisqué, ne sera, dans le roman, jamais relaté au présent — comme tout amour ?

Ce qui nous en reste, c'est l'histoire d'Heathcliff, de sa répudiation quand le maître meurt, de son asservissement puis de sa lente et implacable vengeance contre la fille de celle qu'il avait aimée et qui s'en était allée, malgré cet amour, épouser son cousin. Toutes les unions se font et se défont dans une même parenté, il n'est question ici que du même qui tourne en boucle et se délite, des mêmes lieux, des mêmes serments, des mêmes paysages qui happent et qui condamnent ceux qui s'y fourvoient. Que fait-on quand on met un vivant à la place d'un mort ? On lui donne pour mission une impossible survie, une vie d'imposture doublement renforcée ici du fait d'une naissance inconnue et illégitime. Catherine est une jeune femme qui a un seul amour et qui ne choisit pas cet amour. Qui ne peut pas vivre avec l'homme qu'elle aime et qui va choisir son cousin, un être bon et pâle, pour accueillir sa détresse et endormir sa passion. Mais rien de ce qui constitue l'enfance ne saurait être endormi longtemps sans venir réclamer son tribut de reconnaissance. La fille de Cathy, Catherine, épousera elle aussi un demi-mort tuberculeux, avant de reconnaître dans son neveu une sorte de Heathcliff abandonné et brutal que son amour va rendre à la vie.

Tous les enfants de ce livre sont abrutis et asservis par leurs parents, mais en eux couve aussi une liberté sauvage dont rien ne vient à bout. La servante, elle, fait figure de Parque, sorte d'élément du destin qui désigne et anticipe les événements et en même temps fait office de mère, de vraie mère. Elle est la seule mère de ce livre, elle témoigne envers les enfants qui ne sont pas les siens d'un réel dévouement, d'une écoute rare mais non dénuée d'une certaine rouerie. Il y a dans l'esprit de la lande une sauvagerie qui affecte tous les habitants de ces terres sous le vent, la nature n'est pas différente, là, du destin humain, elle ramène à la solitude et brouille toute frontière entre les vivants et les morts. Cathy hante la lande et le cœur d'Heathcliff pareillement. Comme lui, elle ne trouve de repos nulle part, ni dans la mort ni dans l'oubli. Il n'y a pas non plus de pardon possible, puisque rien ne se boucle, les générations qui se succèdent se ressemblent comme de pâles copies des originaux perdus (ils n'ont même plus de prénoms à eux, seulement un nom de famille), mais jamais une image nouvelle, tout est repris dans le cycle semblable des jours et des nuits.

Le sacrifice de Catherine est celui de son seul amour, un sacrifice volontaire, masochiste pourrait-on croire, mais à s'y pencher de plus près les contours entre ce qui distingue le masochisme du sadisme disparaissent, on est au plus près de la cruauté native de l'existence, même mélangée de grâce, de beauté, d'un certain enchantement. Il est lié, me semble-t-il, à la maternité — comme presque toujours quand il s'agit du sacrifice accordé au féminin. Catherine, donc, laisse son demi-frère bafouer Heathcliff et, tombée gravement malade, va épouser son cousin dans la maison d'à côté qui est aussi solaire que le domaine de *Wuthering Heights* appartient à la nuit. Tout ceci a lieu avant que Heathcliff ne revienne se venger et rachète les terres et le manoir, profitant de la déchéance du frère de Catherine tombé dans l'abrutissement du jeu et de l'alcool. Il va littéralement kidnapper le fils de Hindley et l'empêcher de s'éduquer, de lire, pour lui faire revivre ce que lui, jeune, a vécu — une place à part, en trop, un asservissement brutal.

Et puis Catherine va revoir Heathcliff, à la faveur à nouveau d'une maladie — le corps dans ce récit trahit toujours la vérité faisant chemin pour être connue et emportant avec elle des morceaux de corps brisés — et pendant ses derniers jours donne naissance à une fille... appelée Catherine ! Rien n'avait été dit dans le récit d'une quelconque grossesse, et ce n'est évidemment pas un oubli... tout est fait ici pour que la grossesse soit interdite, confisquée. Cathy n'est qu'une jeune fille ardente et amoureuse, c'est pour ceux qui l'aiment sa seule possibilité d'être. À la jeune servante, elle dira : « Mes grandes souffrances dans ce monde ont été les souffrances d'Heathcliff, je les ai guettées et ressenties dès leur origine. Ma grande raison de vivre, c'est lui. Si tout le reste périssait et que lui demeurât, je continuerais d'exister ; mais si tout le reste demeurait et que lui fût anéanti, l'univers me deviendrait complètement étranger (...) Mon amour pour Heathcliff ressemble aux rochers immuables qui sont en dessous : source de peu de joie apparente, mais nécessaire. Nelly, je suis Heathcliff ! Il est toujours, toujours, dans mon esprit ; non comme un plaisir, pas plus que je ne suis toujours un plaisir pour moi-même, mais comme mon être même. Ainsi ne parlez plus de notre séparation ; elle est impossible, et (...) [1]. »

Je voudrais parler de cette nécessaire incorporation de l'amour. C'est une sorte de tabou, car elle semble d'emblée suspecte, voire frappée d'indignité. Comment admettre que tout amour passionné est aussi un acte de cannibalisme, de dévoration lente de l'autre par tous les pores de notre peau, psychique et mentale, psychique et spirituelle, que « tout » de l'autre nous devient précieux, mais pas seulement précieux, nécessaire. Aussi nécessaire que ce qui constitue notre être même, comme une peau que l'on greffe à notre propre peau. La dépersonnalisation qui guette toute passion n'en est que le

1. *Ibid.*, p. 165.

lointain effet. Et quand Catherine dit qu'elle *est* Heathcliff, elle dit cela que l'autre et soi deviennent indissociables comme s'ils avaient été de tout temps faits l'un pour l'autre et c'est en même temps ce sentiment qui rend la dualité entre les êtres, la différence, si douloureuse, si scandaleuse. Les grandes amoureuses sont des femmes dites « phalliques » en raison d'une masculinité venant en rivalité avec le garçon aimé d'une certaine façon parce qu'elles *sont* littéralement ce garçon, elles n'éprouvent pas la différence sexuelle, elles sont elles et aussi lui. Les femmes sacrificielles se sacrifient de n'être pas l'homme et la femme à la fois : elles voudraient s'incorporer la violence du destin masculin, sa force, sa grandeur, et s'épuisent à vivre à travers lui cette part d'elle-même qui leur est ainsi retranchée.

À quel moment un amour devient-il sacrificiel ? Quand cesse-t-on de croire qu'il vous emmènera vers la vraie vie, la vie dont nous rêvons tous, où l'autre vous serait plus intime que soi, logé au centre du cœur et du corps sans que rien du temps ni de l'ennui n'ait de prise, sans aucun autre sens que celui des sens eux-mêmes ? Cathy a été élevée avec Heathcliff, enfant auquel on a donné le nom d'un jeune frère mort, premier-né. Le frère et l'amant ici se confondent, comme pour Héloïse et Abélard ou, pour prendre un roman qui a marqué le siècle : Ulrich et Agathe, dans *L'Homme sans qualités* de Musil : toutes les filiations sont ici présentes, tous les rôles, toutes les conjugaisons, Heathcliff est le frère pour toujours, mais il est aussi le père, le fils, l'ami, l'animal et le dieu, le spectre et la nature elle-même, il est à lui seul le monde. Le frère est tout cela quand il devient l'amant. Le frère est l'autre soi-même d'une femme, celui qui la déploie dans son être car à eux deux ils ne forment qu'un. Et peut-être que le modèle de l'amour hérité de l'amour courtois en Occident n'a au fond cessé de reprendre inlassablement toutes les figures de ce thème. Un amour comme celui-là ne se raconte pas, il est comme intercepté dans le temps du récit, annoncé puis repris dans l'évocation par un tiers et au passé, il n'est jamais vraiment là, ou bien sous une forme spectrale comme un appel sans destinataire qui s'adresse à la nuit et à nous tous, l'appel d'une femme que la mort n'abrite pas du souvenir. Catherine est une figure de la sauvagerie féminine qu'on a matée, rendue acceptable, civilisée. Une douceur qui finira par la détruire, la faire mourir. Son cœur sauvage est le nôtre, il déroge à toute loi de parenté, de sociabilité, de mœurs, de raison. La sauvagerie de Catherine va être sacrifiée, par elle-même d'abord et tous les autres ensuite (et d'une certaine manière par cet excès d'amour), parce qu'elle n'a aucune langue par laquelle se dire. Il n'y a d'une certaine manière, dans ce roman, pas de mots. L'amour est mutique ou bien ce qui se dit entre les protagonistes, dans l'enfance et sous les hauteurs du vent, dans la lande, est hors d'écoute et hors les mots.

Cette présence spectrale de Cathy, la nuit, quand le visiteur est accueilli pour une nuit à *Wuthering Heights* dit assez la désolation de cet amour que même la mort n'apaise pas. À l'univers enchanté, hors la loi, de l'enfance où Cathy et Heathcliff se partageaient la lande a succédé le temps des adultes, incompréhensible pour eux, un temps qu'ils ne sont jamais parvenus à faire leur, ni l'un ni l'autre. Heathcliff obsédé par une vengeance qui finalement, comme toutes les vengeances, le détruira et Catherine ayant cru que l'absolution de sa nature sauvage donnée par le mariage avec son cousin allait la prémunir contre cet amour, où toute son enfance et sa vie s'étaient engouffrées.

Catherine est une femme sacrificielle qui s'est rendue elle-même objet du sacrifice. N'ayant pas pu franchir à temps la ligne qui sépare, précisément, les vivants des morts, elle revient à la mémoire de ses proches, leur léguant le poids terrible de son obstination à mourir. Sa fille, Catherine, va trouver à la fin du roman une forme de liberté et s'y engager. Dans l'amour qu'elle porte au fils de Heathcliff, élevé comme un sauvage et qu'elle rééduque à la vie, à la lecture, à la beauté, puis enfin à l'expression des sentiments, quelque chose se répare et s'affranchit. Dans cette histoire, la fille, après avoir été niée dans sa gestation, était destinée à n'être qu'une pâle copie de sa mère. Or, elle va affronter son père et retourner la fatalité de cette hantise d'une passion impossible en inaugurant un nouvel amour qui empreinte à l'ancien beaucoup plus que la parenté du sang et des noms : un certain courage à affronter la réplique à l'infini de la vengeance.

Le sacrifice comme hantise de l'amour obéit au déroulement d'une vengeance. La vengeance se retourne contre l'objet d'amour perdu, c'est bien connu. La haine prend pour cible ce qu'elle a trop aimé ou ce qui représente ce que l'on ne pourra jamais atteindre, ce dont nous serons à jamais exclus. Et cet exil provoque une pulsion meurtrière. Il en est ainsi des grandes passions, elles font naître des vengeances parce que leur radicalité, leur exaspération provoquent une mise en exil des êtres autour, voire de l'aimé lui-même — ce que Duras a longuement exploré. Ensuite ce sont les générations futures qui doivent régler la dette, une dette trop souvent méconnue, refoulée, effacée de tout registre. Ainsi les générations nouent-elles entre elles des pactes dont elles prétendent ignorer tout, et qui provoquent maladies, deuils, fausses couches, etc., jusqu'à ce qu'un être retourne à la source et vienne déterrer, désenfouir le trauma. Là encore, le sacrifice opère comme un désembaumeur, un activateur de ce qui avait été tramé en secret. Il revient à la source pour éloigner la fatalité (dont il se fait paradoxalement, superficiellement, l'instrument) et réintroduire la possibilité du nouveau, de l'inespéré là où tout était scellé. C'est ce qu'esquisse la fin de ce très beau roman.

Tout amour est une forme de hantise. Nous sommes hantés par l'être aimé car il n'est jamais tout à fait là, le désir s'exaspère à ne jamais coïncider tout à fait avec le corps de l'autre, sa vie, son âme. Le désir et la jouissance s'écartent des corps autour desquels ils se referment ; à mesure que le temps passe s'éloigne la passion et demeure cette hantise qui, à la manière dont le vent parcourt la lande irlandaise de *Wuthering Heights*, elle, jamais ne cesse.

Une sœur

On ne se remet pas de l'enfance, on s'en sort seulement. Mais comment la quitter, cette enfance, quand elle est trop intense, fabuleuse, dangereuse, sans autre issue que celle du monde dit adulte ? Avec quel mode d'emploi, dans quelle langue, muni de quel lexique pour traduire l'intraduisible — ce sentiment extrême de toucher au corps du monde, à sa douceur interne, sa résonance intime... Avec, en deçà des courants de haute mer, cette sorte de tristesse que sécrète la jeunesse. Certains adultes trouvent la passe et gardent vivante en eux cette espèce de promesse que réalise l'enfance (ne jamais grandir tout à fait, tout ressentir comme si c'était la première et dernière fois, s'interroger sans cesse, s'émerveiller longtemps, avoir peur et surmonter la peur avec des petits cailloux en poche). La plupart du temps, ces enfants n'ont pas eu le choix : on ne dira jamais assez la détresse de Peter Pan, sauf qu'il n'y a pas de poudre de fée pour voler au-dessus de Londres ni de retour sain et sauf dans la maison familiale. On exige des enfants qu'ils grandissent, et vite. Mais une fois les contrats tenus, les études achevées, les honneurs rendus, les dettes acquittées, quoi d'autre ? Pourquoi, pour qui, rester en vie ? Survivre nécessite une forme particulière de mélancolie qui vous met à l'abri de trop d'intelligence, de trop d'attentes surtout, de la violence avec laquelle tout cela vous déchire, vous désarme. Et quand l'amour n'arrive pas à affecter cette enfance, à la désarmer ni à la rendre moins intense, il est parfois impossible de trouver d'autre issue que celle de partir définitivement, et de laisser jouer les grands entre eux, en s'éclipsant.

C'est hors des landes irlandaises et sous l'aura de frères à la filiation douloureuse qu'Esther nous convoque, là où il n'y a plus de mots, plus d'explication au désir de disparaître hormis celui, peut-être, d'un espace plus grand, vaste comme un ciel, où se jeter et être emportée, très loin du ventre maternel.

Elle était une sœur. Et les sœurs ont une âme particulière, elles se rappellent à la fratrie où vit une moitié d'elles-mêmes, silencieuse et désarmée, en réserve. Les sœurs ne sont pas encore des femmes, elles n'en ont pas très envie, se déguisent quelquefois pour faire comme si, pour qu'on ne les embête pas avec ça, mais elles sont d'abord des sœurs. Et une sœur, quand elle a un frère, est aussi un garçon qui a joué avec le garçon et à qui elle a appris la différence entre elle et lui. Les sœurs sont des âmes transhumantes qui sont féminines mais qui ont quelque chose aussi d'un jeune garçon et quand il leur faut choisir, rien ne va plus. Alors elles se déguisent, jouent les femmes — parfois fatales — et restent des sœurs embusquées dans une enfance qui ne passe pas. Les sœurs sont solidaires à jamais de la fratrie, elles sont les gardiennes d'un héritage qu'elles disperseront à leur dernier jour. Quand elles se brouillent, une part d'elles reste morte, enclose dans cette rupture avec le frère (la sœur est toujours la sœur d'un frère). Ce sont des amantes en sursis parce que la tentation sacrificielle se trouve engagée dans ce trop de fidélité qui les lie. Une tentation qui pourrait se traduire ainsi : si je m'éclipse, toi tu vivras ou bien si je ne vis pas (d'une vraie vie) toi tu le pourras, comme si les dieux avaient exigé qu'un seul dans la fratrie existe et que la sœur — ô Antigone — était vouée, elle, encore et pour toujours, à s'effacer pour que justice (ou la vie même) soit rendue au frère.

Esther était belle, intense et drôle, ce qui ne va pas toujours ensemble. De grands yeux brusques. Elle avait cette dureté affectée par les êtres que leur sensibilité a mis à mal très tôt dans l'enfance. Particulière, disent ceux qui l'aimaient. Elle ne partageait pas sa pensée, se préoccupait peu de celle des autres. Les écoutait pourtant, s'attachait à les comprendre, y arrivait mal, s'étonnait de sa différence. La normalité l'angoissait. Elle faisait un effort immense pour comprendre pourquoi. Comme on regarde derrière la vitre un paysage qu'on ne reconnaît pas. Le langage la fascinait, aussi les voix. Elle voulait être avocate, était devenue magistrate, s'occupait d'affaires difficiles dans un monde d'homme. À moins de trente ans, ce n'était pas facile. Elle pensait encore, comme une enfant, que parfois des choses merveilleuses arrivent. Que les anges gardiens jouent à vous garder de temps en temps et vous perdent tout à coup. Que nos chuchotements les effraient. Elle promettait beaucoup, s'en excusait, tenait ses promesses mais oubliait pourquoi. Elle devait être grave, désespérée même. On a dit ça ensuite. Elle n'avait pas laissé de mot, d'explication. N'a pas pensé aux vivants, à ceux qui restent devant ce silence destiné à ne jamais prendre fin. Elle a mis fin à ses jours à l'heure où l'on dort. Personne n'a entendu, personne ne l'a vue. Rien à comprendre que des conjectures. C'étaient pourtant ses frères qui dominaient la scène, l'aîné d'abord, avant sa disparition, et surtout le second, son génie, son amour d'enfance. Il avait cette intranquillité d'être qui fait les créateurs quand le monstre repu ne les dévore pas. Peut-être aurait-elle voulu rester toujours auprès de lui au fond du jardin à s'étonner que le monde commence. Trop de magie dans l'enfance, un monde ensuite apparemment facile, maîtrisé intellectuellement — elle se jouait des obstacles —, une solitude implacable, en fait. Qu'on devinait quand elle appelait au secours à mi-voix, mais pas au point de... Une jeune fille happée par les morts. Une sœur. Une femme qui ne sera jamais ni vieille ni mère. De quelles paroles a-t-elle manqué ? Peut-être d'aucune. Peut-on sincèrement choisir de mourir comme ça, était-ce un sacrifice — à qui, à quoi l'a-t-elle adressé ? — ou juste un renoncement à voir se blottir dans le noir les yeux des ogres luminescents dans les histoires d'enfants ? Quand une jeune femme meurt qui d'autre meurt avec elle ? On dira : un suicide. Une femme sacrificielle de plus, un nom au bas d'une liste. Une qui manque toujours, tout le temps, pour quelqu'un. Parce qu'aucun mot, en réalité, n'approche, n'apprivoise la mort d'aucune façon. Aucun mot ne lève le secret d'une vie entrant volontairement dans la mort. C'est aussi cette impuissance des mots à laquelle répond le sacrifice, l'adresse aux dieux absents, la convocation qu'il nous tend. Le rituel, les paroles dites, redites, les prières. Notre besoin de comprendre, de consoler, de veiller, vient ensuite, mais tard.

Esther repose en paix. On ne peut que l'espérer. Qu'il y ait au moins une paix après. Quelle paix pour ceux qui restent ? Une femme sacrificielle agit pour et à la place d'autres, sans le savoir souvent, mais cet acte-là rend possible, étrangement, que la vie reprenne. Qu'une concorde, une parole, une naissance, soit possible ; une brèche dans la fatalité annoncée. Les sœurs ont une existence d'éclipse. Il leur faudrait consentir à naître une seconde fois, à trahir enfin frère, mère et ancêtres pour commencer d'être une amante qui aime d'un autre amour que celui de la fidélité et du renoncement, de la colère et de l'enfance.

Un amour fraternel

C'est au commencement une histoire fraternelle, comme toutes celles, peut-être, qui fondent le crime. C'est au départ un frère qui disparaît. À dix-huit ans. Et c'est celui qui, justement, ne devait pas mourir, le préféré. Il est mort en mer, emporté par une vague au cours d'une régate en Corse, de nuit ; un accident comme il y en a tant. Vous avez vu sa photo dans les journaux, elle n'a pas d'âge, elle vous aveugle d'un seul coup, avec son visage et son refus de vous, ses yeux sans regard, qui ne vous voient pas. Son histoire est résumée en quelques lignes. L'absurdité tient dans l'agencement de ces phrases emboîtées par un journaliste qui a voulu bien raconter ça, toute cette bêtise étalée en pleine page jusqu'à la nausée. Vous posez le journal, vous oubliez. Mais ça insiste, pendant la nuit, pendant la journée, comme une douleur imprécise qu'on ne parviendrait pas à localiser, une fièvre légère.

Elle a commis un crime, vous dit-on. Elle plaide coupable, accepte l'avocat commis d'office et ne désire pas se défendre dit-on. Un tel acharnement à être accusée prête à la méfiance, laissant persister un malaise que l'on ne peut, au départ, vraiment identifier. Puis vient l'idée que peut-être un tel renoncement à se défendre ressemble de très près à un acte d'accusation. Mais un acte qui ne trouverait personne à qui s'adresser.

Elle s'était tenue loin de la mer, elle avait aimé un homme, homosexuel, séropositif, danseur. Un homme magnifique pour lequel elle était prête à tout accepter. Ils avaient fait un mariage « blanc » comme on dit, et c'est étrange comme la blancheur ici vient reprendre ses droits, ses droits d'effacement et d'oubli, de retrait et d'humilité. Mais l'homme avait voulu reprendre sa vie itinérante dans des compagnies étrangères et avait provoqué la séparation. Elle avait tenté de travailler dans un journal, rien ne marchait. Il était le frère retrouvé, celui à qui, dit-elle au procès, elle avait voulu rendre vie — une vie digne, protégée (protégée de qui ? de quoi ?). Jusqu'à ce qu'il revienne vers elle et lui propose de faire un enfant. Un petit ange, dit-elle, et ce fut Raphaël, archange déboulé dans cette histoire aux sexes indistincts et aux parentés indécises. Très vite, le partage se passa mal. D'abord parce qu'un nouveau-né ça ne se partage pas, et qu'il n'y a personne pour faire tiers dans cette histoire, personne pour tenir à l'écart ce frère revenant, spectral : un danseur ça ne tomberait pas d'un voilier, son pas magique qui ne devait jamais trébucher aurait dû conjurer l'événement tragique, éternellement présent. Un nouveau-né c'est aussi et toujours soi-même à nouveau, mis au monde et confronté à notre part la plus archaïque, la plus secrète aussi. Ce « frère » incestueux et gay, ce frère qu'elle désire et qui ne veut pas d'elle, elle se dispute un soir violemment avec lui. Le juge a demandé si cet homme s'était mal comporté avec le bébé. Non, a-t-elle dit. Simplement, il n'en voulait plus de cet enfant et lui avait demandé de le reprendre avec elle. C'était ce qui l'avait mis hors d'elle, apparemment. Alors que c'est ce qu'elle désirait, garder le bébé tout à elle. C'était à n'y rien comprendre. Les archanges n'ont pas pour vocation de venir s'immiscer dans la vie des vivants, ils supportent déjà le poids du monde... alors quand un enfant est désigné pour prendre sur ses ailes non charnelles tout le poids d'une histoire non résolue, d'un deuil jamais réalisé... Pour l'avoir, elle avait risqué de contracter le virus, mais lui, le danseur, avait choisi la vie, il n'en voulait pas de ce sacrifice pour un autre, au nom d'un autre, un frère revenu du flot sombre par l'enchantement d'une naissance.

L'avocat dit au juge que c'était un accident, que sa cliente n'avait pas toute sa tête... C'était aussi la thèse du médecin légiste, mais elle soutenait que non, que c'était elle qui l'avait poussé violemment, elle voulait l'annuler, le précipiter dans le néant, qu'il n'existe plus. Un escalier, un trou au milieu, pas de témoins. Le vide, cela ressemble au bord du monde... au rebord d'un voilier filant sous le vent, de nuit. Un frère ni vivant ni mort qui fut aussi un amant d'une nuit — pas de tombe, seulement la mer et l'effacement ; et ça l'a rendue folle pour autant que la folie, quelquefois, soit le dépôt en nous de la douleur quand elle s'accroît jusqu'au vertige et fait se dissoudre lentement les empreintes de notre identité.

Le juge l'a acquittée et a signé une demande d'internement. Peut-on, doit-on être acquitté de sa folie ? C'est l'une des graves questions que posent le droit ou la philosophie à la psychanalyse aujourd'hui. Que signifie être « hors de soi » ou « non responsable de ses actes » : la responsabilité s'arrête au seuil de la folie, c'est avéré, mais la folie n'est-elle pas un choix du sujet, ou du moins le fait d'un sujet qui n'a eu d'autre choix, peut-être, que de « céder à la folie » pour ne pas disparaître ou être entièrement perverti ? On ne peut répondre dans l'absolu à cette question, elle est indécidable naturellement. Mais quelquefois, la sentence pénale d'irresponsabilité est le pire qui puisse arriver à un sujet. Ni culpabilité avérée ni liberté. Les murs clos d'une prison médicamenteuse comme seul avenir. Pour elle, ce fut comme un édit de mort. On a placé son enfant à la Dass. Elle fut trouvée pendue quelques semaines plus tard dans sa cellule. Sans témoins, dit-on. Sans autres archives ni mémoire à cet enfant que les minutes du procès. Et rien autour pour étayer la description des actes. De l'état des personnes, comme on dit, leur annulation devrait-on ajouter.

Un sacrifice est la perpétuation d'une scène qui s'est déjà jouée et dont la mémoire a été effacée, ou salie, ou pervertie. Il en est ainsi des générations touchées par les guerres, les distorsions font partie des raisons d'État et il n'y a plus personne à qui demander des comptes. Mais c'est un compte dont on ne peut jamais s'acquitter.

Le frère perdu n'était pas à lui seul la raison du sacrifice. Il a fallu encore que cette mort soit barrée, ensevelie, non nommée. Ou qu'elle apparaisse comme un pur scandale pour les vivants qui, dès lors, à n'être pas des archanges, ne sauront comment s'en délivrer.

Bérénice ou le goût de l'absolu

> « Rien ne ressemble à la mort comme l'amour. »
>
> Aragon,
> *Aurélien* [1]

Que ne ferait-on par amour ? est une question de femme, sous le signe de cette alliance entre le féminin et le sacrifice qui trace une frontière presque invisible, mais néanmoins tout à fait réelle, entre la « vraie vie » et l'absolu. Cet absolu qu'on ne voudrait échanger contre rien d'autre construit, en Occident, les traits d'une féminité exaltée à l'ombre des pères et des frères — qui fait de la mort une possible rédemption, une autre sœur. Et de la guerre une figure privilégiée de ce rapport à la mort.

Bérénice est un portrait de femme sacrificielle exemplaire, comme il y en a quelques-uns dans de très grands romans d'amour, quand l'écriture traverse et déplace ce dont il est question et ouvre une ligne d'horizon à l'intérieur de nous-même, de nos déchirements intimes et que dans cet écart, cette violence maîtrisée, la vérité d'un

1. Louis Aragon, *Aurélien*, dans *Œuvres romanesques complètes*, Gallimard, Bibliothèque de la Pléiade, t. III, 2003 (la pagination renvoie à l'édition Folio n° 1750).

certain rapport au monde, à l'amour et au sacrifice est donnée.

Aurélien est un roman commencé en 1942-43, en pleine guerre, alors qu'Aragon et Elsa Triolet, traqués, sont entrés dans la Résistance. C'est un livre écrit sous les bombes, dédié à Elsa, « à qui je dois d'être ce que je suis, à qui je dois d'avoir trouvé, du fond de mes nuages, l'entrée dans le monde réel, où cela vaut la peine de vivre et de mourir ».

Aurélien est un enfant « amnésique » de la guerre. Sa mémoire, son identité, son intimité même lui appartiennent. La guerre le hante et pourtant il n'en parle pas. Tout son être s'en fait l'écho, mais elle est inatteignable par les mots, par aucune sorte de consolation, aucun amour. Bérénice, elle, a le mystère des êtres que la joie habite. Je veux dire, cette sorte de joie qui irradie mais reste ignorée du sujet lui-même. Bérénice espère l'absolu, l'absolu de l'amour et l'absolu dans l'existence ; elle ne veut rien céder, ni aux conventions, ni à la bêtise, ni à l'oubli. Bérénice sacrifie le bonheur à l'amour. Abandonnée par sa mère, elle ne vaut donc pas de vivre. Et rien de ce qu'elle a pu dire pour autoriser cette femme malheureuse à partir, et rien de la consolation qu'elle aura pu incarner aux yeux d'un père tour à tour haï et aimé ne saura combler ce vertige de l'amour trahi, de l'abandon premier, maternel. Aurélien viendra, juste à l'endroit de cette blessure, cercler d'un autre trait ce qui la sépare à jamais, elle, des autres. Ce qui la sépare de ce droit de vivre sans équivoque, de ce choix du bonheur dont elle s'est écartée, comme de la maternité d'ailleurs. Mais le sacrifice ou plutôt l'acte sacrificiel auquel elle s'identifie est subtil, presque invisible comme une cicatrice ancienne. Ce sacrifice, pourtant, passe exactement entre l'amour et la joie, le bonheur. Il engouffre quelque chose de la mort à l'endroit où ils devraient coïncider.

Entre Bérénice et Aurélien, il y a la présence spectrale d'une guerre. Et c'est Bérénice qui va prendre sur elle, d'une certaine manière, les fantômes d'Aurélien et le délivrer de cette guerre sans nom, au prix de sa vie à elle, puisqu'à la fin du roman elle tombe sous les balles des Allemands en s'interposant entre eux et lui. Comment parler de la guerre et en transmettre le témoignage ? L'événement a brisé le récit, c'est-à-dire la capacité de se penser soi-même comme acteur de l'Histoire. Bérénice est la seule à vouloir connaître la guerre, parce qu'elle comprend qu'Aurélien et la guerre ne font qu'un : « Vous me parlerez de votre guerre n'est-ce pas ? sans quoi trop de vous me resterait inconnu [1]. » On peut voir dans la déréalisation dont souffre l'ancien combattant, inapte à ressaisir le temps, une interrogation sur les conditions mêmes de ce que c'est qu'être témoin. Mais de quoi, et pour qui est-on témoin ? Cela aussi le sacrifice en fait état, puisqu'il fait de tous des témoins d'un événement qui fait césure dans le temps et réinscrit de l'ordre symbolique, de la valeur, là où tout avait été brouillé. Ce qu'interroge ce livre est : que savons-nous du temps qui commande à l'Histoire, aux récits ou à ce sens intime de la durée dans laquelle chaque être insère sa fragile existence ? Qu'embrassons-nous des êtres que nous disons aimer ?

Ce roman du retour des tranchées est aussi un roman du retour à la conscience de soi. Il nous fait entendre à travers Aurélien la lutte d'une conscience déréalisée qui cherche, mais en vain, à reprendre pied dans le monde réel. Incapable d'attachements, Aurélien se laisse porter par les événements, dans une « disponibilité permanente », donnant à ses maîtresses le sentiment « que c'était lui la fille dans leur aventure ». Face à la vivante Bérénice, il ne parvient pas à se « débarrasser des noyés », à surseoir à sa propre dérive intérieure. Le

1. *Ibid.*, p. 256.

deuxième conflit mondial ne réunit qu'accidentellement Aurélien et Bérénice, pour vérifier leur séparation essentielle puisque la guerre déjà minait leur amour. Il ne s'agit pas seulement de cette brèche historique que la guerre fait arriver littéralement mais aussi du conflit intérieur à chaque sujet et dans le couple lui-même : « Celui qu'on aime c'est l'adversaire le seul redoutable. » Auprès du seul adversaire redoutable, si semblable à la guerre, le danger de la mort véritable n'est pas grand-chose. Bérénice, au moment de recevoir les balles allemandes qui la tuent, dit : « Je ne m'effraye pas. »

Un amour est tout un roman et ce roman fait entendre les voix multiples qui peuplent tout amour et chaque être en lui-même. Aurélien ne sait pas qui est cette femme qu'il aime : « Vous changez Bérénice, comme un paysage avec le vent... vous n'êtes pas une femme... vous êtes une foule... toutes les femmes... [1] », ou encore : « Il ne savait rien d'elle... une inconnue. » Paradoxalement c'est bien ce centre absent que semble tenter, en pure perte, de cerner Aurélien dans sa vaine quête de Bérénice.

« L'image de Bérénice mit un certain temps à monter dans ses pensées, à s'y former, à en écarter les broussailles, les ramifications des rêves et de la nuit. (...) Le nom et l'image de Bérénice ne coïncidaient pas tout à fait. Il y avait quelque chose de douloureux dans cette clarté croissante, cette blancheur... [2]. » Car Bérénice est, d'une certaine manière, la femme « blanche » par excellence. « Quand je vous ai vu pour la première fois, j'étais désespérée. Je faisais semblant de rire, de vivre. J'étais déjà une morte [3]. » Dans ce semblant du déjà morte, il y a de la blancheur. Lorsque Aurélien tente de

1. *Ibid.*, p. 255.
2. *Ibid.*, p. 233.
3. *Ibid.*, p. 413.

la prendre dans ses bras, « il embrassait une morte, elle le laissait faire avec une passivité affreuse, bien pire que la rébellion, que la lutte [1] ». Mais c'est une blancheur cette fois qui s'appliquerait à l'amour même, un amour qui ne parviendrait jamais à coïncider avec soi, avec l'image de l'autre ou avec une quelconque réalité donnée, comme s'il s'agissait d'un pacte retranché à l'intérieur d'un mystère plus grand. Mystère que la guerre vient nommer comme la commune appartenance des vivants et des morts à la mémoire du survivant. C'est d'ailleurs autour de la place « Blanche » à Paris qu'a lieu une rixe dans laquelle Aurélien et son ami Paul Denis se retrouvent, et où ce dernier mourra bêtement, à la place d'un marin ivre, et peut-être surtout à la place d'Aurélien. Place Blanche qui, comme son nom l'indique, vient désigner ce vide qui hante Aurélien comme la réminiscence des présences spectrales de la guerre, les soldats disparus dans les tranchées. Bérénice, elle, ne parvient pas à faire cohabiter son goût de l'absolu avec l'incarnation d'Aurélien. Quel est ce désir d'absolu qui anime Bérénice ? Les femmes sacrificielles ont rapport à l'amour en tant qu'il porte pour elles le sceau de cet absolu qui les protège en secret du monde réel, du monde quotidien dont elles ne veulent pas. « Il y a une passion si dévorante qu'elle ne peut se décrire. Elle mange qui la contemple. Tous ceux qui s'en sont pris à elle s'y sont pris. On ne peut l'essayer, et se reprendre. On frémit de la nommer : c'est le goût de l'absolu. (...) Si l'on veut, qu'on s'en félicite, pour ce qu'elle a pu faire faire aux hommes, pour ce que ce mécontentement a su engendrer de sublime. Mais c'est ne voir que l'exception, la fleur monstrueuse, et même alors regardez au fond de ceux qu'elle emporte dans les parages du génie, vous y trouverez ces flétrissures intimes, ces stigmates

1. *Ibid.*, p. 467.

de la dévastation qui sont tout ce qui marque son passage sur des individus moins privilégiés du ciel[1]. »

« Bérénice avait le goût de l'absolu. » Le goût de l'absolu, c'est une manière de refuser le monde humain. Un autre personnage la définit ainsi : « Cette femme brûle. Comme une damnée. L'enfer, c'est probablement sa vie. » Quand Aragon évoque l'enfer, c'est pour l'assimiler à l'orgie et à la guerre : guerre et sexualité masquées sous la douceur du masque de Bérénice, femme-enfant et pourtant infernale. La laideur de Bérénice, première phrase du texte, c'est d'une certaine manière le mélange de répulsion et de fascination que Freud met en évidence dans la pulsion érotique. Bérénice ranime cette peur, éprouvée dans les tranchées, ce lieu où s'accumulent toutes les brisures : celles des terres, des barbelés, des arbres, des hommes.

La femme qui se sacrifie par amour sait ce qu'elle fait, mais elle ne sait pas — paradoxalement — pour qui elle le fait. Car ce savoir-là supposerait qu'il y ait un autre en face d'elle qu'elle pourrait regarder, juger, choisir d'aimer, avec le minimum de distance nécessaire à la différence. Or elle est transportée « dans l'autre » à qui s'adressent son acte et sa valeur. De lui seulement, elle peut recevoir reconnaissance et hors de lui, aucune vie n'est envisageable. La différence n'est là que pour accuser. Il n'y a pas de vie à deux possible, seulement une fusion à tel point totale et réalisée qu'elle a besoin de la mort pour être effective. Le sacrifice par amour est l'aveu qu'il n'y a d'amour que déréglé, impossible, en sursis, parce que celui ou celle auquel il s'adresse est fantomatique en cela qu'il porte la mémoire et des morts et des disparus, il renvoie à une antériorité sur laquelle aucune volonté ne peut avoir de prise, un temps « avant le temps » qui excède infiniment les sujets pris dans et par l'amour.

1. *Ibid.*, p. 329.

Bérénice, à première vue, ressemble à ces femmes altières, hautaines même, lisses, sur lesquelles les vicissitudes de la vie ne semblent pas avoir prise. Il y a des femmes qui traversent ainsi l'existence, elles répondent en tout point à l'idée qu'on se ferait d'une femme autonome, qui prend en main l'émancipation de son désir et son destin avec. Aujourd'hui, on dirait que rien ne leur fait peur : famille, travail, enfants, amants, elles ont du répondant et le font savoir. Pourtant une espèce particulière de douleur les mine, une sorte de solitude que rien ne rompt. Tous les discours de façade qu'elles prononcent ne font que mieux taire leur attente secrète, leur espace intérieur. Et si un homme vient à les débusquer là, qu'il vient les dévoiler à l'endroit, précisément, où elles ignorent être, tout va brusquement céder en elles et s'effondrer. Tomber dans cet amour comme une révélation entière. « L'amour d'Aurélien, n'était-ce pas la justification de Bérénice ? On ne pouvait pas plus lui demander d'y renoncer que de renoncer à penser, à respirer, à vivre. Et même est-il sans doute plus facile de mourir volontairement à la vie qu'à l'amour [1]. »

Mourir volontairement, c'est se sacrifier pour vivre d'une façon à laquelle seule la mort vous fera accéder. C'est poser le choix comme si on le pouvait encore. Comme si la guerre n'avait pas tout arraché, tout empêché, tout dévasté.

Aurélien est un roman sur la guerre probablement plus que sur l'amour. Sur ce que la guerre fait à l'amour, pas la guerre en direct, la guerre *après*, la guerre dans la mémoire, sur ce que ces carnages dévastent alors même que les corps sont miraculeusement indemnes de toute blessure. Bérénice, en ce sens, est une femme dont le sacrifice appartient au traumatisme propre à la guerre, à l'idée de ce que cela pourrait effacer, racheter même... Elle est une femme libre, orgueilleuse, qui ne veut pas

1. *Ibid.*, p. 334.

laisser la société lui dicter sa conduite, son destin. Elle s'apparente aux héroïnes de Sand ou de Colette dont la liberté endosse cette forme particulière d'aliénation consentie qu'est l'amour, un amour qu'elles savent perdu d'avance, en tout cas invivable. Mais ne pas le vivre serait ne pas vivre du tout. Le sacrifice de Bérénice n'est pas de tomber sous les balles du soldat allemand, c'est un événement « absolu », l'événement de la mort comme dirait Blanchot, son sacrifice est dans le retranchement qu'elle choisit. Se retrancher de cet amour-là, faire de l'absence une forme de vie plus haute, d'amour plus intense, de voie escarpée contre l'ennui, la mélancolie, l'oubli. C'est ainsi qu'elle survit, pour elle-même et pour lui. C'est le cas de presque toutes les héroïnes durassiennes, de Lol V. Stein à Anne-Marie Stretter. Des femmes dont le ravissement est une sortie hors de la vie parce qu'il n'y a pas d'autre issue.

Bérénice existe. Il y a des amantes dont l'effacement n'est pas un renoncement. Cette femme sacrificielle donne à sa liberté une aura particulière, un avant-goût de provocation. C'est à son style, Aragon dirait peut-être à sa « laideur », qu'on la reconnaît. Cette manière particulière d'être soi qui vous retranche des autres parce qu'on est capable de faire un vrai choix, et que ce choix vous retranchera du rapport qu'entretiennent habituellement les humains entre eux, qui lorsqu'ils sont ensemble ne détestent rien tant que les sacrifices d'amour car ce sacrifice accorde une extrême valeur à ce dont la communauté s'acharne à détourner le sujet : d'une vraie vie, d'une vraie mort, c'est-à-dire la possibilité de la vie même.

Prostitutions

C'est l'histoire d'une fée, une fée prostituée. Une fée ça n'a pas de nom, tout au plus une couleur. Le livre de Frédéric Boyer, *Une fée* [1], ne parle pas d'horreur, juste de la misère ordinaire. Il raconte l'exode d'une fille de l'Est dont le périple, aux mains d'un de ces trafiquants modernes d'esclaves du plaisir, s'achève dans un grand hôtel à Vienne.

Cette jeune femme, dans ce court et magnifique récit, n'a pas de nom à elle ; pas d'autre nom. C'est étrange, parce qu'une fée, ça n'a pas de corps non plus, ou un corps de rêve, de pure image, un corps évanescent qui ferait arriver des merveilles. Une fée, c'est le nom d'un enchantement, c'est la fée de Pinocchio ou de la Belle au bois dormant, la Clochette de Peter Pan, celle qui fait échapper au réel par un coup de baguette magique, c'est la fée des consolations et des espérances ; rien n'arrive à une fée puisqu'elle n'est pas tout à fait de ce monde, elle glisse à la surface des choses et des êtres en rendant un instant leurs illusions réelles, elle colore les songes et quelquefois, comme Mélusine, pourrait devenir dangereuse. L'enchantement alors risque de tourner au drame

1. Frédéric Boyer, *Une fée*, POL, 2000.

pour celui qui se laisse envoûter par la voix de la belle. Celle-là est une femme de chambre d'un grand hôtel à Vienne que le narrateur observe et dont il raconte l'histoire. D'histoire, en fait, il n'y en a pas ou plutôt, comme pour toutes les histoires de prostitution, elles se ressemblent tellement qu'on finit par les oublier. Toutes ont une famille là-bas, dans leur pays d'origine. Des familles auxquelles elles ont été soustraites par persuasion ou de force, ou encore qui les ont vendues; il y a aussi un passeur, un homme mais aussi quelquefois une autre femme, qui font office de maquignons : les bêtes sont précieuses, il y a plusieurs frontières à traverser, on les droguera, on les endettera jusqu'à la fin de leur vie, et avant même qu'elles ne réalisent ce qui leur arrive, elles sont sur le trottoir. Dans ce récit, c'est comme ça que ça se passe, le passeur a l'air plutôt gentil, pas vraiment un salaud, peut-être pour cela est-il pire que les autres. Et puis au terme du voyage, il y a ce grand hôtel de Vienne où l'on offre ces filles aux riches hommes de passage. Officiellement, elle s'occupe des ménages. Elle rêve aussi. La prostitution n'achève pas le rêve, elle fait avec la possibilité du rêve. Et puis il y a un homme qui règne sur ce trafic, un homme qu'elle finira par tuer.

On reste en dehors de ce cercle enchanté que trace l'auteur autour de la jeune femme. Enchanté par le sacrifice ou plutôt, faudrait-il dire, maudit. Un cercle qui représente ce temps ajourné du sacrifice et qui attend celui ou celle qui va s'y prêter ou s'y rendre. Lors qu'elle tue l'homme, on sait qu'elle-même n'est pas sauvée, que le geste, hélas, n'offre aucune rédemption, aucune clôture magique à ce destin perdu, à cette vie manquée, marchandée. On l'a trompée, on lui a vendu de l'illusion et elle a bien voulu y croire. Que la vie là-bas serait belle, qu'elle y aurait droit, qu'elle sauverait à son tour sa famille restée dans la misère... Mais en y cédant, elle est devenue complice de ce qui l'a broyée.

Le narrateur lui aussi épouse le mouvement de cette vie, sa lenteur à comprendre, cette stupeur qui vous saisit devant l'inéluctable.

Écrire, c'est être témoin. Un roman se situe dans l'imaginaire, et pourtant, comment expliquer que ce qu'il nous désigne atteint le « réel », comme si l'écrivain était malgré lui le scribe d'une réalité fantomatique qui retrouvait par sa voix accès au sensible. Une réalité *under cover*. Une réalité astreinte par la voix de l'écrivain à se découvrir comme telle. Écrire, ce n'est pas écrire n'importe quoi, c'est être informé du monde, c'est faire passer ces voix fantômes qui nous hantent à la réalité. Non pas à la réalité du récit, puisque celle-ci est fictionnelle justement, mais à la réalité de l'émotion de saisir le lecteur, son intelligence, qui lui fait entrevoir « du réel » même. C'est vrai du moins de ce qu'on appelle la littérature, qui est peut-être moins une affaire de style que de contrainte, celle à laquelle obéit l'écrivain quand il devient un scribe. Se rendre à l'injonction de ces voix ne suffit pas à un écrivain, car la folie aussi rôde dans ces parages, mais c'est une contamination nécessaire. Être redevable de ce rapport au réel dans la littérature est exténuant, ça peut même rendre fou. Dans ce récit, *Une fée*, le narrateur décrit le progressif abandon de soi comme une sorte d'anesthésie qui gagnerait jusqu'à la conscience, qui l'ensevelirait vivante dans cet acquiescement hébété qui fait les âmes mortes que l'on croise tous les jours. Une stupeur qui ajourne sans cesse l'échéance.

La prostitution se donne rarement pour ce qu'elle est parce que l'arrogance de tous ceux qui s'y adonnent est de croire qu'on peut préférer cette existence-là à une autre, que ce n'est pas si mal au fond, qu'on juge trop vite, et d'un point de vue moral, ce que l'on ne connaît pas. Ce serait trop épuisant de les suivre pas à pas, d'entrer dans ces vies-là ni en voyeur ni en procureur, juste pour comprendre, pour se fondre un peu dans ce paysage de la chair qu'on détache par lambeaux pour encaisser de l'argent et survivre. Se vendre pour le plaisir, pourquoi pas ? Mais il ne s'agit pas de ça justement. Le sale trafic qui s'y perpétue n'a d'autre justification que celle de faire tourner de la chair fraîche pour des hommes avides d'en consommer en y pensant le moins possible afin d'oublier aussitôt ce qu'ils ont fait, qui ils ont touché ou plutôt à peine touché. Il y en a aussi de romantiques qui leur disent je vous aime et leur offrent des fleurs, voulant croire à la rédemption fragile d'un acte auquel ils trouvent une détresse particulièrement belle. C'est un monde qu'on ne comprend que de l'intérieur, quand il est trop tard pour partir.

Liana est sans âge, sans identité, sans adresse. C'est une « fille de l'Est », comme si *l'Est*, ça suffisait pour désigner ce peuple de filles, de sœurs, de très jeunes mères venues des Balkans — des anciens pays communistes désormais convertis à l'économie de marché —, un peuple de femmes fantômes enlevées à leur famille, abusées, séquestrées, prostituées. Elle est vouée à celui qui l'a « embauchée » (il faudrait dire : enlevée) et à qui elle doit rembourser indéfiniment la dette de son « entretien ». Histoire connue, pitié de convenance, sursaut moral d'indignation, pétitions... En réalité, rien ne change. Depuis des années, ces filles sont là sur les grands boulevards, disponibles. Toutes ou presque ont une histoire sacrificielle qui les tient, peut-être même qui les sauve. Il est facile de les plaindre de loin, il est presque impossible de les protéger, de les approcher de près. Les réseaux fantomatiques disparaissent à la première investigation, les plaintes se perdent, les intermédiaires s'avèrent de petits commerçants sans histoire. Les filles sont libres, dit-on. Elles veulent l'argent facile, la vie en rose vite fait que l'Occident leur propose sur prospectus, alors finalement tant pis pour elles... On ne les connaît pas, on ignore la mort de celles qui choisissent d'en finir plus vite, on ignore aussi notre faim, notre avidité, ce désir démultiplié partout, sans cesse, pour exaspérer encore un peu plus cette faim, jusqu'à lui enlever tout visage reconnaissable. On voudrait en faire un trafic comme un autre, et qu'on n'en parle plus.

Dans la prostitution, il y a la misère, le forçage de l'esprit et du corps, l'esclavage moderne en somme, sous couvert de revendiquer le plaisir et la liberté. Des vraies courtisanes qui, comme on dit trop vite, « aimaient ça » il y en a eu, sûrement, mais peu au regard de ce qu'est la prostitution. Ce qu'on sait moins, c'est la part sacrificielle qui demeure gardée comme un secret par-devers soi, avec l'idée que ce sacrifice vous sauve un peu parce qu'il sert au moins à quelqu'un, à quelque chose. Parce que ce qu'elles font, c'est encore pour un autre. Pour un enfant resté là-bas, confié en hâte à ses grands-parents, pour un frère menacé de prison dont on relève la dette, pour une mère accablée, pour un père handicapé par la guerre ou trop alcoolique. On est dans Zola moins l'exotisme, avec une misère banale à pleurer. Il y a la fierté : au moins ne plus rien coûter à la famille, croire qu'on va s'en sortir et que cela rachètera la honte, la trahison, avec l'espoir de pouvoir revenir au pays comme un ange rédempteur, riche et comblée...

On est boulevard des Maréchaux. Elle est grande, charpentée, son visage est triste. Liana arrive de Slovénie, elle annonce vingt ans, on en doute. Il y a sept mois, jour pour jour, elle s'est laissée tenter par l'un de ces milliers de passeurs qui sévissent là-bas et proposent un travail rémunérateur à l'Ouest contre mille euros. Elle savait ce que ça voulait dire, sa famille endettée jusqu'au cou a feint de ne pas comprendre. Liana est partie, pensant « faire son devoir », mais les larmes aux bords des yeux contredisent le sourire offert aux clients qui « préfèrent croire qu'on aime faire ça ». Elle dit : « Vous croyez qu'on peut aimer ça ? Beaucoup de filles sont maltraitées, on se fait taper, parfois violer et voler. Vous voyez cette balafre-là, c'est un mac des Maréchaux qui m'a tabassée pour me chasser du quartier parce que je plaisais plus que ses filles. Non, on ne peut souhaiter ça à aucun être humain. »

Se prostituer, on le sait, ce n'est pas faire l'amour, c'est donner un objet de plaisir à celui qui paie pour ça et qui peut se jouer lui la comédie de l'amour ou du plaisir. Mais le sacrifice est ailleurs, dans l'humiliation subie, dans ce montage des corps et ce commerce des peaux greffés sur le désastre d'une sexualité misérable, sur le désarroi d'une société qui n'offre que de la marchandise et de l'abus de consommation pour toute éducation des corps. Le sacrifice voudrait sauver quelque chose qui n'a même jamais été nommé.

Elles viennent aussi d'Afrique, des îles Philippines ou du Maghreb, elles viennent de n'importe où, d'ici aussi, des zones de non-droit qu'on laisse un peu partout se multiplier dans un monde où la valeur marchande n'assigne aucune limite à ce qu'elle vend, ce qu'elle achète ou, plus rarement, ce qu'elle offre. Le capitalisme était un moment de la conquête économique où l'objet était encore investi de valeur, fût-elle faussée, et non pas alibi virtuel, interchangeable, de tous les trafics. Aujourd'hui, le besoin de consommation a englouti la fabrique où il a été conçu. On laisse loin derrière nous le capitalisme, on s'en rendra compte sans tarder, parce que la demande excède infiniment le pouvoir de créer des objets, la demande avale tout objet par avance. Le désir infiniment démultiplié qui ne rencontre aucune limite construit la valeur — des corps comme des choses — dans une spirale qui n'a d'autre but que la pure satisfaction et non plus la construction de l'objet. Et cette spirale entraîne avec elle, virtuellement autant que réellement, toute la cohorte de nos désirs et pouvoirs sans que l'on sache si c'est à cela que nous obéissons désormais ou à la chimère d'un monde bientôt sans âge ni mort.

Le sacrifice, c'est celui d'un corps à soi, intime. Un corps non marchandable, un corps qui est aussi un nom, un visage. Le sacrifice, je le disais, est toujours adressé, il vient lier une dette à une autre dette dans un mouvement sans fin dont le corps ne peut jamais être quitte. Ce corps-objet est celui des adolescentes scarifiées, anorexiées, boulimiques, suicidées, il n'est pas seulement le corps de la prostituée, il est le corps prostitué sous toutes ses formes, peut-être parce qu'on ne sait plus jouir que de ça, du corps. Le sacrifice, ça commence quand, le sait-on seulement ? Au moment où ces femmes sont proposées par leur famille à des passeurs ou quand elles vont d'elles-mêmes chercher leurs services pour tenter une autre vie en Occident ? Quand la drogue les entraîne sans autre choix possible que cette descente vers l'esclavage ? Quand la misère n'offre aucun autre choix que celui de tout quitter ? On pourrait dire, sans l'entendre d'aucune façon moralement, qu'il y a toujours un choix. À l'endroit du sacrifice, le choix est de se donner pour un autre. La prostituée ne se « donne » pas pour de l'argent, elle a déjà été donnée, elle appartient de droit à quelqu'un qui ne l'a jamais désirée libre. Son choix est peut-être là : de ne pas trahir ceux, dans sa famille, qui l'avaient déjà d'une certaine manière prostituée, dévolue à la soumission d'un autre qui ne l'aimerait pas. Sans doute faut-il que quelqu'un ait imaginé pour vous la liberté possible pour qu'un jour elle se manifeste dans votre vie.

La prostituée peut dégrader son corps, aliéner sa parole, chaque instant de sa vie et jusque sa vie même, si elle est dans le sacrifice, elle est sauvée. Aux yeux de ce témoin silencieux, de cet Autre intérieur qui la garde et qu'elle garde, elle est sauvée. Peu importe qu'elle se mente à elle-même, qu'elle se détruise elle-même et d'autres sur ce chemin puisqu'« on » sait pourquoi elle fait tout cela. Ici, à nouveau, le sacrifice apparaît dans sa terrible ambivalence : face à la prostitution mais aussi à l'exil, à la drogue, à l'endettement, aux menaces de mort des souteneurs, à l'économie sordide de ces réseaux souterrains qui se déplacent dès qu'ils ont été repérés, etc., il fait de cette prostituée-là une presque sainte, il construit la dévotion. Il fait du frère, du parent, du souteneur, un personnage à qui cela « vaut » de donner son corps et beaucoup plus que son corps, n'en déplaise à ceux qui croient que l'on peut juste donner son corps et rien de plus, comme si le corps n'était pas déjà l'être tout entier et la peau, une sorte de respiration de l'âme, une deuxième parole. Je dis mensonge, parce que c'est une erreur terrible de notre monde que de penser sincèrement que la misère peut amener des parents à vendre leurs enfants. Ce n'est qu'un défaut d'amour banal, terrible dans cette banalité même, qui frappe aussi bien les pauvres que les riches et qui existe là partout, sous nos yeux, avec l'indifférence, l'abrutissement de l'alcool, la violence.

Le sacrifice est un rapport au secret. Secret qu'il expose et jalouse tout à la fois. Celui, celle qui se sacrifie maintient sa dignité dans le secret observé « à la lettre », de son sacrifice, mais en même temps c'est pour un Autre omniscient, omnivoyant que celui-ci se fait, comme si cela pouvait tout racheter. Cet Autre serait le témoin idéal, celui qui aurait vu dès le commencement la faute, le mal, l'injustice, celui qui saurait enfin comprendre la valeur de l'acte, le sens d'une destinée, et lui rendre, ainsi, sa vérité.

Liana, la prostituée de l'Est dont vous pourriez apercevoir la silhouette penchée au parapet, les yeux fixes, très fardés, laissant défiler les images d'un passé qu'elle se réinvente à mesure que la nuit avance, cette « fille » postée là, sur l'un des boulevards extérieurs du nord de Paris, elle croit vraiment qu'elle le fait pour un autre et qu'un jour la justice qui préside au destin, au regard de ce témoin silencieux à qui elle s'adresse en secret, l'affranchira. Comme si ceux-là qui l'ont vendue ou même seulement laissée partir allaient un jour reconnaître l'offense et demander pardon, comme si ce geste pouvait vous faire croire que tout peut s'effacer.

Mais ça n'existe pas, parce que ceux-là sont dans la honte ou l'ignorance de ce qu'ils ont fait, ou peut-être est-ce la même chose. Nous devenons la somme de nos actes, de nos pensées, de nos attachements, des émotions qui nous ont bouleversés, des peurs qui nous ont défaits, nous ne sommes indemnes de rien, rien ne recommence comme avant, rien ne s'efface, rien ne s'oublie. Seulement il y a des passages, des chemins de création, de rêves ou de destruction entre les mailles fines tissées par tout ce qui compose ou bien décompose une vie. Cette fille de l'Est est devenue lourde de tous ces corps qui l'ont touchée, de ces vies qui l'ont attrapée, bousculée, violentée en lui promettant du rêve sucré et de la vie belle. Et peut-être qu'il y a eu de la vie belle, et des rencontres, des vraies, et de vraies nuits et de vraies aubes, qui sait ? Qui dira l'authenticité d'une vie ou sa déchéance ? Personne. Puisqu'il n'y a pas de témoin justement, personne pour valider le sacrifice, personne pour redistribuer les cartes en tenant compte de l'effort infini que tout cela a demandé, il y a juste la vie qui tourne et des actes qui engendrent d'autres actes, de l'amour qui fabrique de l'amour et de la haine qui fabrique de la haine. Mais peut-être pas d'autre justice. Ni épreuve ni dénouement. Celle qui s'est sacrifiée comprend que personne n'attendait ce sacrifice mais que d'être dans le sacrifice l'a sans doute sauvée, elle, en remisant une part d'elle-même dans un lieu sacré, intouchable, de son être. Un lieu non dégradable qu'on ne pouvait pas « jouer », ni vendre, ni droguer. Un lieu pour l'âme dirait-on si cela ne résonnait pas de manière obscène. Un lieu en soi pour le témoin absent qui vous relie à l'humanité et, ainsi, vous retranche absolument en vous reliant absolument.

Une fille de l'Est, donc. Qui s'en sortira, on va dire ça. Elle va rencontrer quelqu'un qui va l'aider, elle sortira de la drogue et, peu à peu, du milieu. Elle essaiera de retrouver sa famille. Et là, elle comprendra que personne ne l'attendait. Qu'on l'a sacrifiée, elle, avant l'heure. Qu'il n'y avait personne au rendez-vous fixé avec l'Autre, le témoin silencieux pour lequel elle avait vendu son corps, connu la misère, la honte, le dénuement, l'horreur de cette banalité grise des vies dont on arrache à vif toute intelligence parce qu'elle ne sert à rien dans ces parages qu'à se faire du mal. On fêtera quand même son retour, son père sera mort, son frère absent, sa mère encore là, dans la même pauvreté, noyée dans l'alcool, hébétée, rien n'aura changé, ça n'aura donc servi à rien. Le sacrifice rencontre le vide. La non-réponse, l'absence au cœur même de la présence, de l'illusion du retour, du foyer, de la langue maternelle, du pays ami. Elle retournera en France et on la quittera là. Parce qu'il n'y a rien d'autre à dire. Celle qui se sacrifie est nouée à la culpabilité, elle vient rembourser une dette infinie, une faute inexpiable, à la place de tous les autres. Et parce que cette place est héroïque, elle occulte le mal qui ronge la blessure, qui la corrode et l'infecte. Ce destin de la culpabilité pour l'autre dont Levinas, en le portant à un niveau ontologique, a si bien parlé.

Combien de temps faut-il pour oser être libre ? Qui peut croire, dans les conditions d'une réelle misère psychique ou politique, qu'il est possible un jour d'être libre et de risquer sa liberté là où d'autres avant n'ont pas pu. Jusqu'où va la fidélité à ceux qui nous ont portés, élevés, aimés ? Peut-on en vouloir à ceux qui ont cessé de croire qu'il pouvait y avoir un chemin, un passage ? Le consentement, le oui de l'enfant disait Nietzsche, est la dernière des métamorphoses, la plus difficile, la plus désarmée. Dire oui, c'est changer totalement le sens d'un acte sacrificiel. Ce n'est plus être sacrifiée mais être celle qu'un acte peut conduire là où il y a « du » sacrifice. Mais cette femme sacrifiée, cette fille de l'Est là, à qui, à quoi peut-elle dire oui sans être broyée ? À la possibilité de l'inespéré. Au risque de vivre et d'aimer qui contredira la puissance que lui donne son sacrifice. C'est une immense chute et pas seulement un rêve. Quand on se situe sur ce plan-là, la vie accorde. Elle donne le terrible et la douceur, mais elle donne, elle fait effraction dans la trame de l'inéluctable. Dès qu'un être s'identifie au sacrifice, il se perd. Parce qu'alors toute issue devient négative. Il enferme tout autre dans une dette infinie à laquelle lui-même s'est livré : vois ce que je fais pour toi, je me détruis pour toi alors toi au moins tu dois vivre. Hyperbole du sacrifice dont la douleur, ultimement, couronne une parfaite solitude. Le sujet « devient » l'objet de son propre sacrifice, et la morbidité lentement envahit tout l'espace psychique. Parce qu'il s'agit somme toute d'affronter nos démons.

L'identification d'un être au sacrifice, c'est un gouffre sans fond dans un système de répartitions et de dettes sans rédemption possible, c'est une voie pour la mort qui brûle tout ce qu'elle touche ; quelquefois il semble qu'il n'y ait pas d'autre issue que celle-là mais encore faut-il endosser le poids du crime...

Quand le sacrifice fait événement, et qu'un être tout à coup, en une seconde, identifie sa vie à cet acte, par exemple en sauvant une vie au prix de la sienne, il coïncide simplement avec lui, parce que l'événement l'exigeait. Il y a là du consentement. Et même si ce « oui » ouvre une dimension tragique de l'existence, c'est à partir d'une ouverture précisément au non-tragique, c'est-à-dire à ce qui n'était pas prédéterminé.

Liana, la fille de l'Est, est une et multiple. Ce qui la sauve, c'est de croire que ce qu'elle fait est un sacrifice nécessaire. Mais c'est un prix exorbitant ; et c'est encore et toujours la femme qui est convoquée là, pour donner son corps et le vendre jusqu'à ce que mort s'ensuive, ou bien juste l'indifférence, l'oubli. Si c'est elle, la sacrifiée, alors tout le reste s'empoisonne, elle ne se sauve que pour mieux s'embourber, corps lié, culpabilité jointe. Il faudrait lui dire, à cette fille de l'Est, qu'elle n'est pas juste ça : une fille prostituée, qu'elle est aussi sable, boue, terre, ciel, blanche, noire, enfant, vieillard, qu'elle a l'humanité et la mémoire du monde en elle, et qu'à ce titre elle ne peut être dégradée, ni humiliée, ni vendue, qu'en se reliant à cet office sacré que signifie ce mot étrange d'« humanité » quelque chose, qui sait, se rouvrira dans son histoire et celle de ses proches. Aucune détermination, si tragique soit-elle, n'est définitive sauf à croire que l'on est devenu ce qu'on fait ou ce qu'on vous force à faire, même quand toute possibilité de secours et d'appel semble vaine. Mais d'où vient qu'on ait la force soudain d'appeler, de se retourner ?

La femme sauvage

Et finalement, si la femme sacrificielle existait moins dans ses actions héroïques que dans la blancheur, cette préférence pour l'effacement... Et si les remarquables et fantasques héroïnes qui ont inspiré les poètes étaient là pour nous faire croire à la grandeur du sacrifice plutôt qu'à la fatalité écrasante d'une guerre, d'un accident, d'une mauvaise naissance ? Si le sacrifice, finalement, ne s'abreuvait qu'à la source des morts quotidiennes, de tout ce devant quoi on abdique parce que la force nous manque pour continuer... La femme sacrificielle ressemble à ces passeurs de frontière qui en temps de guerre sauvent des vies quotidiennement, risquant la leur souvent sans témoins et sans bruit.

Et pourtant, d'Héloïse à Iseut, d'Antigone à Jeanne d'Arc, ces héroïnes, réelles ou imaginaires, ont construit une certaine mythologie du sacrifice au féminin en faisant du tout de leur existence un événement qui a valeur d'exemple. Cette exemplarité retourne leur asservissement — conditionné par leur identité de femme — en un réel pouvoir. Et ce pouvoir vaut toutes les morts. Ce pouvoir échange, en quelque sorte, la fatalité en capacité d'être libre. Par amour ou par idéal, ces femmes sacrifient leur être en « l'adressant » littéralement à un autre qui, même s'il n'entend pas, s'il ne comprend pas, donne à leur geste une extrême valeur. Il y a là une dimension de sauvagerie sur laquelle il est difficile d'écrire parce que trop d'images, de poncifs, s'attachent à ce mot « sauvage » dans une civilisation où l'on est à la fois policé à l'extrême et dans des effets de violence refoulée comme jamais peut-être auparavant. On pourrait essayer de dire que la femme sauvage est celle qui relie le sacré à l'immonde, celle qui rassemble en elle l'animal, le végétal, le minéral et l'humain, celle qui porte dans son ventre la possibilité de la gestation et de ce fait accueille dans son corps la dimension de la vie et de la mort en tant qu'elles sont indissociables. Cette sauvagerie a de tout temps fait peur, non pas aux hommes mais à l'espace social et politique essentiellement construit et gardé par les hommes. Parce qu'elle est hors contrôle, parce que la sauvagerie féminine s'apparente à un cataclysme naturel dont on ne saurait prédire ni la cause ni l'ampleur des effets. Dans tout acte sacrificiel, qu'il soit vécu par un homme ou par une femme, quelque chose de cette sauvagerie féminine s'exprime, qui ne peut être canalisé par d'autre voie que celle d'un cheminement vers l'extrême. Qu'il soit animé par l'amour, par la haine, par l'idéal éthique ou politique, qu'il soit essentiellement secret ou violemment extériorisé, le sacrifice porte en lui la nécessité d'en finir avec le monde ancien et d'ouvrir une voie nouvelle, inédite. Et ce rapport à la mort ou à la fin d'un monde est tout sauf morbide, il fait au contraire intervenir le *kairos*, l'instant présent, le moment opportun dans la succession du temps pour que quelque chose ait lieu qui n'avait été ni planifié ni même déjà pensé.

Interroger « la femme » dans son rapport au sacrifice, c'est aussi tenter d'entendre ce qui dans l'espace culturel et social où nous sommes aujourd'hui maintient le féminin en dépit de tout du côté du sacrifice, sans couvrir les voix de celles qui se battent et luttent, sans annuler la vie blanche de celles dont ne nous parviendront jamais la voix ni l'œuvre. C'est donc entrer dans la résonance de cette sauvagerie qui, si elle n'est pas refoulée ou systématiquement détruite, peut contribuer à accroître d'indéfinies possibilités de création. La sauvagerie féminine est une fécondité intellectuelle, morale, physique, psychique, parce qu'elle passe par d'autres voies que celles dont on use habituellement pour créer ou pour inventer. Des voies plus extrêmes, plus douloureuses sûrement — mais aussi jubilatoires —, qui font les commencements et décrivent les amorces du monde à venir. Bien sûr, le sacrifice est irrécupérable, je veux dire, il emporte avec lui ce « reste », cette chose terrible qui réduit en charpie les êtres et les vies, mais il n'est pas au service, dirait Freud, de la pulsion de mort, au contraire, il retourne la pulsion de mort dans sa détermination létale, vers la libido, l'éros, le vivant.

Une femme sacrificielle est une femme qui pour transformer ce qui l'asservit en possibilité de liberté n'a d'autre choix que de tout perdre, y compris quelquefois sa vie même. Ce n'est en aucun cas un renoncement, puisqu'elle soutient par ses actes, ses pensées, ses écrits, sa révolte, l'impossibilité d'être réduite à l'état de chose — chose maternelle ou sexuelle, consommable, regardable, programmable. La valeur asymptotique qu'elle accorde à l'idéal n'a pas d'équivalent et personne ne la forcera à se plier à la raison commune. Mais c'est peut-être et surtout dans son corps de femme que le combat se joue et se perpétue. Parce qu'en définitive, c'est là qu'on l'attend. Dans cette présence définitive et sexuelle de « corps d'une femme » à laquelle elle ne peut échapper, sauf à vouloir sortir du sexe en devenant entièrement chaste, virginale, ou en tentant d'arracher son corps à ce qui le scande (par exemple le temps dans la peur du vieillissement). C'est cette sauvagerie du corps féminin qui peut-être le rend « sacrificiel » depuis le commencement des temps. Et cela n'est pas étranger, non plus, à la maternité.

Et les mères? Parler du sacrifice maternel, c'est entrer dans ce que l'Occident abrite de plus secret, de mieux gardé : la fascination à l'endroit de la maternité, mais la haine aussi, qui en supporte le pouvoir.

Une mère sacrificielle — celle qui peut être ou victime ou bourreau — appelle tout à la fois la pitié et l'horreur. Sacrifiée, elle relève de ce qui dans la chrétienté a été assimilé au renoncement, à l'élévation spirituelle, au martyre; sacrifiante, c'est-à-dire orchestrant elle-même le sacrifice, elle suscite au contraire l'horreur. Quand une femme vénérée pour la « douceur » de l'amour maternel qu'elle prodigue devient une figure sacrifiante, elle ravive la peur la plus archaïque qui soit. C'est le renversement de l'amour en haine, de la protection en abandon, de la confiance en trahison, retournement dont les contes font état, entre autres *Hansel et Gretel*. De par sa nature de mère en puissance, qu'elle altère et contredit, elle fait intervenir quelque chose qui de tout temps a terrifié l'humanité : ce possible renversement du « donner la vie » en « donner la mort ». La femme sacrificielle, quand elle refuse la maternité, devient aux yeux du monde un être potentiellement dangereux. Loin d'être une mère spirituelle dont la compassion appelle la dévotion, elle incarne une toute-puissance terrifiante. Une puissance de vie et de mort sur l'enfant. C'est la mère en elles que ces femmes d'abord sacrifient, c'est-à-dire la « grande mère », la toute-puissance maternelle, pour entrer dans une féminité dangereuse de n'être *que* féminine. En profanant la vie, elles deviennent littéralement « intouchables » et, de ce fait, étrangères à l'ordre de la cité. Elles concentrent sur elles la violence d'un acte qui résume probablement un trauma jusqu'alors resté caché pour l'exposer en pleine lumière. Dans et par leur difficulté d'être mères — quelle que soit la manière dont elles l'expriment — elles transgressent les règles du jeu social pour s'engager dans un choix de vie périlleux. Nous sommes, en ce sens, dans un espace tragique. Peu de chose subsiste pour le doute, l'écart, la distance ironique. Et lorsqu'une femme vient remettre en cause la toute-puissance phénoménale du fantasme de la maternité, non parce qu'elle ne peut pas être mère, mais parce qu'elle ne le *veut* pas, parce qu'elle choisit un autre destin, une autre forme de création, et se soustrait à cette obligation tacite de transmettre la vie, tout est fait pour lui faire éprouver la plus terrible des culpabilités. Il serait bon de s'interroger sur ce soi-disant espace libre que serait par exemple la liberté d'avorter sur laquelle périodiquement les lois de certains États menacent de revenir.

La maternité a représenté un pouvoir immense mais un vrai danger de mort jusqu'à très peu de temps, à peine un siècle. Les femmes mouraient souvent en couches, et les enfants dans les premières années de leur vie. Pour une jeune fille la question du devenir mère se posait en termes beaucoup plus dramatiques qu'elle ne se pose à nous aujourd'hui. Notre époque a révolutionné le rapport du corps féminin au temps, puisque même l'« horloge biologique » recule aujourd'hui à des âges inimaginables il y a encore vingt ans. Aujourd'hui les femmes estiment avoir le droit à la jeunesse, à la maternité tardive, à la vie de famille tout autant qu'au désir de l'amante, à la reconnaissance sur un plan social et politique mais aussi personnel. Et toute renonciation paraît absurde. Et pourtant jamais peut-être cela n'a été si difficile d'être mère. Les motifs économiques, redoutables, rendent la vie compliquée, difficile et la multiplication des besoins et des désirs conflictuelle. Il y a une honte de la pauvreté ; la solidarité s'est épuisée à mesure que la société de consommation se mondialisait. La détresse des mères est moins visible, probablement, que celle des jeunes filles ; elles signifient leur révolte ou leur accablement dans un secret plus grand, car elles n'ont pas le droit, étant mères, de menacer en aucune manière la survie de l'enfant.

IV

LES MÈRES

Le trafic du sacrifice

Toutes les mères sont-elles coupables ? Il y a au moins un sacrifice qui donne à la mère « le beau rôle », c'est le sacrifice de soi pour son enfant. Il aura fallu attendre la diffusion de la psychanalyse pour interroger de plus près la cuisine qui se tramait là. Ce sacrifice dont l'enfant est l'enjeu quasi providentiel donne prise à tous les fantasmes. Je te donne tout, mon enfant, parce que tu es ma vie et le sens de ma vie. Je t'ai donné la vie, et tu ne pourras jamais t'acquitter de cette dette-là, alors fais en sorte que je sois fière de toi, que ton existence sauve et rachète la mienne, la justifie, la prolonge et la berce. *Puisque j'ai tout sacrifié pour toi...* Ces mots ne sont pas que des mots. À eux seuls ils dessinent autour de la mère un cercle enchanté dont l'enfant n'est pas autorisé à sortir. La valeur suprême d'une mère, sa fierté, sa raison de vivre et son alibi pour ne pas assumer sa vie de femme, c'est son enfant. Tel est le sortilège de la maternité dans sa violence archaïque. *J'ai tout sacrifié pour toi...* est une parole de mère qui souffre de ne pas avoir pu réaliser sa vie et qui transmet ainsi, intacte, sa douleur et son ressentiment, avec ordre silencieux donné à l'enfant de relever le défi de cette défaite. Beaucoup d'entre eux entendront cette petite phrase résonner encore des années plus tard, jusque dans leur nuit sans trouver le sommeil.

Le trafic du sacrifice, comme tous les commerces illicites, dissimule son objet. C'est au nom de valeurs ancestrales, d'une morale souveraine, que se font les plus basses œuvres : crime, abandon, viol, mensonge, trahison. Et ce sont les enfants qu'on dit « les plus aimés » qui sont les plus exposés. Mais il n'est pas besoin d'aller jusqu'au drame pour s'en rendre compte : le trafic dont l'enfant fait l'objet traduit de tout temps la difficulté d'une femme à exister pleinement et sa difficulté à elle de se réconcilier avec sa propre enfance. Le bébé, en arrivant au monde, fait revivre à sa mère et à son père certaines blessures bien cachées de leur propre enfance. Ainsi se constituent des chaînes intergénérationnelles avec la répétition des mêmes douleurs, des mêmes maladies, des mêmes exils, avec pour seule excuse l'ignorance. Les mères qui se sacrifient pour leur enfant sont dans une logique où elles cessent de vivre pour qu'il vive à leur place, vive la vraie vie et honore leur sacrifice. Il y a aussi toutes les formes de tristesse qui emportent les mères dans une sorte d'absence au monde, à elles-mêmes et à leur enfant, qui les rend inatteignables. Ce sont les mères dites dépressives, mot qu'on leur affuble en toute circonstance quand on ne sait plus s'y prendre avec le désespoir de ceux qui n'ont plus envie de jouer le jeu et de se lever le matin, ceux que le désir a peu à peu désertés et qui dérivent dans ces territoires de l'absence sans qu'on puisse vraiment les débusquer puisqu'ils ou elles ne sont plus vraiment « là ». Les enfants de ces mères dépressives sont aspirés littéralement par ce renoncement à soi qu'ils cherchent à combler, à distraire, à défaire, en désertant à leur tour leur vie d'enfant pour se faire ainsi le parent de leur mère si triste. Parce qu'il cherche à combattre la mélancolie de sa mère, l'enfant, sans le savoir, devient le seul substitut de « vraie vie » qu'il reste à la mère. Instrumentalisé par elle pour lui servir d'interprète et de vecteur du désir, il est sacrifié à l'autel d'une tristesse qui, souvent, a des origines bien plus lointaines, quelquefois dans une guerre, un enfant disparu prématurément, un parent jeune tué dans un accident ou encore rien, je veux dire une zone vraiment indiscernable. Parce qu'il doit remplacer auprès de sa mère un aîné disparu accidentellement, un enfant s'offre à être le rempart de tous les maux, et devient la seule raison que la mère a de supporter la vie. Il donne corps à son ressentiment en échouant ou bien il voudra être un gagnant en oubliant tout simplement ce qu'il désire, lui. L'enfant est une monnaie d'échange courante. Une défausse habile dans un jeu truqué. On le sait, les pires haines sont dans les familles, et le jeu des loyautés ou des trahisons y attise la violence comme nulle part ailleurs.

Quand la femme sacrificielle cherche à atteindre « la mère » en elle, c'est pour tenter d'abord de s'en différencier. Elle voudrait trancher le lien unissant intrinsèquement féminité et maternité pour se construire une identité de femme libre de toute sauvagerie maternelle. Or le sacrifice de soi que fait une mère pour son enfant est souvent un retour incestueux vers l'espace utérin où aucune séparation ne peut s'établir. Est-ce la défaite du père et de toute figure paternelle de substitution qui permet cela, comme on l'a souvent dit ? Le soi-disant des pères ne sert qu'à une rhétorique douteuse, une peur frileuse de la modernité qui en appelle aux modèles anciens pour toute explication [1]. Le père, certes, a une fonction séparatrice dans le couple que forment le nouveau-né et sa mère, et il l'a à peu près dans toutes les cultures d'ailleurs, mais on ne peut l'accuser de tous les maux sous prétexte qu'il ne ferait plus son office

1. Voir le livre de Michel Tort *Fin du dogme paternel*, Aubier, 2005.

de séparateur et de castrateur désigné ! Dans le trafic du sacrifice dont l'enfant est l'objet, la symbiose maternelle est si forte qu'elle tend à éliminer l'homme pour ne reporter que sur son enfant l'horizon d'un nouveau destin. Et c'est bien cette clôture qui est tellement dangereuse. Si le destin d'une mère est dans la séparation, de quel sacrifice alors s'agit-il ? L'enfant n'est pas tout entier à la mère, et quand elle-même se détache de lui pour le donner au monde en quelque sorte, elle lui fait un don immense, celui d'être né pour lui-même et non « pour » elle : ce qui met fin au trafic du sacrifice est un don sans retour. La mère doit sacrifier le fantasme du même, de l'identité redoublée, de la parfaite adéquation avec un enfant né de la même chair, et cette séparation, pour elle, peut désigner une perte irréparable. Sinon, c'est la violence ou la haine qui viendront, à l'endroit de cette confusion amoureuse, séparer les êtres comme on déchire la trame d'un tissu, manifestant de la sorte la non-reconnaissance de l'enfant. En devenant mère, une femme sacrifie son désir de toute-puissance sur l'enfant, la secrète résonance qui fait de lui son double. En cela elle reste fidèle à un lien archaïque qui n'a pas de mots pour se dire et dans lequel elle-même et sa mère ont été sans doute prises, jusqu'à la lente dépression mélancolique qui n'en finit pas de faire retour en se dévidant. L'infanticide, en ce sens, est la face noire d'une maternité qui ne peut faire acte de séparation qu'en donnant la mort, comme si donner la vie n'était que l'envers dans le miroir du geste qui la ravit.

L'héroïsme d'une mère sacrificielle, c'est de donner tout pour son enfant en l'enfermant dans une dette de vie dont il portera toujours le joug. Comme s'il avait pour tâche de faire table rase du passé, de réparer les injustices du destin. Nous croyons en l'avenir dans la mesure où nos névroses entretiennent l'idée que demain va racheter notre passé, et qu'avec un peu de bonne volonté (ou un enfant doué) tout cela ne sera désormais que mauvais souvenirs... C'est de ce trafic dont l'enfant est l'objet que se nourrit précisément la fatalité (et ce qui fait répétition dans nos vies, là où ça « grippe » continuellement au même endroit), et la logique qu'elle trame dans nos existences se sert de cette croyance pour nous rattraper là où nous souffrons le plus, quitte à nous y enliser définitivement. Telle serait la pulsion de mort que Freud voyait à l'œuvre dans la compulsion de répétition, si l'on entend par mort le retour au rien, à l'état de non-excitation, de « neutralité » absolue que pour nous la mort symbolise. C'est par rapport à ce principe de répétition qu'une autre lecture peut être faite du sacrifice, à savoir un rituel qui aurait pour fin, paradoxalement, de défaire cette œuvre de répétition en instaurant brutalement une autre temporalité. Le « une seule fois » de l'acte sacrificiel aurait ainsi pour but de faire cesser ce cycle morbide, mortifiant, du recyclage du même destin. De ce point de vue, le sacrifice d'une mère est particulièrement éclairant car il pose au cœur même de la filiation, de la transmission, la question de la différence, l'angoisse du travail de la différence quand il s'agit de la même chair, du même nom.

Comment échapper au trafic qui se perpétue au nom de l'enfant, à l'obscénité de ce qui fonde ce commerce, à savoir l'instinct maternel dévoyé à toutes les sauces, utilisé et réutilisé pour tout recouvrir : l'abandon, l'indifférence, la cruauté, la manipulation, l'angoisse de ne pas arriver à être au monde, à partager, à aimer. Est-ce donner trop d'importance au mal, c'est-à-dire à tout ce qui dans ce trafic excite l'imagination en pourvoyant les fonds de commerce du mensonge, du malheur ou du meurtre ? La maternité est et reste un mystère extraordinaire au sens littéral du terme, parce qu'elle excède absolument la cuisine de l'embryologie, parce que la transmission dont il s'agit est bien plus qu'une éducation, parce que tous les registres qui s'y déploient désignent une culture tout autant qu'une nature, parce que le trouble est jeté pour longtemps sur ce que désigne la mère quand l'enfant devient la seule justification qu'elle a à se maintenir dans l'existence. Car ce tout premier lien est à l'origine de tout lien social futur, là s'éprouvent et naissent les prémices de toutes les passions, les malentendus, les promesses. La mère est sans doute la première personne qui constitue « l'autre » pour un être qui vient au monde (dans tous les sens du terme venir au monde), elle est celle à laquelle s'adresse ultimement tout sacrifice, dans le désir de reconnaissance qu'il déploie. On ne sait pas quel est le rapport du bébé à sa mère (c'est-à-dire au premier « autre » perçu) quand il naît mais il est probable, comme l'a montré Melanie Klein, que la violence de ses propres pulsions l'assaille intérieurement (faim, angoisse, envie, etc.) sans que la limite entre le dehors et le dedans soit encore vraiment constituée comme telle. La confusion entre ce qui provient de lui-même et ce qui lui arrive par un autre met longtemps à s'éclaircir — ainsi naît le langage, de cette progressive désincorporation des sons qui l'entourent en mots qui désignent des choses. Avec le temps, qu'il réponde à l'appel d'une voix, qu'il tourne la tête dans sa direction, qu'il réagisse à l'odeur d'une autre peau que la sienne dans la caresse ou le manque qu'il aura d'elle, fait naître de l'altérité, strate après strate, par un lent sevrage qui n'est pas uniquement corporel mais d'abord psychique. C'est par des seuils de différentiations progressives qu'un bébé s'éveille à la conscience de son corps « à lui ». Et cet éveil ressemble à un démaillotage, je dirais presque à un désembaumement car si le corps de la mère est comme une matière-monde sensorielle dont le bébé littéralement fait partie, c'est la « pelure » de ces enveloppes sensorielles successives qui va libérer l'accès au corps-je, à ce que Didier Anzieu a nommé le moi-peau, du tout-petit. Si cette séparation des corps se fait par déchirure et violemment, certaines zones du corps — et de l'âme — seront affectées plus ou moins définitivement, jusque et y compris au repli mélancolique complet. Parce qu'ils fondent la constitution première de l'identité du bébé et de la reconnaissance (ou du moins son ébauche) de l'autre comme autre, les traumas qui les affectent vont retentir sur le rapport au monde du sujet tout au long de sa vie. On peut penser que le sacrifice d'une mère « pour » son enfant (ou contre lui) s'inscrit précisément dans la mémoire de ces zones-trauma que le sacrifice vient révéler et dénuder pour que cesse enfin le cycle infini de la dette et du rachat.

Nous sommes un monde qui sacralise la relation mère-enfant comme jamais sans doute auparavant dans l'Histoire, peut-être parce qu'il est difficile aujourd'hui de trouver un lieu sûr, un espace stable où se construire dans un espace social aussi mouvant que perturbé. Ce minuscule espace nucléique que représente le lien entre la mère et son enfant semble subsister comme seul lieu possible du mystère et refuge absolu contre toutes nos peurs. C'est évidemment une image archaïque, celle de la « mère » protectrice telle qu'elle s'est forgée depuis des millénaires probablement, et sa réactivation aujourd'hui — alors qu'en réalité les mères, la plupart d'entre elles du moins, n'ont jamais été aussi occupées ailleurs que dans l'espace familial, prises dans un temps si émietté qu'il laisse à peine le temps de se poser chez soi, un enfant dans ses bras. Le trafic du sacrifice dont l'enfant est l'enjeu reste la face obscure d'un marché silencieux, opaque, qui opère dans ces territoires intimes désertés par les mots. L'ambivalence réelle du lien à l'enfant ne peut être divulguée ; dans ce monde où l'on communique tant, on continue à nier cette haine dont l'enfant peut être l'objet. Parce qu'il reste sacralisé et en même temps malmené par les conditions de vie de beaucoup de mères, ce lien à l'enfant reste l'espace de prédilection du sacrifice.

Maternité : terreur et création

Marie, la mère dépossédée de son fils sur la croix, est devenue la mère de tous les chrétiens. Elle incarne la compassion infinie envers tout autre, quelles que soient son identité ou sa foi. Médée, elle, incarne le mal absolu, mais dans la lecture qu'en donne Christa Wolf, elle devient la victime sacrificielle par trop de vérité. Le secret qu'elle découvre dans la crypte royale (l'infanticide d'une fille) lui sera retourné sous la forme de la mort de ses propres enfants. On ne débusque pas impunément les crimes qui sont à l'origine du pouvoir, de toute société même. Si le crime est fondateur, comme le pensaient Freud ou Hobbes, comment sortir du cercle de la vengeance et de la malédiction ? Marie et Médée n'ont pas eu, en Occident, le même destin. Marie est la mère consolatrice, Médée prend sur elle la charge d'horreur du crime maternel, provoqué par une incompréhensible folie amoureuse, l'amertume d'une femme bannie, la jalousie. Et c'est ce que Christa Wolf, dans sa lecture du mythe, précisément, réinterroge en trouvant dans ce meurtre non pas une excuse mais un autre coupable, un trauma enfoui pour lequel toute la cité est coupable. Telle est la thèse de ce remarquable

Médée[1] qui est aussi un grand texte de langue allemande, écrit par une femme qui fut elle-même une figure exceptionnelle de l'Allemagne de l'Est. Un jour où l'autre quelqu'un devra endosser les crimes perpétués par d'autres, c'est la victime expiatoire, le coupable désigné qui vient laver l'honneur perdu de toute une communauté.

Que se passe-t-il lorsqu'à travers l'usage symbolique des mots et des pratiques, on touche à un mythe, c'est-à-dire à une représentation dont le contenu assure la cohésion d'une croyance pour une société, ou du moins sa permanence ? Le mythe de la mère « vierge », littéralement intouchable, excusée par avance de tous les torts puisqu'elle a charge de porter la lignée. Mais aussi, par un simple renversement, la mère dans ce qu'elle contient d'horreur, de cruauté et de toute-puissance délétère. Le sacrifice, lorsqu'il recouvre la figure maternelle, accuse plus encore sa signification d'intercession entre le monde des morts et celui des vivants. C'est au plus près de cet espace entre naître et disparaître dont la mère porte le secret que cela se passe.

Alors que l'homme sacrificiel, héroïsé, ne prête que sa vie ou celle d'autrui à la ritualisation d'un acte dont la signification opère sur plusieurs plans, la femme est dans cet événement un opérateur qui met en jeu la transmission de la vie humaine. Le sacrifice d'une mère, c'est aussi le sacrifice de vies possibles en elle. Elle se place doublement sous le fil du couteau, en tant que femme et en tant que mère. Épouse affiliée à l'ordre paternel puis à celui de son mari, c'est en tant que mère (et particulièrement mère de garçons) que dans les sociétés patriarcales ces femmes sont respectées. Les temps ont changé, certes. Mais ce modèle est loin d'être derrière nous. Trop de femmes gardent en secret

1. Christa Wolf, *Médée*, Stock, 2001.

comme seul espace de dignité l'espace de leur maternité.

Alors les mères qui portent atteinte à leur corps ou à leur vie ne le font devant l'autel d'aucun dieu, elles ne savent pas ce qu'elles combattent. Ce serait beaucoup trop simple... même s'il est vrai que les grandes figures de suicidées amoureuses de la littérature obéissent souvent à l'ordre matriciel dont elles ne peuvent se détacher que par la mort. Leur sacrifice est adressé à l'amant ou à l'amour impossible sous toutes ses formes, mais en réalité c'est avec une tout autre fatalité que la bataille est engagée, c'est sur le corps propre de la mère qu'en dernière issue, sans échappatoire possible, ça se joue. Le corps de la mère sert ici de réservoir pour toute violence à venir. Il est le bouclier, l'armure et la cellule. Ce lien qu'elles n'ont pu couper, elles le retrouvent mis à nu avec leur propre enfant, qui ne veut pas du sacrifice.

Rien ne tient plus lieu d'espérance, il est une vacuité dont on ne sait pas répondre. Aujourd'hui cela s'appelle : dépression — la maladie blanche par excellence, parce qu'elle n'offre aucun symptôme à la sollicitude de l'analyste ou de la famille; sans autre objet d'affliction que celle, peut-être, d'être en vie dans l'ennui, dans le gâchis d'une existence que le désir a déserté. Alors on confie ces enfants à des médecins et cette société où l'on fabrique du rêve et de la maladie, des explications à tout et des médicaments y afférant, ne sait plus comment enseigner aux individus à se tenir des jours et des nuits au chevet de ceux qui meurent ou désespèrent. La dévotion dont les enfants font l'objet n'a d'égal que le mépris dans lequel on les tient. On les surexpose aux biens de consommation les plus divers, on les assomme littéralement de tout, sauf de temps, de disponibilité, de joie. Parce que les mères seraient devenues plus égoïstes ou immatures — c'est plutôt la vie elle-même qui s'est faite infiniment plus coupante et redoutable —, parce que le lien entre les générations est brisé, il faut se débrouiller seul, assumer son désir, se séparer, se retrouver, se battre, ne pas se plaindre. Dans un monde où le désir est roi, on n'a jamais sans doute été autant sous contrainte, matérielle et psychique. C'est un non-sens qui excède tout objet et que les objets aujourd'hui sont censés recouvrir, apaiser. Mais cette faim-là ne se rassasie pas si facilement. Et c'est le désir, ensuite, qui est le premier atteint. Et avec le désir, la capacité d'aimer. Aujourd'hui, le domaine de la procréation est sous les feux de projecteurs parce que c'est là l'ombilic du lien social, la transmission du nom, la nomination des pères, le droit de la famille qui fonde le droit social ; toutes ces catégories sont déjà bouleversées. On ne sait pas ce qui nous attend mais on peut imaginer quand même que l'arbitraire du désir, d'une rencontre, que la mobilité des familles décomposées recomposées feront éclater les modèles sociaux durablement. L'espace transcendantal des valeurs auxquelles l'individu se réfère pour exister dans une dimension autre qu'individuelle et quotidienne, à quoi ressemblera-t-il ? Car c'est cet espace symbolique de la transmission de la vie qui est directement touché par la question du sacrifice et celui de la transmission tout court, c'est-à-dire de la création.

Laisser place à la créatrice, pour chaque femme, est une issue dangereuse et difficile — non pas que la création soit exclusive de la maternité réelle, mais elle a souvent été vécue ainsi et le sacrifice a porté les traces de ce renoncement, même lorsqu'il est assumé comme tel. Y a-t-il quelque chose qui demande son dû de sang, son poids de chair, pour autoriser à ce que le geste fasse œuvre, et que s'ouvrent les livres ? Aujourd'hui, une femme écrivain est une figure banale, tout le monde écrit, ou presque. Cela n'a pas été toujours ainsi. Les femmes poètes comme Anna Akhmatova, Emily Dickinson ou Louise Labbé ont eu des destins douloureux. Comment tracer le fil qui unit et sépare ces figures héroïques de celles, quotidiennes, que l'on croise aujourd'hui ? Il ne faut pas s'y fier. Ce n'est pas seulement l'histoire du féminisme et de ses conquêtes qui passe là et trace sa frontière. Si la relation à un enfant est une des plus belles qui soit, la seule maternité biologique n'est qu'une des multiples constellations du « lien maternel » qui s'étend, pour tout sujet, bien au-delà de la filiation dite naturelle. Ce n'est pas simplement la question de l'adoption qui est ici en jeu, mais de toutes les formes de liens archaïques à la mère...

Le sacrifice, c'est un choix, même lorsqu'une grande part de ce choix reste ignorée du sujet. Soudain ce qui apparaît pour la plupart des êtres comme le mouvement le plus risqué s'avère être la seule issue. Vouloir se hisser au-delà du commun, de l'ennui, être pourvoyeuse de merveilleux, quelle tentation... Entre l'ego et le sacrifice, une entente secrète est passée ; l'ego y gagne le sentiment d'être élevé à la puissance du monde. Pour les femmes, et comme Simone de Beauvoir l'a si bien écrit, le monde est signifié d'abord comme ayant appartenu aux hommes, à leur nom, leur rang, leur puissance. Il n'en va plus de même aujourd'hui, les femmes ont obtenu si ce n'est l'égalité du moins le droit à cette égalité de traitement avec les hommes, en particulier dans le monde du travail. Mais persiste néanmoins le devoir de porter la vie de famille, la vie mondaine, les amitiés, l'éducation des enfants... et il faut « assurer » sur tous les fronts, sans parler de la nécessité d'être ou de rester belle, d'exister comme amante et comme femme, dans les bras et les yeux d'un homme ou d'une autre femme. Égaler en puissance et en autonomie et en même temps ne pas résister aux bras de son amant, tels sont les désirs contradictoires de nombreuses femmes aujourd'hui qui ne peuvent céder ni sur l'un ni sur l'autre. La société nous offre le miroir de l'adolescence comme espace paradigmatique du désir, quand tout est encore possible, du moins dans le fantasme. Et sur ce terrain, les femmes sont plus souvent malmenées que les hommes. Peut-être parce qu'elles ont une plus grande tendance à rêver leur vie, et parce que cette fonction du fantasme entre en conflit avec leur responsabilité de mère, leur capacité au travail, à être amante. Duras en a parlé avec le génie qui lui est propre, et à une époque où les choses n'étaient pas encore si tranchées. La vie matérielle est aujourd'hui infiniment plus prégnante, immédiate, qu'en des temps où la protection qu'on devait à une femme jouait en sa faveur même si elle n'en voulait pas ou plus. Est-ce pour autant à de nouveaux sacrifices que l'on assiste, sous couvert d'une émancipation plus ou moins assurée d'être reconnue ? Les femmes ne se sacrifient sans doute ni plus ni moins, mais on leur trouve certainement moins d'excuses. Il y a des mères qui menacent leur enfant de se suicider dans un accès de rage ou de mélancolie. Ces mères qui n'y arrivent pas n'ont pas nécessairement la maternité en horreur. Mais elles engendrent chez leur enfant, presque toujours, une atrophie du sentiment (pour survivre) ou des blessures ouvertes qui les font prendre la maternité en horreur. Et la création est alors le seul moyen d'échapper à leur emprise, à ce dégoût profond pour cette chair issue de leur chair et l'horreur mélancolique qui les abrite.

Dans un travail de création, il y a la confrontation avec l'ombre. L'ombre portée de soi sur le tableau ou sur la page. L'ombre, la part cachée, celle qui se porte au-delà de soi, en contre-jour si l'on peut dire, et révèle ce que nous-même ne savons pas de nous. Toute œuvre, en ce sens, est du côté de l'ombre, elle est une prophétie du sujet non encore réalisée, un avant-poste de soi ignoré du sujet. C'est pourquoi je parlerai des mères mais aussi des créatrices en questionnant le lien qui relie la maternité et la création. Un lien qui n'a rien d'évident d'ailleurs, tant la question de la création s'est peu à peu posée, en Occident, pour les femmes. Le sacrifice comme rappel et reprise du trauma n'est pas étranger à cette question de la création, parce que là aussi se jouent les blessures sans nom d'où le langage naît, avec ses trouées, ses blancs, ses impossibilités à dire qui la fondent. Mais d'abord, je parlerai de deux figures archétypales et opposées du maternel, la Vierge et Médée, des mères infanticides et aussi des figures d'écrivains et de peintres. Les mères sont aussi des amantes éperdues. Le geste sacrificiel d'une mère contrainte de se soustraire à la passion (Emma Bovary, Anna Karenine), à la vie même (Mrs Ramsay), à la folie (Lucia di Lammermoor), cherche à provoquer un événement qui éclairera d'un tout autre sens cette vie, venant comme après coup l'inaugurer. C'est revenir au commencement, là où tout pouvait se jouer encore. C'est construire une boucle qui ne se refermerait pas sur du « même » mais qui en perdant tout point de certitude obtiendrait de vivre cette grâce qu'on appelle le présent.

Marie, Médée

Dans le mythe de la « grande mère », la Vierge Marie occupe une place à part. En Occident, elle s'est très tôt émancipée de la seule religion chrétienne pour devenir une figure universelle d'amour et de sacrifice de soi. Elle a migré loin des territoires théologiques dans le cœur des croyants et des non-croyants comme mère supplétive, consolatrice, image de celle qui donne sans retour et dont la maternité se trouve associée intimement au destin sacrificiel de son fils.

Le destin qu'elle incarne est celui d'une royauté paradoxale, mère divine et stellaire qui fera très tôt l'expérience de la perte. De dépossession en dépossession, elle n'est mère que d'être désignée ainsi par l'ange, puis elle deviendra une étrangère aux yeux de son fils (les noces de Cana), et sera écartée même de la proximité de la croix. Elle est une mère élevée au rang du divin, dont l'existence ne consiste qu'en une longue suite de séparations jusqu'à la descente de croix de son fils, à laquelle elle n'assistera que de loin. Mais elle est aussi une jeune fille à qui d'emblée l'ange Gabriel vient annoncer son élection au rang de mère divine — elle qui n'est pas encore une femme — puisqu'elle porte en elle le fils de Dieu sans l'avoir conçu. Cet enfant, né de la parole et de la promesse, n'est déjà plus d'elle. Envoyé, destiné, elle devra le faire naître en secret et sitôt né partir avec lui en exil, puisque le roi Hérode, ayant entendu parler d'un nouveau souverain à naître qui le détrônerait en puissance et en gloire, a fait ordonner le massacre de tous les nouveau-nés de Galilée. Destin de fuite (Égypte), de séparation (les noces de Cana), puis de deuil, la maternité de Marie est d'emblée placée sous le signe de l'élection et de la perte.

En quoi Marie, la mère de toutes les mères, tellement interdite de sa propre maternité puisqu'elle est vierge et doublement dépossédée de son fils, par sa nature divine et sa mort en martyr, marque-t-elle, pour nous, en Occident, une figure destinale ? La Vierge Marie est, à côté des divinités chtoniennes, terriennes et fécondatrices, cette figure angélique et mélancolique dont les pietà successives ont tenté de fixer les traits. Elle est la grande mère consolatrice des pécheurs, la figure féminine du dieu chrétien, son double obscur, sa *shekinah* diraient les Hébreux. Cette mère-là ne revendique aucun lien du sang, et répond à l'annonce de Gabriel comme si depuis toujours elle avait été prête. Il y a dans cette acceptation une « innocence » qui se redouble du fait qu'il s'agit d'une très jeune fille et que rien de ce que l'on peut identifier à la féminité au sens « sexuel » du terme n'est possible. Il y a pourtant une grande sensualité dans les représentations traditionnelles des Vierges à l'enfant des peintres flamands et italiens, mais cette sensualité est apparentée à ce registre de l'innocence, d'un temps comme suspendu entre la naissance et la mort, qui relie tout à la fois cette si jeune mère et cet enfant dans une méconnaissance et un consentement à un destin qu'aucun signe anticipateur ne révèle encore.

Par ailleurs, elle est une vierge mère... N'est-ce pas l'énoncé du fantasme de tout enfant : une mère à soi, pour soi, que jamais aucun homme n'aurait pénétré et qui ferait osmose avec son bébé... La virginité de Marie lui accorde d'emblée un statut sacrificiel puisque c'est à une jeune fille « qui n'a rien connu de la vie » à qui est d'emblée donnée la responsabilité de faire naître le Messie. On voit bien, là encore, l'extrême ambivalence du rapport au sacrifice que l'Occident octroie à cette « femme entre toutes les femmes », rapport d'élection et de puissance mais aussi de perte, de pauvreté et d'abandon.

Revenons un instant sur l'annonce faite à Marie. Car si Marie est une mère sacrifiée, elle demeure quand même d'abord une jeune fille. Une jeune fille intouchée, préservée de tout lien charnel et à qui Dieu destine, dit l'Évangile, d'être mère de Dieu. Si l'on entend ce récit dans un registre symbolique, ce qui frappe tout d'abord est le statut exorbitant de la parole comme promesse de vie. À la Vierge Marie il est demandé de croire l'impossible : qu'une parole suffise à porter, à réaliser la vie. Mais tout enfant ne naît-il pas d'abord d'une promesse et d'une parole ? Une mère reçoit sa maternité d'un corps mais aussi d'une parole. L'ange du récit biblique, ce peut être la voix intérieure. Cette instance en nous qui confie l'enfant dès le commencement de la gestation à autre chose que du corps, à l'imaginaire, à la promesse, à l'avenir, à une histoire, une filiation, à tout ce qui déborde absolument le seul développement d'un fœtus. Et le mythe, l'histoire de Marie, exprime cela. Peut-être est-ce la raison pour laquelle les Annonciations, je pense en particulier à celle, sublime, de Fra Angelico au couvent de San Marco à Florence, touchent ce lien à la parole en tant qu'elle féconde et donne naissance. Marie répond à l'Annonciation, et une clôture sépare l'ange et la jeune fille du reste du monde. Tout l'espace autour agit comme une scénographie de la vie entière, de la naissance jusqu'à la mort, nous convoquant, nous spectateur, à rester dehors, attentif au moindre signe.

Mais il y a autre chose. Marie est une jeune fille devenue, par l'opération du Saint-Esprit, comme on dit, mère du Christ. D'emblée, elle devra cacher son enfant pour le soustraire à la mort et fuir jusqu'en Égypte avec Joseph pour échapper aux assassins. Singulier exil qui marque, là encore, cette maternité d'une aura particulière. Puis, silence. Plus rien. On retrouve le Christ à trente ans. De son passé on ne saura rien ou presque, jusqu'au moment de sa tentation au désert. Marie, nous la retrouvons de manière particulière à deux endroits du récit : les noces de Cana, qui signent la séparation symbolique entre le fils et la mère, leur radicale étrangeté, et le moment de la descente de croix, où Marie reste en retrait. Chaque fois, il s'agit de séparation, de retrait, de détachement. La mère de toutes les mères est celle qui endure la séparation d'avec son enfant dont elle sera dépossédée jusque dans sa mort. Annoncée par une parole d'archange, la naissance du Christ fait de la Vierge Marie la plus puissante figure maternelle qui puisse être pensée, et en même temps ce n'est l'histoire que d'un détachement jusqu'à la mort par assomption, c'est-à-dire par « aspiration » de la Vierge vers le ciel, que traduit l'Évangile. Si l'on s'en tient au mythe, la Vierge Marie traduit par son existence même toute l'ambivalence d'un rapport au corps tout à la fois sanctifié et menaçant en tant que trop charnel.

Il y a dans le destin d'être mère une suspension entre la vie et la mort qu'on oublie aujourd'hui à cause de l'évolution des techniques médicales, mais dont on peut parier qu'elle reste et restera encore longtemps intériorisée dans notre psyché. On mourait beaucoup en couches, si ce n'était à la première naissance, c'était à la suivante, la mortalité infantile était également très élevée avant la découverte des antibiotiques. Il y avait dans cette puissance donnée à la maternité, dont on dit souvent qu'elle aurait fait peur aux hommes, une erreur de jugement, me semble-t-il. C'était d'abord au mystère de la nature que le phénomène de la naissance renvoyait : enfanter n'était pas du seul pouvoir d'une mère mais d'une puissance à laquelle elle ne faisait que participer, risquant sa vie à chaque fois. Quant à la posture maternelle, elle-même surtout était perçue à travers l'extrême fragilité dans laquelle une grossesse plaçait toute femme — et dont il nous reste aujourd'hui encore quelque écho. La sexualité étant, elle aussi, liée au risque de l'enfantement, le destin féminin semblait d'abord appartenir au pâtir et au souffrir, avant que de pouvoir se déployer dans une quelconque dimension de puissance. C'est pourquoi la figure de Marie est si particulière, car elle désigne le déploiement de cette puissance maternelle mais dans la dépossession, dans le dessaisissement, à partir de l'innocence accordée à une jeune fille. Elle vient dire d'abord : un enfant, ça ne vous appartient pas, ça ne naît pas de votre corps mais d'une parole, d'une annonce, d'une promesse. Pas d'enfant ni de mère s'il n'existe un autre, un tiers qu'on appelle alors un archange, qui vienne vous désigner le lieu de cette foi, de cette rupture avec le cycle naturel, ce saut « divin » que constitue l'annonce. Pas d'enfant, si ce n'est né de la parole de l'autre, du langage. Et tout langage porte en lui à la fois la promesse et la dépossession, il vient dresser entre le corps de la mère et le bébé en gestation quelque chose qui désigne cette non-appartenance essentielle, cette origine autre, spirituelle, de l'enfant. Du moins est-ce une lecture possible de l'Annonciation. Marie accouche dans une bergerie puis elle doit fuir en Égypte avant de s'établir en Judée, aucun refuge n'est assez sûr, elle devra quitter sa terre, son lieu d'appartenance là aussi comme une préfiguration de son destin de mère, se confier à une autre foi, un autre guide que celui du sol, des ancêtres, etc. Ensuite viennent les noces de Cana où Jésus dit : « Qu'y a-t-il de commun, femme, entre toi et moi ? » De mère, il la renvoie à son être de femme, d'étrangère. Il va demander à ses disciples de se défaire de tous leurs liens pour le suivre, d'oublier qu'ils sont pères, frères, oncles, fils, etc. Les liens du sang ne tiennent pas devant l'appel du père, l'appel spirituel, et même le lien d'une mère à son enfant, le plus sacré de tous peut-être, en Occident, n'est pas épargné. Enfin, au moment de la crucifixion, elle reste à distance avec les autres femmes : là encore aucun privilège n'est donné à la mère, et dans cet éloignement aucune trace de la douleur maternelle ne sera retraduite dans les Évangiles. Le culte marial, comme on sait, fut très tardif, que ce soit l'élection de la Vierge ou sa virginité. Il occupe pourtant une place immense d'intercession dans le monde catholique, où la figure de la Vierge apparaît davantage sous les traits de la mère endolorie par la perte, de la femme fragilisée, perdue, que de la grande mère protectrice et toute-puissante d'autres cultes ou religions.

Face à Marie, vierge et sainte, Médée est la figure par excellence de la mère sauvage, de la mère meurtrière qui par jalousie n'hésite pas à sacrifier ses deux enfants pour se venger de leur père, Jason. Elle est la « baba yaga » des contes russes, l'ogresse, la méchante et la magicienne, celle qui s'enflamme d'amour et qui sacrifie tout à l'amour. Elle symbolise la puissance destructrice et aveuglée de la passion mais aussi la révolte d'une femme qui a tenté d'être libre. Médée a inspiré les écrivains et les tragédiens car elle est en rapport avec la pulsion de mort dans sa dimension la plus crue, la moins apprivoisable par la culture. L'infanticide est une réalité qui ne cesse, hélas, d'avoir lieu, dans tous les milieux, et au nom, parfois, de l'amour même. Médée nous terrorise parce qu'elle représente aussi ce pouvoir absolu qu'a une femme dans le rapport à la vie et à la mort de ses propres enfants.

Ce que j'ai commis jusqu'à présent
je le nomme œuvre d'amour...
Maintenant je suis Médée,
Ma nature s'est épanouie dans les souffrances.

Sénèque, *Médée.*

Le mythe, cependant, est subtil. Il ne se laisse pas si facilement enfermer dans ces images terrorisantes ou dans la peur qu'il ranime à grand fracas. Car Médée avant d'être mère est une magicienne. Une femme extraordinairement douée qui sauve les hommes d'un immense péril. Elle leur évite la mort. C'est grâce à elle que Jason récupère la Toison d'or, c'est grâce à elle qu'il revient en vainqueur dans son pays. Médée va fuir avec lui. Tous les grands drames grecs se nouent avec l'exil; cette condamnation à vivre hors du « chez soi », en terre étrangère, est le signe que le destin humain est déréglé, qu'il est entré dans une zone de non-droit ou de point de rupture qui précipite un héros ou tout un groupe vers un temps hors du temps. Comme nous l'avons vu chez Shakespeare, ce temps *out of joint* est du même ordre que le contretemps du messager qui amène Roméo à se donner la mort ou le temps hors mesure de la fuite de Lear et de sa déchéance. Dans le registre du sacrifice, le temps chute en même temps que l'espace. L'exil (ou la fuite) signifie ici la fin du temps et de l'ordre humain et le début d'une sauvagerie qui n'a pas encore trouvé d'exutoire et qui ne prendra fin qu'avec un sacrifice.

Médée est, rappelons-le, la fille du roi de Colchide. Elle est une femme noble mais aussi une magicienne, c'est-à-dire une femme qui veut être libre. « Ah, mère ! Je ne suis plus une jeune femme, mais je suis encore sauvage, c'est ce que disent les Corinthiens, pour eux une femme est sauvage quand elle n'en fait qu'à sa tête[1]. » Elle s'enfuit avec Jason et ses compagnons et prend avec elle Lyssa, sa sœur de lait, la douce et belle suivante qui fera dans ce récit office de témoin — puisqu'il faut toujours un témoin. Entre Médée et Jason, il y a l'ombre du père et de la malédiction. En donnant la toison d'or à Jason, elle trahit son père et son peuple : « Pour les Corinthiens, l'amour d'une femme explique tout et excuse tout. Mais nos gens de Colchide eux aussi (...) ne parviennent pas à comprendre qu'il m'était impossible de coucher dans la maison de mon père avec un homme qui le trompait (...). Je ne pouvais faire aucun pas qui ne fût faux, aucune action qui ne trahît ce qui m'était cher. Je sais comment les Colchidiens ont dû m'appeler après ma fuite, mon père y avait veillé : traîtresse[2]. » C'est là que commence la lecture très particulière qui est faite ici de ce mythe. Sans s'écarter beaucoup du récit d'Euripide ou de Sophocle, Christa Wolf laisse entendre dans son interprétation de Médée que cette femme ne pouvait pas volontairement avoir voulu tuer ses enfants. L'écrivain fait d'elle non pas une magicienne, mais une femme libre qui découvre un crime ancien caché par le couple royal. La cité est fondée sur un trauma que là encore le sacrifice vient dévoiler, et ce sera le crime de Médée de l'avoir découvert. « (...) De deux choses l'une : j'ai perdu la raison ou leur ville est fondée sur un crime. Non, crois-moi je suis lucide (...) j'ai trouvé la preuve, je l'ai touchée de mes mains[3] », dit Médée à sa servante. La reine Mérope a désigné elle-même le lieu du meurtre à Médée. Il y a dans cette alliance des mères quelque chose de glaçant car ces mères qui sont des victimes des hommes sont les mêmes qui vont laisser aller leur enfant à la mort. C'est au cours d'un banquet que Mérope,

1. *Ibid.*, p. 21.
2. *Ibid.*, p. 32.
3. *Ibid.*, p. 18.

reine des Argonautes, épouse de Créon, appelle Médée auprès d'elle. « Assise à côté de Créon, elle semblait le haïr et lui il semblait la redouter. » Elle entraîne Médée « au bout d'un long corridor glacé » — ici on pense à Barbe-Bleue et à tous les contes où, derrière une porte secrète, il y a un mort oublié, un cadavre enfoui, une mémoire tue. Médée trouve là un caveau mortuaire avec un squelette d'enfant. « Il m'est impossible depuis lors de penser à autre chose qu'à cette étroite tête de mort d'enfant, à ces omoplates graciles, à cette fragile colonne vertébrale. La cité est fondée sur un forfait. Qui révèle ce secret est perdu [1]. » C'est ainsi dans toute histoire humaine... Quand le trauma est effacé, proscrit de toute parole, il fait retour un jour dans le regard d'un témoin. Ce témoin est l'innocent par excellence, peut-être même *l'idiot*. Il ne sait pas ce qu'il en est de la vérité historique mais il a vu. Et cela suffit pour que le silence ne soit plus possible, ni l'oubli ni le deuil refusés. « Je lui dis ce que je sais, dit Médée, que dans cette caverne reposent les ossements d'une fille, d'une enfant de presque ton âge, frère. Et que ce sont les os de la fille du roi, de la première fille du roi Créon et de la reine Mérope, la reine muette qui m'a adressé la parole lorsque je lui ai rendu visite dans sa chambre obscure (...) ; il a voulu se débarrasser d'elle, Iphinoé. Il craignait que nous ne la mettions à sa place [2]. » Mais presque toujours ce « voir » dans le récit vient trop tard. Quand le témoin vient raviver le trauma ancien, il doit être supprimé. Car ce qu'il dérange, c'est le sacrifice par lequel un ordre finalement s'était fait, même s'il repose sur l'iniquité, le meurtre, la trahison. Le témoin n'a aucun droit à la parole, il vient attester que quelque chose a eu lieu, que la loi a été transgressée, que les dieux ont été bafoués. Tous les traumas reviennent un jour hanter les

1. *Ibid.*, p. 29.
2. *Ibid.*, p. 137.

lieux par le biais d'un témoin : un innocent, un idiot, quelqu'un, justement, qui n'avait rien à voir avec tout ça et sur qui ça tombe. Alors, « ils cherchent une femme qui leur dise qu'ils ne sont coupables de rien ; que ce sont les dieux, que le hasard les a fait adorer, qui les ont entraînés dans ces aventures. Que la trace de sang qu'ils laissent derrière eux est indissociable de cette virilité que les dieux leur ont assignée [1] ». C'est pourquoi, ajoute Christa Wolf, « on devrait tenter de les débarrasser de la peur qu'ils ont d'eux-mêmes, cette peur qui les rend si sauvages et dangereux ». Médée est lucide. Elle sait qu'elle n'aurait jamais dû quitter la Colchide. « Aider Jason à s'emparer de la Toison. Convaincre les miens de me suivre. Me lancer dans cette longue et terrible traversée, vivre toutes ces années en Corinthe comme une Barbare que l'on craint autant qu'on la méprise. Les enfants, oui. Mais qu'est-ce qui les attend ? Sur ce disque que nous appelons la terre, il n'y a plus rien d'autre, mon cher frère, que des vainqueurs et des victimes. Et maintenant j'aimerais savoir ce que je vais trouver en franchissant ses bords [2]. » En franchissant les limites, elle menace les vivants du retour de la mémoire des morts, de ceux qui ont été ensevelis, meurtris, oubliés. C'est l'histoire des charniers. De tous les charniers que l'humanité laisse derrière elle, où les corps sont amoncelés pêle-mêle sans sépulture, sans possibilité d'être nommés ni pleurés.

La peste s'abat sur la ville. La révolte gronde. On cherche une coupable alors que la contagion s'étend. Médée est perdue. Jason dira : « J'ai compris qu'il revenait à Médée de mettre au jour la vérité ensevelie qui détermine la vie de notre cité. Et que nous ne le supporterons pas. Et que je suis impuissant [3]. » À la

1. *Ibid.*, p. 132.
2. *Ibid.*, p. 138.
3. *Ibid.*, p. 212.

servante, il dit : « Médée, s'ils ne sacrifient pas les prisonniers, ils chercheront une autre victime. Je sais, dit-elle. Elle s'oppose à cela et c'est ce qui l'anéantira [1]. » Créon demande le bannissement de la putain, c'est-à-dire de l'étrangère, l'inassimilable magicienne, celle qui a vu ce qu'elle n'aurait pas dû voir. Sans les enfants, dit Créon. Les enfants de Jason resteront en Corinthe et recevront l'éducation qui leur convient. En fait, Médée était ce dont les Corinthiens avaient besoin : une furie. Elle l'était quand elle a pénétré dans le temple d'Héra en tenant ses deux garçons apeurés par la main, bousculant la prêtresse qui lui barrait le chemin ; quand elle a conduit les enfants devant l'autel et s'est mise à hurler en direction de la déesse quelque chose qui ressemblait plus à une menace qu'à une prière : elle demandait à la déesse de protéger ses enfants car elle, leur mère, n'en était plus capable. Médée s'enfuit avec Lyssa, la servante. Mais ce n'est pas fini... « La foule se tait un moment puis plusieurs hommes se mettent à vociférer : On l'a fait. Ils ne sont plus là. Mais qui ça ? demande l'homme. Les enfants ! répondent-ils. Ses maudits enfants. Nous avons délivré Corinthe de cette épidémie. Et comment ? demande l'homme sur un ton de conspirateur. Lapidés ! hurlent-ils. Comme ils le méritaient [2]. » Même dans la lecture du mythe de Christa Wolf qui ne fait pas de Médée une meurtrière, il n'en reste pas moins qu'elle s'en va, qu'elle abandonne ses enfants à la protection de la déesse, mais surtout à la furie d'une foule en colère. L'abandon n'est pas le meurtre, mais il y a dans cette scène un rituel sacrificiel qui ne peut s'achever que par la mise à mort de quelqu'un. « Qu'est-ce qu'ils racontent ? Que c'est moi, Médée, qui ai tué mes enfants. Que j'ai voulu me venger de l'infidèle Jason. Qui peut donc le croire ? ai-je

1. *Ibid.*, p. 221.
2. *Ibid.*, p. 283.

demandé. Arinna dit : tout le monde. (...). Que me reste-t-il à faire. À les maudire [1]. »

Ce qui est remarquable dans cette version du mythe, c'est sa compréhension des ressorts intime du tragique grec et son interprétation dans le registre absolument contemporain du sacrifice comme rapport impossible, insupportable, à la vérité quand elle est dite et dévoilée à ceux qui ne voulaient pas savoir. Que l'étranger soit celui qui vient vous révéler ce que vous avez enterré est intolérable et mérite au moins la mort. On pourrait dire que Christa Wolf adoucit la figure de Médée, qu'elle l'absout de tout crime en assignant la ville et ses habitants comme véritable source de tous les crimes. Mais il est vrai qu'on ne tue pas ses enfants pour se venger d'une infidélité, même les Grecs savaient ça. La mère infanticide est plutôt celle qui a perdu toute foi en la vie pour elle-même et ses enfants, mais ce qui peut la porter à franchir l'innommable pour s'exiler définitivement de toute vie n'est pas étranger à son incapacité d'être, d'exister comme telle, de se détacher des liens meurtriers, fusionnels, qui l'enfermaient dans le double linceul de la mère morte. Il n'y a ni à excuser ni à comprendre cet acte en disant cela, mais il me semble que c'est l'acte même de la naissance qui ne s'est jamais fait ni constitué d'aucune manière.

Médée existe, et elle existe d'autant plus qu'elle s'affranchit de son origine, de sa fidélité au père par amour pour un homme. Seulement, elle est celle par qui le crime enfoui va revenir hanter la cité sous la forme de la peste. Elle est le témoin qui a vu la sépulture de l'enfant, de la propre fille du roi et de la reine. Le sacrifice, on l'a vu dans *Le Roi Lear* particulièrement, devient nécessaire quand quelque chose a été profané. Il réinstaure ce qui, dans la profanation, comme le montre

1. *Ibid.*, p. 288.

magnifiquement Giorgio Agamben [1], a été réintroduit dans le quotidien profane et ne sert plus à l'usage du sacré. Or le meurtre impuni d'un enfant, car il est là l'infanticide initial, celui de Mérope et non de Médée, est la profanation par excellence car en dehors de l'acte monstrueux qu'il représente, il coupe la filiation, en entame l'histoire à l'endroit précis où l'enfant, dépositaire de l'avenir à la place du parent, est une figure de l'autre salvateur, menaçante pour la toute-puissance du roi Créon. Médée abandonne ses enfants à la foule en colère. Or la maternité, c'est aussi une histoire d'abandon.

Abandonner son enfant, ça se passe aussi en présence de l'enfant. Cela arrive tous les jours, tout le temps, un abandon masqué par une présence absolument indifférente, plus mortifère que tous les coups, toutes les humiliations possibles. Rien ne peut être plus grave pour un enfant que de ne pas exister, autrement dit que ses émotions, ses attentes, sa pensée, son amour, ne portent à aucune conséquence aux yeux du parent, qu'ils soient accueillis par une soi-disant aimable bienveillance ou une véritable et agressive indifférence, le désastre est le même. L'abandon ne pourra jamais être réfléchi comme tel, et pourtant c'est précisément de cela qu'il s'agit. Cette non-reconnaissance est une surface trompeuse où se perdra l'enfance. Chaque jour, il ira chercher l'approbation qui le ferait exister enfin, ou le coup, la colère, la violence, tout plutôt que ce rien, ce vide, qui l'entoure comme une gangue glacée. Là, c'est Médée qui abandonne ses enfants à la protection de la déesse, seule capable de les sauver. Mais aucun dieu ne les pourrait soustraire à la foule en colère, la justice divine s'arrête au seuil de ce déferlement qui exige une coupable et, surtout, un sacrifice. Dans les histoires d'abandon, on préfère s'offrir en sacrifice plutôt que de

1. Giorgio Agamben, *Profanation*, Rivages, 2005.

ne pas exister du tout. C'est à tout prendre une alternative moins accablante, même si elle conduit à vous donner la mort. On peut se donner la mort pour exister enfin un peu, ne serait-ce que sous la forme imaginaire de la douleur créée dans l'autre, du remords, de l'irréparable, plutôt que de continuer à affronter cette indifférence sauvage. C'est la situation dans laquelle se trouvent beaucoup d'adolescents s'approchant jusqu'à cette limite qu'on appelle pudiquement à l'hôpital TS (tentative de suicide) pour imaginer s'offrir enfin un peu de vraie vie, même si elle n'est que *post mortem* : avoir quand même manqué à quelqu'un une fois, c'est avoir existé. L'infanticide, d'une certaine manière, est le double inversé de cette ultime révolte pour exister quand même en « manquant » à l'autre une fois pour toutes ; il supprime l'éveil de la vie même, promesse insupportable à la mère, car elle ouvre sur un inespéré qui doit rester clôturé dans le cauchemar du même, la boucle d'une répétition. Pas de fracture dans le déroulement de la fatalité, le ballet qui se répète doit être fait des mêmes pas, des mêmes trébuchements. Supprimer l'enfant qui vient de soi, ce n'est pas seulement se supprimer soi, c'est ne pas supporter qu'il y ait, venant d'ailleurs, un quelconque horizon possible qui déverrouillerait ce malheur du dedans, comme nous le verrons dans le très beau et terrible récit de Véronique Olmi, *Bord de mer*.

Médée, la Vierge Marie. De toutes les figures de mères que l'on peut invoquer, celles-là semblent bien se faire face de manière absolument antagoniste. L'une est meurtrière, l'autre sainte. L'une atteint le crime le plus universellement décrié au monde : l'infanticide, l'autre accueille dans son ventre un dieu sauveur. Toutes deux sont de grandes figures mythiques et sacrificielles, elles se situent des deux côtés de la lame : sacrifiante, sacrifiée, pourrait-on dire pour reprendre une image que nous avons déjà évoquée. De quel sacrifice s'agit-il ? Les tragédies grecques nous rapportent que Médée a tué ses enfants. Mais où est le crime qui a rendu possible l'infanticide, d'où vient-il ? Une cité a-t-elle besoin d'une mère criminelle pour cacher ses propres crimes ? N'est-ce pas plutôt Corinthe, la cité, qui est criminelle ?

Médée fait face à la Vierge Marie, non pour être jugée moralement selon le verdict du bien et du mal, ni comme on opposerait le bourreau et la sainte, mais plutôt sous le signe de sa proximité. Médée est et reste en Corinthe une magicienne et une ennemie. Celle qui ne deviendra jamais familière, qui risque par son étrangeté de contaminer la cité tout entière. Marie est exilée de son destin de mère et de femme par l'élection qui lui est signifiée. À l'écart et témoin du sacrifice de son fils, elle est en quelque sorte destituée de sa maternité dès l'origine. Il y a dans ces deux figures extrêmes de meurtrière et de sainte une troublante proximité et c'est sous le signe de la dépossession que je voulais rassembler en quelque sorte ces deux femmes. Dépossédée de sa place de femme, de mère et de reine, Médée est acculée au crime par une cité qui est en réalité beaucoup plus criminelle qu'elle. Quant à la Vierge, sa dépossession est initiale, puisque dès l'Annonciation, le fils annoncé est donné à Dieu et à la terre, avant que d'être sien.

Être mère, ce n'est pas posséder son enfant, mais toute mère affronte cette tentation. Comment laisser être ce qui vient de votre chair, comment se déprendre de celui ou celle que vous avez porté jusqu'à ne faire qu'un ? Nous verrons, dans l'infanticide, que cette séparation n'est jamais acquise : il ne suffit pas de mettre au monde un enfant pour lui permettre de naître.

Infanticides

Le livre de Véronique Olmi *Bord de mer*[1] s'inspire d'un fait divers. Un fait divers, si désespéré soit-il, est toujours un événement banal. C'est la banalité de la misère et de la violence dont les journaux s'emparent pour combler notre avidité de drame, nourrir ce voyeur en nous qui se rassure à cette vue, parce qu'encore un moment nous en sommes épargnés. Cela fait trois lignes dans les quotidiens. Un peu plus si un journaliste s'en émeut. L'infanticide est l'ombre portée d'une société tout à la fois fascinée par l'enfance et incapable de s'occuper de ses enfants, société où l'enfant-roi n'a d'autre issue que d'apaiser l'ogre de tous nos désirs, s'offrant à l'appétit de ceux à qui — nous tous — aucune consommation ne suffit.

C'est l'histoire d'une mère qui part avec ses deux enfants, elle quitte tout ce qu'elle a pour les emmener voir la mer pendant trois jours. Trois jours et trois nuits d'errance dans cette petite ville balnéaire du Nord et puis ce sera la fin. Elle étouffe ses deux enfants un matin, dans la chambre d'un hôtel minable. L'écriture est sèche, sans adjectifs pour désigner la misère, la

1. Véronique Olmi, *Bord de mer*, Actes Sud, 2001.

tristesse, la folie. Tout est dit dans une langue épurée, presque morne, sans aucun affect. Et pourtant l'émotion sature ce texte, à la limite de l'insoutenable. On est bien trop proche d'elle, on la suit. On ne la comprend pas, mais on l'entend. On l'entend chuchoter, délirer, se battre contre la mélancolie envahissante, contre l'envie de mourir. D'elle, on ne sait rien. Ni d'où elle vient ni qui elle est. On a très peu d'éléments de son histoire, de son passé, encore moins de son enfance. De ce qui l'a amenée là, dans ce désespoir sans voix, sans aucun secours humain.

On la suit dans ce bus minable qui les emmène, avec ses deux garçons de quatre et sept ans, vers le bord de mer. On comprend qu'elle n'a plus d'argent, qu'elle a utilisé ses dernières ressources pour prendre ces billets et leur montrer la mer. La mer, c'est la dernière lumière avant le noir, avant la mort, tout au bord de cette mort. La mer, c'est le merveilleux, c'est qu'il y ait quelque part du merveilleux. Ils arrivent dans une petite ville balnéaire du Nord où il pleut tout le temps, sans répit. La mer sera grise et leur fera peur. Ils se réfugient dans un café où, sous le regard hostile des hommes qui sont là, elle leur offre avec ses dernières pièces un chocolat. L'hôtel est miteux, ils ont une chambre minuscule avec juste la place du lit, au sixième étage, sous les toits. Il fait froid. Le dernier soir, c'est fini.

Pourquoi les sacrifie-t-elle ? Elle est au bord de la folie, elle le dit avec la honte qui accompagne cette déchéance de ne pouvoir s'en sortir, de n'avoir plus aucun horizon. Tout le possible est épuisé. Pourquoi les emmène-t-elle avec elle ? Elle leur donne la dernière chose qu'elle croit pouvoir leur donner (et c'est peut-être ça l'horreur, dans sa banalité) : la mort. Tout plutôt que la misère, la pauvreté extrême et le rien. L'ennui de la vie vide et sans horizon aucun. Comme si elle leur donnait accès à ce à quoi elle n'avait pas droit : le repos.

Car elle dort tout le temps, dès qu'elle peut, assommée, et parle de l'angoisse qui vient s'insinuer dès le réveil et ne la quitte plus. Si ce n'était pas une « vraie » mère, ce récit, de par l'horreur même qu'il contient, ne nous atteindrait pas, je crois, mais c'est une mère, oui, et la tendresse déborde de chacun de ses gestes, ses attentions, sa peur qu'ils attrapent froid, toutes ces bêtises qui font d'une femme une mère. L'aîné a compris cela, il a compris aussi la détresse absolue de sa mère. Véronique Olmi dit bien comme un enfant de sept ans, trop vite grandi, bien trop mûr pour son âge, peut en venir à prendre soin de l'adulte avec l'anxiété de celui qui en est, lui, infiniment responsable.

On ne peut pas excuser un tel meurtre, ni même le comprendre. Il sera à tout jamais non acquitté. Rien ne les fera revenir à la vie. Ce sacrifice ne sert à rien ni à personne. Elle, le sujet de ce livre, est de ces femmes « blanches » dont j'avais évoqué l'effacement, la détresse, sans aucun mot pour les dire parce qu'il n'y a personne pour imaginer se battre, crier, réclamer. Il n'y a qu'une fatalité sans écho qui pèse de tout son poids de misère. Cette mère-là ressemble à Médée, qui préfère encore faire disparaître ses enfants plutôt qu'ils lui soient retirés et vivent dans une ville elle-même ensevelie sous le poids du secret d'un meurtre, sans avenir, destitués, dans la honte. Médée et cette mère ont en commun, peut-être, l'impossibilité d'imaginer pour leurs enfants un autre destin que le leur. Mais c'est aussi la force du roman que d'avoir su donner une voix, des traits, à ce qui n'en a pas, je veux dire des vies qu'on dirait banales si on n'avait pas d'autre mot pour désigner cette espèce de misère, cet engourdissement de l'être devant ce qui va le broyer jusqu'à le faire disparaître. Ce livre est tiré d'un fait divers réel. Cette femme a existé, elle a étouffé ses deux enfants. Un sacrifice est adressé. Mais à qui ? Aucun dieu ne préside à de tels actes. Aucune communauté humaine.

Le sacrifice d'un enfant par sa mère est un acte qui échoue à faire son œuvre de séparation. C'est une célébration incestueuse à laquelle est reconduit le sujet qui sacrifie son enfant. La mère n'a pas trouvé le chemin de la vie qui réserve une part à la mort pour que la vie puisse croître. C'est l'échec de la castration, dirait-on en langage freudien, un échec doublé d'un retour idéalisé à l'espace matriciel. Ce geste nous semble d'autant plus abominable qu'il est loin de nous. Or ce retour à l'espace incestueux est un désir latent chez chacun d'entre nous, tant il est difficile d'affronter et de soutenir ce qu'engage le désir, même si c'est la condition minimale de toute vie humaine. Toutes les figures incestueuses fascinent, elles sont l'envers de notre nécessité de croître spirituellement en laissant place à l'autre.

Un bord de mer, c'est aussi un bord du monde, c'est l'attente d'un horizon qui s'ouvre, qui donnerait réalité au regard, qui donnerait sens à la vie, du dehors, comme par miracle. C'est ce qu'attendait cette femme qui emmène ses enfants voir la mer avant la fin. Mais attend-elle seulement encore quelque chose ? Peut-elle y voir autre chose qu'une puissance menaçante, noire et froide, devant laquelle les enfants reculent avec angoisse. Cette mer, c'est aussi la mère dont on ne sort pas, c'est le sommeil qui engourdit et figure déjà la mort prochaine, une mer inhospitalière et terrorisante venue emmener les trop vivants, les survivants, les enfants, vers la tombe et non vers un ailleurs dont la possibilité n'existe en fait déjà plus. Le meurtre ne vient que consentir à cela, qu'il n'y ait aucune issue à ce manège d'une vie où le sommeil est le seul point de fuite. L'enfant, c'est l'innocent, l'idiot qui ne voit pas se préparer le crime, qui ne peut même pas imaginer qu'aimer ce puisse être vouloir en finir avec la vie de ceux qu'on aime. Mais il voit ce qu'on lui cache, il devine la détresse et connaît la mélancolie de sa mère. L'aîné, du moins, le sait. Le récit l'indique bien. Il y a dans cette clairvoyance enfantine quelque chose d'effrayant, trop tôt venu.

Récemment, un fait divers a défrayé la chronique (le nombre de victimes innocentes, à défaut d'autres critères, impressionne...), il s'agit d'une tentative de meurtre sur cinq enfants d'une même famille. C'est un pavillon quelque part dans la banlieue parisienne, pas la vraie misère comme on dit, mais des difficultés d'argent, des emprunts trop lourds, un surendettement devenu inextricable. Le père et la mère ont décidé d'en finir. Comme dans l'affaire Roman, la mort vient s'inscrire exactement là où se loge le mensonge, mensonge d'une réalité idéalisée, mensonge d'un couple amoureux, mensonge de l'amour porté aux enfants pour qu'ils aient « la vie belle ». Le père et la mère ont planifié de tuer leurs enfants et de se supprimer ensuite. La mère vole de l'insuline dans la clinique où elle travaille et leur injecte le produit. Quand les convulsions emportent la première, en pleine nuit, ils réagissent comme des gens « normaux » (dira le juge) en appelant le Samu. On ne parviendra pas à sauver la fillette de onze ans, les autres s'en sortiront. La mère s'est ouvert les veines, le père a à peine essayé. « Vous êtes un lâche », dira le juge. Folie meurtrière ? Désarroi face aux créanciers ? L'explication ne suffit pas, il leur restait de l'argent sur un des comptes même s'ils avaient été pris, il est vrai, dans une spirale de consommation effarante : consoles de jeux, téléviseurs, meubles, nouveaux habits pour les enfants achetés le jour programmé du meurtre. Les parents avaient construit une bulle hermétique hors des soucis du monde. La réalité extérieure était conjurée — et d'ailleurs le monde magique avait fonctionné jusqu'à ce que les dettes menacent de faire s'effondrer tout le dispositif, la mort se présentant alors comme seule issue possible. Au procès, le père répète : « Je n'espère qu'une chose, que nous soyons réunis comme avant. » Le fils aîné ne l'a pas lâché des yeux. Il a seulement demandé : « Pourquoi ? »

Ce n'est même pas la folie ordinaire, plutôt la banalité du mal, c'est-à-dire comme toujours une lâcheté qui se répète, qui se déguise et se pare d'une raison morale (le surendettement, comme si cela pouvait justifier un meurtre !). Lâcheté de reconnaître que l'enfant rêvé (l'enfant qu'on aurait voulu être soi) n'existe pas, n'a jamais existé autrement que comme pur jouet de nos fantasmes et de nos peurs. Comment peut-on en venir à préférer faire mourir ses enfants plutôt que d'affronter avec eux une réalité effarante comptable de tout. L'infanticide, c'est le meurtre d'un enfant qui déjà n'existait pas dans le regard du parent, un enfant posé dans cet angle mort où il n'est que le pur reflet de l'angoisse ou du délire parental. Il renvoie au parent le non-lieu d'où il vient. Dans ce désert, l'enfant est la source, le commencement et la fin de tout. Mais on pourrait tout aussi bien dire qu'il n'est même pas né. Pas de rédemption possible. Personne n'entre dans le cercle enchanté. Il n'y a rien à voir... On ne supplie pas, on n'appelle pas au secours, on ne crie pas. Il n'y a pas d'issue en dehors de la famille, cette chrysalide renfermée sur du malheur sans langage ni révolte, avec seulement des produits de consommation pour venir à bout de l'angoisse. La société ici est au banc des accusés, forcément. On ne lui imputera pas la charge de ces crimes, ce serait trop clément pour ces parents-là dont la lâcheté n'a d'égale que l'incroyable cruauté, une cruauté qu'ils ignorent eux-mêmes abriter, venue probablement de beaucoup plus loin qu'eux. Mais la société dite de consommation est coupable aussi, et donc à travers elle nous tous qui y participons avec un enthousiasme d'une infinie puérilité, comme si elle ne nous donnait que des choses enviables, des choses à digérer et à jeter ensuite pour notre « bien » précisément. Cette société qu'on a voulue et qu'on désire encore tellement plus que tout autre nous détruit avec la légèreté d'un tueur à gages. Entre autres choses — il serait trop long d'en faire la liste —, elle détruit l'écosystème, mais aussi la gratuité, le désintéressement et à peu près toutes les valeurs morales qu'on a tenté de construire pas à pas, puisque la valeur est précisément donnée par l'économie de consommation. Le surendettement de ces parents meurtriers n'excuse pas leur geste et ne l'excusera jamais, mais leur situation financière catastrophique n'était en rien accidentelle ; elle était voulue et planifiée par les banques et les organismes de crédit qui broient ainsi chaque jour des centaines de familles trop ignorantes de la règle du jeu pour leur résister. On dira seulement que cette société de consommation n'est pas quitte des morts qu'elle favorise, des suicides qu'elle admet, des détresses innombrables qu'elle engendre.

Alors certes, comment un père, une mère peuvent-ils en venir « par amour » à tuer chacun de ses enfants ? Comment une telle chose est-elle même imaginable ? Pour qu'ils n'aient pas à faire face à l'horreur de la réalité ? On pourrait dire que c'est la folie ordinaire. On dit aimer, on croit aimer et c'est l'obscénité de ce mot qui se répand sans rien recouvrir de réel, ou plutôt, il perpétue ce trafic du sacrifice qui enchaîne les générations les unes aux autres par l'abandon, l'indifférence, voire le meurtre. Le sacrifice démonte les rouages d'un amour qui ne fait que se dire et ne s'éprouve pas. La réalité nous blesse et nous déçoit, on ne sait pas imaginer pour nos enfants un destin éloigné, étranger au nôtre, parce que naître, ce n'est pas seulement naître du ventre, mais désirer naître. Les infanticides, il y en a souvent, et beaucoup ne sont pas traduits en justice. Ce sont des enfants « secoués », blessés, meurtris d'âme et de corps jusqu'à la disparition quelquefois, par sadisme, ignorance, bêtise ou indifférence. La liste est trop grande des maux que l'on entend ou plutôt dont on voit les traces terribles sur les enfants, quand ils sont encore là pour le manifester avec ou sans mots, pour ne pas s'interroger sur notre cécité à l'endroit du mal. Comment se représenter la maltraitance en face, comment concevoir le silence de toute une famille, la cruauté indicible à l'encontre de l'enfance ? L'infanticide est notre point d'aveuglement collectif, tant il nous est difficile de nous représenter la gratuité du mal envers un enfant. Or il est de notre responsabilité de penser notre culpabilité collective face à la passion que l'on met à ne pas vouloir entendre, ni voir, ni comprendre — car la voix de l'enfance nous rappelle à la promesse non tenue d'une vie merveilleuse et sauve de tout danger.

Dans le récit de Véronique Olmi, comme dans toute histoire d'infanticide peut-être, les enfants sont les jouets des pulsions meurtrières d'adultes chargés de les protéger, adultes qui retrouvent dans cette enfance l'horreur de leur propre abandon, la terreur de ce à quoi ils avaient cru pouvoir échapper et qui les rattrape sans recours avec la brutalité d'une vie confisquée dès le commencement.

V

CRÉATION, SACRIFICE ET FÉMINITÉ

Sacrifice et pulsion de mort

Un sacrifice est chaque fois la mise en péril d'un monde. Mais cette mise en danger, nous la préférons encore mille fois à ce qui nous laisserait dans un réel dépourvu de sens. Le sacrifice ne prend pas la place d'une révolte ou d'une révolution, car celles-ci opèrent à l'intérieur d'un monde dont elles réclament autre chose, et s'adossent à la loi en même temps qu'elles la récusent, comme l'a remarquablement vu Tocqueville. Il fait dans le réel une découpe plus radicale qu'une révolte ou que ne le ferait même un cataclysme naturel. Car il est guidé par l'idée qu'il y a autre chose de plus important que ce monde et au regard duquel ce dernier est un jouet factice, un *eidolon*, une pure image. C'est pourquoi il y a urgence dans notre société à réinterroger notre rapport au sacrifice, car du sacrifice aura lieu de toute façon, mais qu'il surgisse spontanément et le risque d'effondrement des structures symboliques de la communauté sera d'autant plus grand.

L'espace ouvert par l'acte sacrificiel tient au monde « second » qu'il veut faire advenir. Et cette naissance, comme toutes les naissances, devra se faire quel qu'en soit le prix. Quand un individu se place en ce lieu exact où le sacrifice rencontre « le monde d'hier », pour reprendre la belle expression de Zweig, il peut à lui seul contribuer à de nouveaux commencements, de nouvelles visions. Ce fut le cas de beaucoup de créateurs dont l'espace intérieur et la vision ont creusé à l'intérieur du monde connu un espace d'hospitalité au monde à venir qui l'engageait à donner naissance à de nouvelles formes.

La question de savoir si ces formes nouvelles seront ou non rejetées n'est pas intéressante : rejetées elles le seront souvent au début, sauf par quelques visionnaires. Très peu d'entre nous savent accueillir ce qui arrive, l'inédit, l'inespéré, sans jugement, ou plutôt sans calquer les formes du monde ancien sur celui qui vient de s'annoncer. C'est pourquoi le sacrifice prend souvent une forme violente. C'est aussi vrai dans l'histoire d'une famille. Quand un adolescent se suicide, si son acte est sacrificiel (et là, il faudrait entrer dans les détails pour le différencier d'un pur renoncement à la vie), s'il admet une portée plus haute que celle du « moi » de cet enfant-là, alors il va toucher toute la généalogie familiale et contribuer peut-être à faire naître un nouvel espace de vie pour ceux qui lui survivent. Le vide intolérable que la mort de cet enfant laisse rend presque impossible à percevoir (et encore moins à dire) cet appel à une zone de vie qu'il a sans doute quand même tenté d'ouvrir par son geste. Si cet appel avait trouvé un langage pour s'exprimer, le sacrifice aurait peut-être été évité. L'espace ouvert par un enfant qui disparaît peut-il permettre que de la vie s'invente là où la pulsion de mort menaçait de tout emporter ? Peut-on qualifier ainsi la mort d'un enfant quand la douleur de l'avoir perdu, elle, ne cesse jamais ? N'est-ce pas scandaleux de vouloir trouver à tout prix de la vie là où le sacrifice apporte d'abord la désolation, la perte et le sentiment d'un gâchis épouvantable, irrattrapable ? C'est ce avec quoi fait la création. Confrontée à l'irréconciliable, à la nécessité de ce rapport si étroit entre la vie et la mort, l'artiste se pose à cet endroit exact où se départage le vivant du mort, et quelquefois c'est la violence qui dans cet affrontement l'emporte.

Création et délivrance

Comment se lient le sacrifice et la création, quelle est leur alliance secrète ? Combien de femmes ont ressenti cette nécessité d'en passer par le sacrifice pour être autorisées un tant soit peu à créer ? Sacrifice de la vie de famille, du mariage, des enfants, du lien social, jusqu'au bannissement. Comme si le sacrifice était le meilleur garant d'une œuvre... parce que d'une manière très nietzschéenne, l'art supporte seul le poids d'une vérité. Une vérité qui nous adosse à la mort — à notre mort prochaine. Toute œuvre est un refus du renoncement, comme l'est, à sa manière, le sacrifice.

Pourquoi donc tant de femmes ont-elles perçu l'œuvre comme antagoniste de la vie de famille, de la vie même, ou l'ont mal négocié, douloureusement, difficilement ? La logique névrotique veut toujours que l'on renonce. Comme si l'on ne pouvait être à la fois dévouée à une œuvre et vouée à l'amour d'un enfant, comme si cela s'opposait en effet. Un enfant ne demande rien d'autre que de l'amour et de l'attention, surtout pas du sacrifice, pour lequel il devra payer toute sa vie le prix double, celui de sa mère et le sien. Une mère créatrice n'est pas entièrement à lui ni tout à fait là, une part d'elle est ailleurs, sommée d'écouter les voix qu'elle a elle-même appelées dans son travail, et cette absence, l'enfant le reçoit aussi comme un don, puisqu'il participe alors, à sa manière, de cet « autre » espace où il sent sa mère convoquée et vers lequel lui aussi désire se tourner. La femme qui croit se sacrifier pour son enfant se sacrifie en réalité pour tout autre chose, c'est une autre sorte de tyrannie qui se détermine là, bien plus implacable.

La liberté pour laquelle les femmes ont combattu n'a pas encore de nom. C'est une liberté qui signifie la lutte du féminin contre le féminin, la révolte se joue à l'intérieur, la lame du couteau sépare sans tenir jusqu'au bout le pari de la vie seule. Il faut que quelque chose meure. Cette liberté-là est sans espace social, sans lieu d'écriture, de sépulture, sans ordre donné, sans filiation. Ces femmes dont nous allons parler ont combattu, ce sont des guerrières et des mélancoliques, elles se sont tour à tour tournées vers la transcendance et vers le plus proche, l'intime, le secret. Ce qui les a traversées ne pouvait être entendu entièrement dans le temps d'une vie. Si l'écriture les a portées, les a défendues, construisant autour d'elles un barrage protecteur, c'est contre leur propre tentation d'en finir avec la vie, cette vie-là de lutte incessante, qu'elle se sont édifiée.

La création aura toujours à voir avec le sacrifice. Et la féminité aussi, c'est peut-être aussi ce dont les femmes ont à répondre... On s'est accroché à la différence des sexes depuis les origines de l'humanité comme à cette frontière séparant des mondes absolument étrangers mais sans cesse jetés dans les bras — si j'ose dire — l'un de l'autre pour que l'aventure de l'espèce continue. C'est l'inquestionné de cette frontière qui est remis en cause aujourd'hui, non parce que les femmes auraient cessé brusquement d'être des femmes et les hommes, des hommes, mais parce que tout notre rapport à la sexuation, au genre (féminin, masculin), à la reproduction, aux codes de conduite et de survie, amorce depuis un certain temps déjà, et sous l'effet notamment des techniques, une transformation considérable dont nous n'avons que très peu pris acte. Comme si nous pensions encore ces questions-là avec des années de retard sur ce que la réalité, elle, négocie tous les jours.

La femme qui crée transgresse un ordre primitif : celui des mères, qui donne l'enfantement pour seule voie de création et avec elle cette intime espérance : « Reste avec moi, ne m'abandonne pas, tu es la chair de ma chair », avec le silence aussi chargé de violence, d'abandon, d'indifférence ; tout ce que l'on dit ou pas si souvent au nom de l'amour. Ses poèmes, tableaux, inventions, musiques, espaces lui font refuser ce qui a enchaîné tant de mères à une vie de soumission à l'autre (quel que soit cet autre), mais aussi, très souvent, à la mélancolie de sa propre mère qui la ramène éternellement du côté de la fatalité. Son œuvre, plus forte qu'elle, lui fait refuser de dire oui à l'enfant, à l'amant, à l'époux, à un maître intellectuel, à qui que ce soit, sans avoir vécu, sans avoir eu le droit d'exister par elle-même, d'explorer les chemins de sa création. Parce qu'on n'existe jamais pour « soi », et l'artiste moins que tout autre, femme ou homme. Simplement, et c'est ce que Virginia Woolf étudie si bien, l'exploration de la vie intérieure — et aucune création ne s'affirme sans cela — exige beaucoup d'attention à soi, de présence à soi-même. Bien sûr que la maternité n'est pas incompatible avec cette exploration, puisqu'il s'agit sans doute de la même fécondité, l'une symbolique, l'autre physique, mais le dévouement que demande cette exploration a souvent des exigences terribles qui se heurtent à celles que l'on attend d'une « mère ». Qu'une mère ne puisse être entièrement « à » son enfant parce qu'elle est attentive à ce chaos intérieur dont sortira ou pas une œuvre, ce n'est pas encore acquis...

On crée contre le monde et avec lui, parce que tout

vous blesse, que la sensibilité à vif vous fait éprouver l'étrangeté absolue de la réalité, cette contrée non familière qu'il faut constamment apprivoiser, trouvant des talismans comme droit d'entrée dans le réel. La femme qui crée, parce qu'elle est une femme (c'est-à-dire dans certaines zones secrètes de son être liée de manière ombilicale à sa propre mère, dans une loyauté sans défaut envers elle), s'arrache constamment à la mélancolie, se soutient de toutes ses forces hors de ce trou noir qui risque de l'emporter dans le silence définitif où sont enfermées les œuvres qui n'ont jamais vu le jour, où toutes les dépressions s'écoulent comme un fleuve trop grand. Parce qu'il y a là une sorte de désir d'embaumement, de repli à l'intérieur de cette enveloppe primitive. Tout ce qui se répète dans la vie revient à nous comme une présence spectrale et fait de nous des maisons hantées. Crises de pleurs ou d'angoisse aussi régulières que l'apparition des fantômes, accès de colère incontrôlables, envie de se suicider, d'en finir avec les chagrins d'amour et la peur de vieillir, d'être abandonné tout simplement. La dépression d'ailleurs agit dans ce sens : plus de désir pour rien, larmes incontrôlées ou dégoût pour les choses jusqu'à présent aimées, perception aiguë de la vanité de la vie et malaise dans le corps jusqu'à la nausée d'avoir à être « soi » pour les autres. La répétition nous attire vers ces zones de repli primitives comme si elles pouvaient nous mettre à l'abri des agressions de la vie, on répète les mêmes situations, les mêmes chagrins d'amour, les mêmes abandons parce qu'à tout prendre c'est moins angoissant que l'inconnu où nous jetterait le risque d'exister. La dépression est plus difficile à traquer car elle cache très habilement aux yeux de celui qui en fait l'épreuve la vraie raison de sa tristesse en offrant à ce chagrin toute une panoplie de fausses raisons. Cette mélancolie est le sol dont s'extraie l'œuvre d'art. Une femme créatrice vit dans sa chair la dualité entre l'indépendance nécessaire pour être artiste et la solitude existentielle à laquelle elle est adossée, l'épuisement d'être au service de ces voix qui l'habitent sans lui laisser de trêve et la nécessité d'aimer et d'être aimée. Il y a l'égoïsme de l'artiste, c'est-à-dire une manière d'être à soi qui s'oppose à l'absence à soi-même maternelle.

Il faudrait un bouleversement qui remanierait les choix existentiels profonds d'une mère et de celui ou celle qu'elle désire protéger. C'est là que se loge au cœur du système répétitif le détonateur venu réveiller un passé qui n'est jamais passé, à vif, toujours encordé à même la peau. Passé venu ainsi rappeler la mère, l'enfant, à cet ordre antérieur auquel on doit obéissance. Le sacrifice est destiné à enrayer la pulsion de mort dans sa force de répétition létale en imaginant une autre répétition, un rituel qui viendrait le retourner de l'intérieur (le « purifier » en quelque sorte si le mot n'était pas en lui-même suspect), l'ouvrir sur une forme de transcendance qui déloge le sujet de sa seule petite histoire.

Le sacrifice de soi pour un autre (et qui plus est son propre enfant !) a été longtemps célébré, et le reste d'une certaine façon, comme l'accomplissement du don humain parce qu'il semble faire droit à l'héroïsme du mourir pour l'autre comme appartenant à l'essence de l'humanité. Si l'homme n'est plus capable de donner sa vie pour un autre, il semble alors que c'est l'humanité elle-même qui sera en danger de disparaître, c'est-à-dire notre possibilité d'être humain, de réaliser en nous cette humanité. Sans aller jusqu'à adopter le point de vue nietzschéen, d'ailleurs souvent caricaturé, on peut signifier cet événement du sacrifice de soi comme la puissance propre de l'individu de se trouver en se perdant, c'est-à-dire d'accéder à la vie en s'offrant à la mort. Toute la difficulté est là, car quand on parle de sacrifice, on est, comme nous l'avons vu, sur le versant effilé d'une lame qui sans cesse se renverse en sa puissance inverse. L'autosacrifice cédant aux leurres de l'héroïsme pour mieux régresser vers une symbiose incestueuse et mortifère côtoie le geste sublime de celui qui se jette devant la balle pour épargner autrui, un autre qu'il peut n'avoir jamais connu.

La mère qui crée tente à sa manière d'ouvrir le cercle létal et répétitif de la pulsion de mort, mais vers quoi ? On sacrifie ou l'on se sacrifie toujours pour un autre, ou du moins pour cet Autre irreprésentable qui signifie précisément la tangente hors du cercle (saisons, malédictions, etc.). Ce mouvement de coupure va jusqu'à la trahison. Le geste sacrificiel : partir, mourir, éviter de, se taire... est un geste amené par une nécessité intérieure plus forte que tout en réponse à un trauma profondément enfoui dans la mémoire singulière ou collective, c'est un geste qui va rassembler et concerner d'autres personnes autour d'un acte librement consenti pour faire obstacle à la fatalité, à ce mouvement létal que j'évoquais plus haut, où les vies sont broyées du dedans par un ordre aveugle auquel elles obéissent.

Ce qui est en question dans toute création, c'est l'horizon d'attente, quelque chose qui joue le même rôle qu'un sacrifice, à savoir le retournement du trauma en délivrance, en signification, en chant. Jusqu'où faut-il aller pour se risquer dans ces zones de hauts fonds, de naufrages ? C'est ainsi que procède l'œuvre d'art, elle est un sacrifice en soi, elle agit de la même manière, elle y est apparentée dans sa structure même.

Adresse à une amie peintre

Une femme écrit sur une autre femme [1] : Susanne H. (1962-2004), peintre, née en Allemagne, morte noyée dans un lac du Portugal, à quarante-deux ans. Elle écrit sur elle, l'amitié et la violence de sa disparition, cet été-là. Elle écrit sur sa vie, leur rencontre, sa manière d'être dans son travail et dans sa vie, la place immense de l'enfance aussi, de ses enfants, et la mort, toujours. Elle décrit une peinture féroce jusqu'au nu de l'os, sans compromis avec la beauté, qui questionne la chair là où se départage le vivant du mort, le sexué de l'inerte : corps saisis à la morgue, pendus, hommes marchandises recroquevillés, corps affaissés, surexposés. Emmie L. aussi est peintre. Différente, autant que l'on puisse l'être, de Susanne H., autant que le ciel et l'eau, différence de langues, de pays et d'enfances, mais si proches, jouant du violon toutes les deux, vouées à l'art, à l'invention de la vie, à la littérature, à la peinture, avec une grâce un peu abrupte et des histoires d'exils retraversées d'une génération à l'autre.

Emmie L. écrit sur Susanne H., sans pathos ni nostalgie (si, celle d'être ensemble, encore un peu). L'écriture

1. Je renvoie ici au très beau livre d'Emmelene Landon, *Susanne peintures de Susanne Hay*, Léo Scheer, 2006.

est précise, elle s'attache à décrire les tableaux, la création, les difficultés, les modèles, la vie d'un atelier même quand c'est dans une cave. Elle trouve les mots pour dire la lumière et l'opaque, un destin qui se referme un été sous les traits d'un lac du Portugal. Son amie disparue laisse trois enfants très jeunes. La femme sacrificielle, c'est celle qui s'avance jusqu'au bord du territoire qui départage les vivants et les morts ; celle-là fut happée par l'eau, l'épuisement — mais quelle énergie surhumaine lui aura permis de sauver ses enfants en les ramenant près du bord ? Pour elle-même, la force lui aura manqué.

Emmie écrit sur l'amie disparue encore tellement vivante, elle ne parle pas de ses propres toiles, de sa recherche, cette manière qu'elle a de recouvrir les limites de la mer d'une écriture du lointain ou du proche sur le pli des cartes maritimes, là où est écrit, quelque part dans la marge : *terra incognita* — notre vrai pôle ?

Écriture en apnée, tout le temps, hors du temps, du deuil. La femme sacrificielle, c'est celle aussi qui fait passage, qui fait signe, c'est celle qui ne renonce pas, qui laisse un espace « retranché » à l'intérieur d'elle où résonne le monde. Axe solitaire qui fait la création. L'une écrit, l'autre a disparu, l'une peignait, l'autre peint. Dans la tension de ce dialogue où l'une se souvient de l'autre, on pense à tous ces combats solitaires, en armure, que les peintres mènent seuls dans un atelier sous la lumière crue. Ce qu'ils découpent au visible n'est jamais restitué, il y a une perte qui nous fait voir le monde autrement, comme de l'intérieur d'un langage de sourd où il faudrait écouter par-dessus son épaule un ange chuchoter. Une femme qui crée opère un sacrifice qui la retranche de la communauté et en même temps la dédie à cette communauté qui ne l'attend pas et la reconnaîtra difficilement, la laisse envahie de tout ce reste — ces déchets dont la culture ne veut pas. Les installations aujourd'hui nous disent ce monde déjeté, ces bobines qui tournent à vide, ces pellicules surexposées, tous ces objets virtuellement vidés de leur sang qui opèrent comme des oiseaux d'envergure que des milliers d'yeux scruteraient en vain.

Emmie L. regarde les toiles. Elle questionne : « Comment peindre une tête ? Trouver la lumière qui donne à la tête une présence ? Faire sortir une vibration de la peau, l'ombre du nez, une main soulignée de rouge. *Skurril* est un mot qui pour nous désigne un petit détail fibreux, une tension visuelle, un frisson. (...) la peinture de Susanne H. est primaire, biologique. Ce qui reste quand il n'y a plus rien, pas de religion, pas de contexte. (...) Un regard peut être *skurril*. Le regard de S. sur la peinture du Caravage et la disparition des ombres, la présence des corps dans l'espace, la cohérence et la profondeur de la matière picturale, le cru et le réel. » Un destin sacrificiel est une vie qui, sans doute, porte beaucoup pour beaucoup d'autres, dont la tension très particulière affecte l'existence même d'un autre sens, ignoré d'elle. Ces êtres-là ont dans leur chair, leur création, leur fragilité aussi, la mémoire de toute une lignée. Parfois quatre ou cinq générations déposent là leur césure, leur rupture, leurs énigmes et leurs secrets, et c'est avec cette personne-là que le secret va resurgir en s'incorporant dans le corps même. Souvent, la mémoire qui ainsi fait retour dans le réel appartient à l'Histoire, je veux dire aux guerres, aux carnages, aux charniers sans noms, aux cadavres non inhumés, sans tombes ni lieux, aux profanations de toutes sortes dont regorge l'Histoire. La généalogie personnelle de cette amie peintre m'est étrangère, mais il ne me surprendrait pas d'y découvrir une autre noyée ou du moins une familiarité troublante avec la mort liquide dans un contexte proche, tant est profonde la loyauté qui persiste en nous pour les morts envers lesquels le non-travail de deuil nous oblige. La mort, quand elle rompt brutalement la vie d'un être par un accident ou une maladie subitement déclarée à un âge encore jeune, nous désigne ce que j'appellerai cette fois des « zones sacrificielles » dont un sujet peut dangereusement s'approcher, voire même s'y identifier corps et âme. Ces zones sont des états limites de désubjectivation où l'identité flotte entre le vivant et le mort, entre le minéral, l'animal et l'humain, entre la veille et le sommeil, ce sont des états hautement perceptifs que tous les créateurs un jour ou l'autre connaissent. Ils ont même le plus souvent le désir de s'y exposer.

L'écriture d'Emmie L. ressemble à un désenvoûtement, à un serment de fidélité qui donne mémoire et rend hommage à l'amie disparue, mais c'est aussi un geste qui permet à la vie de reprendre, au deuil de se poursuivre et à la création d'entamer, par l'écriture, ce travail de désembaumeur qui est si souvent le sien. Ensuite, ce qu'elle aura écrit sur l'œuvre de son amie et plus essentiellement, peut-être, sur l'acte de peindre se détachera de la vie réelle et de l'amitié telle qu'elle fut vécue pour nous appartenir un peu, à nous qui n'étions pas là. Dans tout destin sacrificiel, il y a un reste, comme après l'étrave ces remous dans l'écume qui rendent visible le passage du navire. Le sillage de l'événement sacrificiel est ce qui ne pourra jamais être tout à fait recouvert ni tout à fait submergé par aucune parole, émotion, commémoration. Ici, c'est une noyade accidentelle qui laisse un vide inexplicable, mais pas seulement du vide ; on ne saura jamais si Susanne H. avait rendez-vous avec la mort, ce sont des choses qui nous échappent, on peut seulement dire qu'autre chose en naîtra, qu'on ne connaît pas. Ce texte d'Emmie L. est l'un de ces sillages qui se forment après l'événement, derrière lui, et, à la différence de la mer qui recouvre toute trace de passage, il est une adresse dont la destination est aussi un appel, une provocation à répondre. Si le trauma provoque la possibilité du sacrifice ou le rend nécessaire, ce qu'il en reste se reconnaît à ce sillage et aux offrandes symboliques des témoins. Le sillage se referme, c'est bien connu, et la mer apparaît ensuite n'avoir jamais été ouverte par l'étrave d'un bateau, mais pour une vie humaine les vagues qui se sont formées à l'étrave sont un reste qui ne se referme pas. Et quand il appartient à la littérature, encore moins. Car c'est une forme particulière de mémoire ; fictive ou poétique, elle lègue ce qu'elle ne sait pas encore elle-même qu'elle distribue.

On ne sait presque rien du drame intime de cette femme, Susanne H., noyée cet été-là. On ne sait presque jamais rien de l'autre.

Emmie L. ne s'approprie ni cette mort ni cette œuvre, elle les visite comme on parlerait d'une visitation, elle ne nous y donne pas même accès, elle nous laisse devant les tableaux, dans cette amitié qui fait hospitalité à l'autre inconditionnellement, qui dit l'amour, l'amitié, la création, dans ce qui les lie inextricablement d'un même geste à la vie et à la mort.

De la nécessité de l'angoisse

Toute œuvre est arrachée à l'angoisse ou, plus exactement, elle est une traduction de cette angoisse en langage. On n'écrit pas par désœuvrement (le mot le dit bien) ou par ennui, sauf si l'ennui n'est que le visage supportable de l'angoisse, le *spleen* autrement dit. L'œuvre surmonte l'angoisse en donnant à cet état de « dés-être », à cette terreur sans nom, un langage pour l'accueillir et le détourner, littéralement, de soi vers le monde. L'angoisse qui nous habite, qui nous donne l'envie de déserter notre propre vie ou nous fait désirer être n'importe où mais ailleurs, certains l'apaisent dans des bras toujours différents, d'autres dans l'alcool, d'autres encore dans l'affairement maladif. De toute façon, nous sommes inégaux face à elle. On naît, semble-t-il, avec un sentiment (une sensation ?) plus ou moins fort de l'étrangeté du monde, de sa non-familiarité. L'angoisse est la manifestation visible, appréhendable, que rien n'est traduisible pour un sujet hors le langage, et en particulier le langage du corps. On peut penser que chaque caresse de mère défait un peu de cette angoisse à même le corps de l'enfant, qu'elle continue ainsi à le mettre au monde, que chaque mot, chaque syllabe chantée, chacun des bercements qu'elle imprime au berceau vient soulager le poids de cette étrangeté et accueillir l'enfant ici, lui faire hospitalité dans un sens très archaïque et absolument vital. Ainsi enveloppe-t-elle le nouveau-né d'une gangue familière, d'un autre corps en somme, un corps second, psychique, fait de résonances qui sont peut-être les premiers codes transmis à l'enfant (comme pour l'animal d'ailleurs) pour traduire la non familière langue du monde, l'irraisonnée sonorité du monde. Mais que pourra donner une mère mélancolique elle-même soumise à la terreur, un père écrasé par l'angoisse ou défiant ou s'étant déjà déserté depuis longtemps ? Comment offriront-ils un quelconque abri à l'enfant ? Comment lui apprendront-ils les premières lettres, pas celles de l'alphabet mais celles, magiques, qui créent des refuges face à l'exil que le monde représente ?

Pourquoi certains êtres sont-ils écorchés vifs par cette étrangeté, ou du moins le restent-ils ? Ceux-là sont créateurs, souvent, ou succombent — l'angoisse est insupportable à haute dose, trop longtemps —, ou bien encore abdiquent tout de suite, s'accrochent à un objet radeau (la bouteille, la seringue, la crise) comme seul pourvoyeur de cette possibilité d'un refuge qu'ils n'ont pas reçu au berceau, ou pas su recevoir. Pourquoi d'autres s'y bercent-ils comme s'ils avaient été immunisés de naissance ? Pourquoi d'autres encore s'y trouvent-ils engouffrés sans rien d'autre que des cris ou du mutisme à lui opposer ?

On ne sait pas expliquer la création, il ne faut pas. Mais comment se créer une langue contre la langue, cela oui, peut-être pouvons-nous l'approcher. L'œuvre est une terreur surmontée ; contre l'étrangeté du monde et avec lui, elle invente un langage pour traduire l'intraduisible, pour faire entendre l'innommable et tenter d'y inscrire une forme nouvelle.

Ainsi naît peut-être une langue à soi, pour paraphraser Woolf, une enceinte particulière où le sujet à l'abri pour un temps a négocié son passage dans la tourmente du réel. Il expérimente le monde à partir d'un certain exil imprimé en lui très tôt comme une modification intime, pour ne pas être définitivement seul. Cette langue, ce sont aussi les couleurs d'une palette de peintre, les notes et les mains du musicien, la pierre sculptée, tous les ouvrages, les installations éphémères et les abstractions, les plans d'architectes, les espaces silencieux entre les barricades. Mais il faut croire que venir à bout de l'angoisse est un processus qui, même s'il vous octroie le plus souvent l'intelligence, est lui-même exténuant. Il vous consume lentement. Si le sujet ne retrouve pas le chemin d'une paix intérieure (mais comment ?), s'il entre dans cet exil qu'est la création, c'est une hydre à plusieurs têtes qu'il affronte. Mais il l'affronte, c'est vrai — et cela peut lui donner une force de vie extrême. Aucune œuvre, cependant, n'en vient à bout. À moins, comme l'ont fait certains, d'en finir avec la vie, ou d'en finir avec l'œuvre (ce qui souvent pour eux revient au même). Car ils deviennent, en plus du reste, responsables pour d'autres. Des lumières qui se balancent dans cette nuit-là, des guides, des sentinelles sur le qui-vive. Responsables envers leur œuvre et les voix auxquelles ils ont prêté vie, et responsables envers ceux qui les lisent, écoutent, découvrent, et pour qui la vie ne serait pas la même sans eux, sans ces voies que les créateurs ouvrent à main nue devant eux. Et c'est le corps qui tient, arc-bouté, ce fragile équilibre entre l'angoisse et l'invention par le langage du chemin hors de l'angoisse. Un corps parfois drogué, hypnotisé (toujours un peu), en état de désir et d'alerte, épuisé souvent. Avec l'alcool, le sexe, les addictions diverses, toutes les armes qu'il faudra, à moins que ce ne soit cette unique sorte de stylo, cette fenêtre, tel pan de mur d'un atelier, telle lumière, telle sonorité de tel studio — chacun ses talismans — qui balisent le cheminement hors de l'angoisse comme les cailloux du Petit Poucet, pour ne pas disparaître, et tout perdre.

Ce contre quoi toute œuvre est adossée, l'angoisse, ne se perpétue que parce que nous luttons de toutes nos forces pour nous en extraire. Pour qu'à nouveau de l'autre surgisse de l'inédit, de la vérité. Ce qui nous assaille, dans l'angoisse, c'est le poids de ce qui aurait pu être et qui n'a pas été... c'est ce qui n'est pas né, qui n'a pas pu s'ouvrir et ne cesse de se manifester à nous sous la forme du regret, de l'oppression. Or, nous sommes à chaque instant au croisement de la bifurcation, mais cette possibilité d'être constamment renouvelée, c'est avec la même constance, la même bêtise, que nous préférons continuer à refuser d'y croire. Nous préférons chérir notre angoisse plutôt que d'affronter ce possible retournement du temps, cet ordre sacrificiel — il comporte de la perte, c'est vrai —, parce qu'il nous engage dans un commencement.

Quand nous souffrons de quelque chose — appelons cette chose symptôme — nous croyons que cette souffrance nous empêche de vivre, alors qu'en réalité elle négocie pour nous le prix de la réalité. On adopte un symptôme (contre l'angoisse) parce qu'il est une solution à tout prendre moins terrible que d'être dévasté par elle, moins terrible que de devoir trahir la fidélité originelle que nous avons tissée dans nos premiers liens d'amour, rapport considéré par notre âme comme un équivalent de sa survie. Le symptôme est une tentative de continuer à tenir droit dans l'existence au prix d'une souffrance qui ressemble étroitement à une dette. Plutôt que de créer, on renonce à chercher ce qui nous paralyse. Ce qu'on y sacrifie, c'est quelque chose du corps : vomissements, urticaire, paralysie locale, frigidité, insomnie — selon cette logique qu'il vaut mieux sacrifier à l'ennemi un bataillon et gagner l'offensive, que risquer de perdre le « corps d'armée » entier sur le champ de bataille. On ne comprend rien à cette logique du symptôme si on ne fait pas d'abord alliance avec elle. Faire alliance, ce serait essayer de comprendre, sans jugement moral, ce mouvement de l'âme dans son rapport au sacrifice, à la perte et à la fidélité. Et c'est ce que nous disent les rêves.

Le problème du symptôme est d'être insatisfait. Il y a peu d'équilibre névrotique de longue durée dans le symptôme, c'est un ogre qui exige toujours plus de nous. Cet ogre affamé ne se satisfait pas de ce qu'on lui donne (d'où l'intérêt d'une analyse : aller affronter le monstre plutôt que de lui offrir toujours plus de chair fraîche) puisque c'est précisément de la valeur sacrificielle qu'il se nourrit — prix que le sujet imagine devoir payer pour son désir. S'il doit être un remède d'excitation suffisante contre l'angoisse, autrement dit faire correctement son office de diversion, le symptôme exige de plus en plus de soi.

Quand une femme « sacrifie » sa maternité à ses livres, il lui faut nourrir et conquérir sans cesse de nouveaux territoires pour que l'ogre s'apaise et la laisse écrire en paix, autrement elle est saisie par l'angoisse d'avoir sacrifié tout cela (sa maternité, son bonheur ?) à une œuvre qui, si elle n'est pas reconnue, se paiera en insomnie ou en affolements divers du corps jusqu'à ce qu'une reconnaissance publique vienne un tant soit peu colmater la brèche et assurer à cette femme que cela, oui, valait la peine. Créer, c'est pactiser avec l'angoisse et la terreur du monde d'une manière qui n'en surmonte jamais tout à fait le poids de solitude, c'est naviguer entre les destins de nos morts, ceux que nous avons aimés comme ceux qui nous sont inconnus mais dont la mémoire anarchique, en souffrance, continue à travailler en nous, à travers nous, par d'étranges répétitions et hasards qui feraient presque croire aux fatalités conduites par les astres. En réalité, cette navigation est un art de renoncer à souffrir. Car on peut effectivement renoncer à souffrir, et cela demande beaucoup de courage. Renoncer à souffrir, c'est en quelque sorte sortir de cette antichambre où les dettes se comptent et ne se soldent jamais, où il faut faire sans cesse retour sur le passé car ce passé-là est figé dans une chambre glacée d'où rien de vivant ne vous revient. Le sacrifice, paradoxalement, peut être l'un des recours de ce renoncement à souffrir, comme dans les vies blanches que j'ai évoquées un peu, ou dans la violence d'une disparition qui fait sillage autour d'elle et dans le retournement du temps qu'elle provoque, comme on l'entend si bien chez Antigone, en offrant la vision de ce que pourrait être un rapport au monde *autre*.

Virginia Woolf : l'enfance, la mort, la grâce

Virginia Woolf est entrée dans l'eau de la rivière les poches alourdies de pierres. Elle a été retrouvée, plus tard, plus loin, le même jour. Quand un écrivain se suicide, sa création à venir disparaît avec son acte. Ce qu'il soustrait au monde, c'est la puissance à venir de sa voix, le fil interrompu de son récit. Il cède à une angoisse (comment nommer cela autrement ?) qui l'emporte avec lui ainsi que toutes les pages blanches futures. L'angoisse agit comme une annulation, un compteur remis à zéro où il n'y aura plus d'attente, de comptes à rendre à personne, juste le vide infiniment reposant de ce silence. Plus de réponse à fournir, de ciel à scruter, de regards à retourner, de dialogue à superposer au vide des voix défuntes qui elles, désormais, peuvent envahir tout l'espace. L'écrivain est un passeur de morts tout autant que de mots. Il se tient malgré lui sur cette frontière toujours mouvante où le monde se retire pour laisser place à l'ascendance des morts. Il est un désembaumeur, il officie à l'envers des rituels de momification, il défait les liens, les bandelettes, détache les lambeaux de peau, d'histoire, en recueille le suc et ravive le corps avec sa voix tue. Aucun écrivain n'est à l'abri de la mort, il travaille avec elle, adossé à elle, dans la permanence de sa proximité. Il ne s'en souvient pas, il n'est presque jamais dans l'orbe de son rappel, non il travaille avec les morts, avec les voix oubliées, avec les destins manqués, les mémoires trahies, déjouées, il invente des voies de traverse pour d'autres vies dont il ne sait pas qu'elles sont hantées déjà par le langage, la promesse, la trahison.

Au moment de sa mort, Virginia Woolf laisse un roman inachevé, sublime, *La Promenade au phare*, posé comme une pierre angulaire qui n'indiquerait aucun chemin. La première partie du livre est un long après-midi où l'on projette cette promenade au phare et le dîner qui s'ensuivra, sur des pages et des pages. Et les voix, les visages, les amitiés, les amours autour comme autant de constellations posées dans un monde juste avant qu'il ne bascule. Dans la seconde partie, Mrs Ramsay a disparu. Et vingt ans ont passé. La promenade n'aura pas eu lieu. Tous les romans de Virginia Woolf sont partagés selon un axe de fatalité qui ne se voit pas, que rien ne laisse pressentir, qui se loge dans les petits détails d'une conversation banale, dans les bousculades d'enfants, les voix mêlées aux saules, à l'eau, à la lumière. Dans *La Promenade au phare*, il y a une disparition. Mrs Ramsay est une mère tendre, une épouse dévouée, une amie parfaite, qui ne se tient nulle part où l'on devrait la voir paraître, elle n'est pas entièrement là et pourtant sa présence infuse, sourd à l'intérieur des êtres et des lieux continûment, mais sa disparition est déjà inscrite dans le moindre de ses gestes, comme si, pour tenir à la vie, il fallait autre chose à quoi l'accès vous est refusé. L'évidence peut-être du sens de la vie. Les personnages de ce roman manquent tous de cette évidence. Une autre évidence est là, dans la lumière si particulière qui baigne le récit, l'attraction des êtres, la radiance des enfants même dans la tristesse du fils si loin de son père et qu'elle protège encore, mais l'évidence du sens que tout cela défend, non. Le livre se clôt sur cette parfaite absence, entre la rumeur du dernier dîner et la promesse d'une promenade non tenue. Il y a ce temps fêlé, cette jonction impossible entre un passé qui ne passe pas, comme le trauma, et un présent qui fait acte de cette disparition dans l'écriture elle-même. Rien n'a eu lieu, presque rien, vingt ans seulement et une page tournée. Virginia Woolf joue la même partie que les anges, elle n'entend de l'irréversible que la part inconnue de nous et que l'écriture porte comme une armure — une reddition ?

Tous les romans de Virginia Woolf sont crépusculaires, ils portent l'évidence d'une mort annoncée comme condition même de la vie, de l'intensité d'une vie dont chaque instant présent se détache sur fond de disparition imminente. Cette imminence est un rappel de notre exil fondamental d'être humain, celui qui nous éloigne de tout objet, de toute passion, comme un arrachement lové au cœur même de la possession, une distance faisant suspendre tout attachement à une certaine lumière du jour, une disposition des événements les plus banals en apparence ce jour-là (aller chercher des fleurs elle-même, pour Mrs Dalloway). Ce n'est qu'à la fin du jour, du roman, que s'interrompt la vague interrompue des échéances quotidiennes, quand l'écrasement du temps noie toute tentative pour extraire un peu de vie du processus d'anéantissement. Processus qui est cette pulsion de mort même en tant qu'elle habite le vivant pour qu'il perdure (paradoxalement) au minimum de son intensité, jusqu'à perdre son sens même. La fin de l'écrivain anglais à qui l'on doit les sublimes pages de *The Waves* et tant d'autres fut une autre page de ses romans, une éclipse de plus dans ce que la disparition offre comme possible au vivant pour qu'il se constitue comme vie. En sacralisant la vie à tout prix, ce que le philosophe Jan Patočka nous rappelle, c'est contre ce que signifie pour l'être humain « être en vie » que l'on agit, car le sacrifice vient nous en rappeler le sens. Le sacrifice est nécessaire, non pas en tant que rite au service du pouvoir, mais en tant que frontière gardée, perpétuée, sans cesse réactivée entre vie et mort, entre les mots des morts et les mots des vivants, et la vie n'est pas à conserver à tout prix dans du formol ou dans la simple consommation des choses, voire des êtres. La disparition la constitue comme sa dimension la plus secrète, la plus intime, et il est bien d'autres manières fort heureusement de s'en souvenir que de mourir volontairement.

D'un suicide, il n'y a rien à dire, que les pleurs des survivants et l'oubli gagnant peu à peu les derniers témoins. Mais qu'il y ait eu acte sacrificiel, de cela peut-être nous pouvons, nous devons être témoins, parce qu'il y va de la langue elle-même, de notre acte de vivants dans l'attestation de ce que l'œuvre admet. Si le sacrifice est la forme qu'admet la disparition pour exister et avoir existé comme pure présence, alors le suicide, résolument, en est l'une des formes majeures. Car dans cet acte celui qui disparaît dit voyez, j'ai existé et je ne peux porter cette existence un pas de plus. Quand une œuvre s'interrompt, elle dit : je ne peux plus répondre des morts, je ne peux plus répondre à la place des disparus, des absents, de ceux qui furent laissés sans voix. C'est ne plus pouvoir faire partie des vivants qui oublient, qui espèrent et qui dansent.

Virginia Woolf est une princesse perdue dans un monde coupant comme une lame, elle le domine de la distance de sa paume, là où ça s'écrit pour elle, en elle, là où viennent puiser les voix d'enfance des vagues, là où s'achève la promenade au phare, là où rien ne commence jamais parce que ça a déjà eu lieu. Il faut du temps, beaucoup. Cela demande un temps infini. Une immense confiance. Que les mots traversent les parois de verre, que l'écriture porte en elle son propre dénouement, que les humains acquiescent, au moins un peu, de temps en temps, à ce monde livré là. Que les enfants restent encore sauvages, que les mères ne disparaissent pas avant leur propre temps, avant d'avoir bercé, enfanté, écouté, que l'amour ne soit pas toujours en sursis. Mais il l'est. Le sursis répond à une mise en danger. Mais il fait paraître la réalité bientôt disparue désirable. Infiniment. Parce que tellement vulnérable. Et rendue vulnérable par soi. On est à la fois l'agent de destruction et le bras salvateur qui retient la sentence implacable qui va « balancer » tout ça. L'écrivain rejoue la scène. La femme sacrificielle aussi. Elle s'offre le spectacle de la destruction prochaine mais aussi le récit du sauvetage, l'abîme proche et le pas vers le refuge proche, comme si l'on pouvait être des deux côtés du vide. La femme sacrificielle n'a pas coupé les liens. Et c'est pour cela qu'elle devient elle-même le couteau, qu'elle s'offre à devenir, elle, l'agent de rupture définitive avec tous ces liens, je veux dire, les liens familiaux, sociaux, religieux, les liens qui font de nous un être social parlant. Cette femme n'a pas pu desserrer à temps l'emprise de ces liens, elle est restée porteuse d'une fidélité autre, antérieure. Qui la tue. Mais à qui elle croit devoir la vie. Quand toutes les voix se brouillent, deviennent persécutrices, il reste un passage à gué, c'est inventer sa propre langue, pour toucher de l'intérieur les choses, leur rendre leur poids, leur innocence, leur immédiateté. Quelles que soient les civilisations, c'est toujours le corps qui sert de mesure au sacrifice. L'ordre du monde alors revêt un autre sens, plus proche du murmure, des éléments, que de la distance folle à laquelle se tiennent les humains quand ils vocifèrent.

Virginia Woolf écrit sur les voix qui nous traversent dans *The Waves* et qui ne sont pas encore (qui ne seront jamais ?) « nous » au sens de ce nous-même que l'Occident chérit avec une ferveur anxieuse. Elle nous laisse entendre ce qui d'un être est traversé quand il parle, qu'il murmure, qu'il attend, quand le soleil éclaire de l'autre côté la colline, quand l'autre n'arrive pas, quand il est presque trop tard et qu'il faut faire comme si... Elle est dans l'intimité de l'absence, cette absence à nous-même qui jamais ne nous permet de coïncider entièrement (avec soi) malgré nos efforts. Et cet espace, il appartient aux morts qui nous habitent, trouvent refuge en nous comme une maison hospitalière, hantée, nous qui refusons en dépit de tout de prendre acte de cette mémoire qui n'est pas « nous » mais qui depuis toujours, depuis la nuit des temps je dirai presque, nous façonne d'une matière musicale inconnue de nous mais reconnue des autres comme étant « notre » son, notre musique. Le langage en est le véhicule, quand il dit le temps, l'ignorance, l'absurdité, la tempête, les toutes petites choses.

C'est cette impossibilité de fermer nos propres frontières qui nous angoisse tant, nous sommes poreux et nous voudrions être une lame étincelante, nous sommes une terre fragile sur laquelle les mots par milliers demi-effacés écrivent des stèles indéchiffrables à nos propres yeux. Certains s'arrangent pour croire jusqu'au bout que cet espace qui les divise et les rend sonores n'existe pas, ils « croient à la grammaire » dirait Nietzsche, ils s'acharnent à consolider jusqu'à l'heure de la petite fêlure, la mort, l'illusion comique somme toute qu'ils sont un « je » existant et répondant en nom propre de leur vies. Beaucoup d'autres sont trop submergés de tristesse, ne s'y retrouvent jamais, voyagent, boivent, se perdent dans les corps, courent après des nécessités matérielles dont ils se persuadent qu'elles les éloigneront un jour encore de la disparition. Ils accumulent, ils s'enivrent de mots, d'images, parce que c'est un baume efficace et seul l'amour, sans doute, le vrai amour, pourra les emmener du côté de ce vertige ouvert par le fait que nous sommes perdus dans la langue, dans le temps, hantés par des voix étrangères. L'écrivain, le peintre, tous ceux dont on dit qu'ils « créent » (ça veut dire quoi ?) essaient de surmonter la terreur.

Virginia Woolf a inventé le *stream of consciousness*, elle a fait entendre dans la matière sonore de la langue anglaise ce mouvement de flux et de reflux continuel de la conscience, elle est la sœur de Proust et du Dostoïevski de *Crime et Châtiment*, elle emmène le lecteur dans la proximité dénudée de sa propre empreinte, c'est-à-dire précisément à ce moment où la terreur se retourne en langage, où un seul mot suffit à sauver une vie parce qu'il aura su traduire, pour d'autres, cet effroi sidérant, parce qu'il aura laissé transparaître ce dedans du monde qui affecte l'être comme sa propre peau. Les personnages de Proust, Saint-Loup ou le narrateur, ou chez Dostoïevski Raskolnikov, le prince Mnouchkine, chez Virginia Woolf Mrs Ramsay mais aussi Mrs Dalloway n'ont pas d'enveloppe propre sinon celle des codes qui les tiennent vivants, emmurés à l'intérieur de la société où ils évoluent avec grâce et un total désarroi. Apparemment ils n'ont besoin de rien, ils tiennent miraculeusement à l'intérieur de ces mondes comme des miroirs fêlés se déplacent lentement et renvoient aux autres leur propre apparence, leur langage, leur affectation glacée, mais au-dedans c'est le monde qui se tait, ou qui hurle, c'est pareil, pas d'enveloppe psychique pour les protéger ; ils sont embusqués en première ligne, sidérés, extatiques devant cela qui existe pour eux, et de cet étonnement d'être au monde ils ne font rien ou si peu... Les enfants des *Vagues* sont des enfants parmi d'autres et pourtant tous ils sont en passe de se briser doucement devant nos yeux, mais avec quelle douceur, quelle impatience, quelle force de désir !

Virginia Woolf s'est tuée, comme on dit. À la lecture de son Journal, on chercherait en vain un indice de plus, une inquiétude, une trace... Devant quel seuil impossible à franchir s'est-elle arrêtée ? La mélancolie féminine s'épuise d'avoir à conjuguer toutes les vies : amie, mère, amante, fille ; elle ne peut plus faire danser ensemble toutes ces images de papier. L'acte sacrificiel, il est dans ce retrait du corps de l'écrivain (ou du peintre, du poète, du musicien), là où il n'y a plus d'autre signe possible que celui donné par le corps lui-même, emmuré à l'intérieur d'une respiration. On a dit beaucoup que les femmes artistes étaient dans le sacrifice de leur maternité pour construire leur œuvre. Woolf n'a pas eu d'enfant, il est vrai, comme de nombreuses autres femmes créatrices, et on ne peut nier qu'il doit exister une sorte de pacte qui dans l'œuvre symboliquement offerte au père en gage de... fidélité ? rachat ? rédemption ? identification ? exige le renoncement de l'enfant de chair trahissant de manière trop brûlante l'inceste en jeu dans ces lignes tracées jour après jour pour rejoindre là-bas un père enfin idéal ou tout au moins possible. Mais je ne pense pas que l'essentiel soit là. Parce que celle qui crée et décide un jour de disparaître fait un sacrifice, oui, non pas de sa vie mais de ce qui reste à venir de son œuvre, traçant une ligne invisible qui signifie : Pas un pas de plus, là je ne peux plus avancer. Ne m'attendez plus. Ne m'espérez plus. Il n'y a rien à chercher dans le jour d'avant, la nuit qui a précédé, les paroles évoquées, oubliées, les allusions, tout ce que les proches invoquent sans cesse en se disant : si peut-être j'avais su entendre, j'avais su déjouer... Mais le rendez-vous avec la mort est aussi fort qu'un rendez-vous amoureux, il fait force de loi, d'attraction, il sécrète de la dissimulation et de la distraction pour pouvoir en douce consolider son enclos, le moment où cela aura lieu. Et puis ensuite, il y aura la lumière d'un matin, l'insomnie d'une nuit, une lettre de trop attendue et pas arrivée à temps, un chagrin idiot mais irrépressible et l'œuvre en souffrance qui n'a plus de destinataire car elle n'a plus de sujet pour la conduire par la main et la nourrir. Ce geste sacrificiel-là dit, en réalité, l'incroyable rareté, magie, d'une œuvre, ce qu'il faut de force, d'obstination, pour la mener au bout : échapper à la mort, en ce sens, pour un artiste est plutôt l'exception, une grâce venue avec le temps et l'apaisement des choses. La responsabilité aussi pour d'autres que soi, peut-être... Il y a dans l'entrecroisement des forces de mort et des forces de vie une sorte d'évidence qui empêche toute autre chose de venir s'interposer, distraire l'obsession de ce mouvement.

Avant de remplir de pierres ses poches et d'aller se noyer dans la petite rivière de l'Ouse, Virginia Woolf laisse un mot à Leonard, qui l'a toujours protégée, de son écriture, de sa mélancolie, de ses rêveries, de ses amis. Elle lui dit sa crainte de devenir complètement folle, de voir la fatalité de ses crises dépressives se resserrer sur elle comme un étau définitif d'où aucun mot ne s'échapperait plus. Virginia Woolf a défié les conventions sociales de son époque, elle a subverti les règles de l'écriture romanesque, inventé des formes nouvelles de narration, publié des textes d'avant-garde. La force qu'il faut à un être pour tenir lui vient du monde qu'il porte en lui et qu'il doit transmettre, contenir et faire croître sous peine d'en mourir psychiquement ou physiquement. Elle est morte en 1941. C'était la guerre, la précédente lui avait déjà pris un frère. Son acte fut aussi un geste politique. Elle s'est noyée dans l'Ouse, qui bordait son jardin. On peut encore visiter sa maison. Était-ce un sacrifice ? Un renoncement ? Un égarement ? On ne peut pas rejoindre une vie au-delà d'elle-même, de ce qu'elle laisse comme traces, comme souvenirs, comme chagrin, mais on peut penser que peut-être en entrant dans la rivière, elle posait un *dernier acte* d'écrivain et, en empruntant le chemin de ce silence radical, refusait que sa folie, comme elle appelait ses crises, ne referme à sa place l'espace qui s'ouvre entre les mots.

Table

II. LES JEUNES FILLES

III. LES AMANTES

IV. LES MÈRES

V. CRÉATION, SACRIFICE ET FÉMINITÉ

Composé et achevé d'imprimer
par la Société Nouvelle Firmin-Didot
à Mesnil-sur-l'Estrée, en janvier 2007.
Dépôt légal : février 2007.
Numéro d'imprimeur : 82502.
ISBN 978-2-20725412-7/Imprimé en France.

114942